연산으로 마스터하는

중학 수학 3 (상)

중학 수학의 특징

01 스스로 원리를 터득하는 계산력 시스템

· 풀이 과정을 채워 가면서 스스로 수학의 연산 원리를 이해할 수 있습니다.
· 쉽고 재미있는 문제들을 통해 개념을 이해하고 다양한 문제 접근 방법으로 어떠한 문제도 스스로 해결할 수 있습니다.
· 빠르고 정확한 계산능력을 키울 수 있습니다.

02 연산 드릴을 통한 개념 완성 시스템

· 탄탄한 기본 연산력이 수학 실력 향상의 밑거름이 될 수 있습니다.
· 매일 반복하는 연산 학습으로 자연스럽게 개념을 이해할 수 있습니다.
· 주제별, 유형별로 묻는 문제를 반복하여 풀면서 기본 원리를 완성할 수 있습니다.
· 수학의 기초인 연산 부분을 강화하여 학교 수업에 자신감을 가질 수 있습니다.

03 교과 단원별로 구성한 보충 학습 시스템

· 단원별, 유형별 다양한 문제 접근 방법으로 부족한 부분을 집중 학습할 수 있습니다.

연산으로 마스터하는 중학 수학의 구성

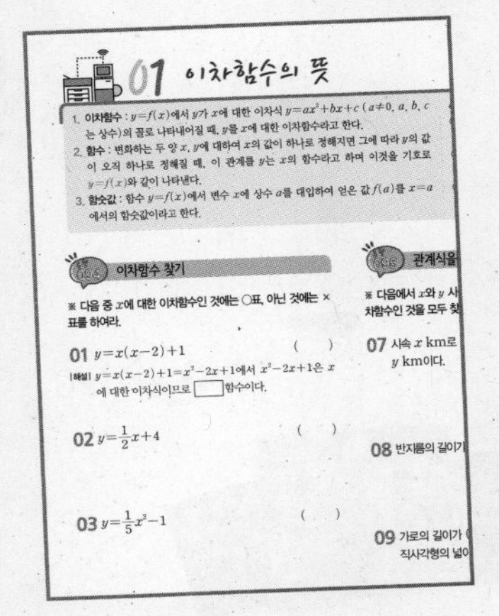
01 이차함수의 뜻

1. 이차함수 : $y=f(x)$에서 y가 x에 대한 이차식 $y=ax^2+bx+c$ ($a\neq0$, a, b, c는 상수)의 꼴로 나타내어질 때, y를 x에 대한 이차함수라고 한다.
2. 함수 : 변화하는 두 양 x, y에 대하여 x의 값이 하나로 정해지면 그에 따라 y의 값이 오직 하나로 정해질 때, 이 관계를 y는 x의 함수라고 하며 이것을 기호로 $y=f(x)$와 같이 나타낸다.
3. 함숫값 : 함수 $y=f(x)$에서 변수 x에 상수 a를 대입하여 얻은 값 $f(a)$를 $x=a$에서의 함숫값이라고 한다.

이차함수 찾기

※ 다음 중 x에 대한 이차함수인 것에는 ○표, 아닌 것에는 ×표를 하여라.

01 $y=x(x-2)+1$ ( )

(해설) $y=x(x-2)+1=x^2-2x+1$에서 x^2-2x+1은 x에 대한 이차식이므로 [ ]함수이다.

02 $y=\frac{1}{2}x+4$ ( )

03 $y=\frac{1}{5}x^2-1$ ( )

관계식을

※ 다음에서 x와 y 사 … 차함수인 것을 모두 찾

07 시속 x km로 … y km이다.

08 반지름의 길이가

09 가로의 길이가 … 직사각형의 넓이

개념정리

핵심 내용정리는 단원에서 꼭 알아야 하는 기본적인 개념과 원리를 창(Window) 형태로 이미지화하여 제시함으로 이해하기 쉽고, 기억이 잘됩니다.

개념 적용/연산 반복 훈련

기본 원리를 적용하여 같은 유형의 문제를 반복적으로, 스몰스텝으로 단계화하여 풀게함으로써 실력을 키울 수 있습니다. 직접 풀이 과정을 쓰면서 개념을 익힐 수 있도록 하세요. 쉽고 재미있는 문제들을 통하여 수학에 대한 자신감을 가질 수 있습니다.

TIP / 문제 풀이에 필요한 도움말을 해당하는 문항의 하단에 제시하여 첨삭지도합니다.

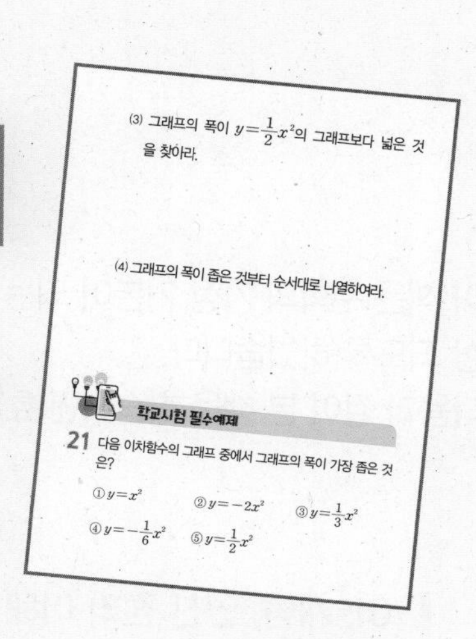
(3) 그래프의 폭이 $y=\frac{1}{2}x^2$의 그래프보다 넓은 것을 찾아라.

(4) 그래프의 폭이 좁은 것부터 순서대로 나열하여라.

학교시험 필수예제

21 다음 이차함수의 그래프 중에서 그래프의 폭이 가장 좁은 것은?

① $y=x^2$ ② $y=-2x^2$ ③ $y=\frac{1}{3}x^2$ ④ $y=-\frac{1}{6}x^2$ ⑤ $y=\frac{1}{2}x^2$

학교시험 필수예제

연산 반복 훈련을 통해 터득한 개념과 원리를 확인 합니다. 각 유형별로 배운 내용을 정리하고 스스로 문제를 해결함으써 학교 시험에 대비할 수 있습니다.

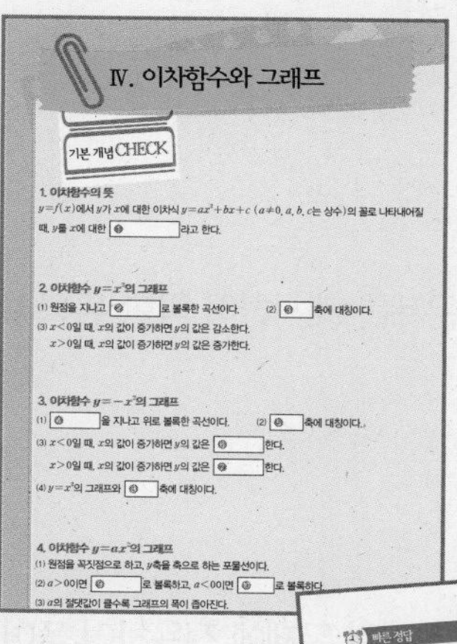
Ⅳ. 이차함수와 그래프

기본 개념 CHECK

1. 이차함수의 뜻
$y=f(x)$에서 y가 x에 대한 이차식 $y=ax^2+bx+c$ ($a\neq0$, a, b, c는 상수)의 꼴로 나타내어질 때, y를 x에 대한 [ ]라고 한다.

2. 이차함수 $y=x^2$의 그래프
(1) 원점을 지나고 [ ]로 볼록한 곡선이다. (2) [ ]축에 대칭이다.
(3) $x<0$일 때, x의 값이 증가하면 y의 값은 감소한다. $x>0$일 때, x의 값이 증가하면 y의 값은 증가한다.

3. 이차함수 $y=-x^2$의 그래프
(1) [ ]을 지나고 위로 볼록한 곡선이다. (2) [ ]축에 대칭이다.
(3) $x<0$일 때, x의 값이 증가하면 y의 값은 [ ]한다. $x>0$일 때, x의 값이 증가하면 y의 값은 [ ]한다.
(4) $y=x^2$의 그래프와 [ ]축에 대칭이다.

4. 이차함수 $y=ax^2$의 그래프
(1) 원점을 꼭짓점으로 하고, y축을 축으로 하는 포물선이다.
(2) $a>0$이면 [ ]로 볼록하고, $a<0$이면 [ ]로 볼록하다.
(3) a의 절댓값이 클수록 그래프의 폭이 좁아진다.

대단원 기본 개념 CHECK

문장력 강화와 서술형 대비를 위해 문장 속 네모박스 채우기로 개념을 정리하며, 부분적으로 공부했던 내용들을 한데 모아 전체적으로 조감할 수 있게하여 단원을 체계적, 종합적으로 마무리하게합니다.

빠른정답 & 친절한 해설

가독성을 고려하여 빠른 정답을 세로 배치하여 빠르게 정답을 체크할 수 있도록 구성하였습니다.

또한 기본문항들 중에서 자세한 해설이 필요한 문항들은 학생들 스스로 해설을 보고 문제를 해결할 수 있도록 친절하게 풀이하였습니다.

학습 방법

이 책은 수학의 가장 기본이 되는 연산 능력뿐 아니라 확실하게 개념을 잡을 수 있도록 하여 수학의 기본 실력이 향상 되도록 하였습니다.
다음과 같이 본 책을 학습하면 효과를 극대화 할 수 있습니다.

01. 개념, 연산 원리 이해

글과 수식으로 표현된 개념을 창(Window)을 통해 시각적으로 표현하여 직관적으로 개념을 익히고, 구체적인 예시와 함께 연산 원리를 이해합니다.

02. 연산 반복 훈련

동일한 주제의 문제를 반복하여 손으로 풀어 봄으로써 풀이 방법을 익힙니다. 유형별로 문제를 제시하여 약한 유형이 무엇인지 파악할 수 있어 약한 부분에 대한 집중 학습을 합니다.

03. 학교시험 대비

연산 반복 훈련을 통해 개념과 원리를 터득하고, 학교시험 필수 예제 문항을 통해 실제 학교 시험 문제에 적용하여 풀어 봅니다. 또한 교과서 수준의 개념을 한눈에 확인 할 수 있도록 빈칸 채우기 형식의 문제로 대단원 기본 개념 CHECK를 통해 전체적인 개념과 흐름을 확인합니다.

차례

무리수 π
원에서 지름과 원주의 비인 는 대표적인 무리수이다.

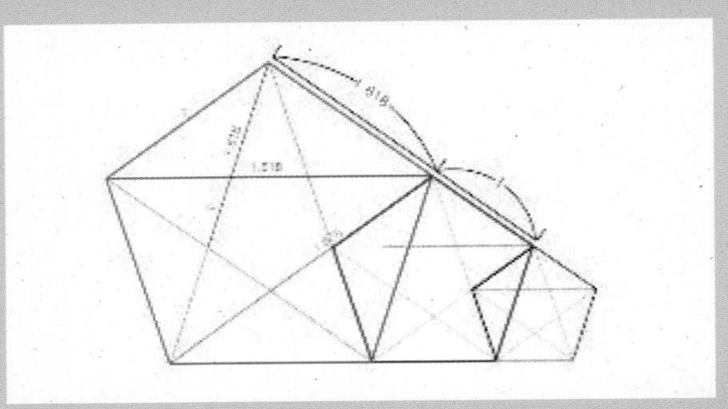

황금비
황금비는 무리수 $(\sqrt{5}+1)/2$로 나타나는데, 근삿값으로 1.618을 사용한다. 정오각형의 한 대각선이 다른 대각선에 의해 분할될 때 생기는 두 부분의 길이의 비가 황금비가 된다.

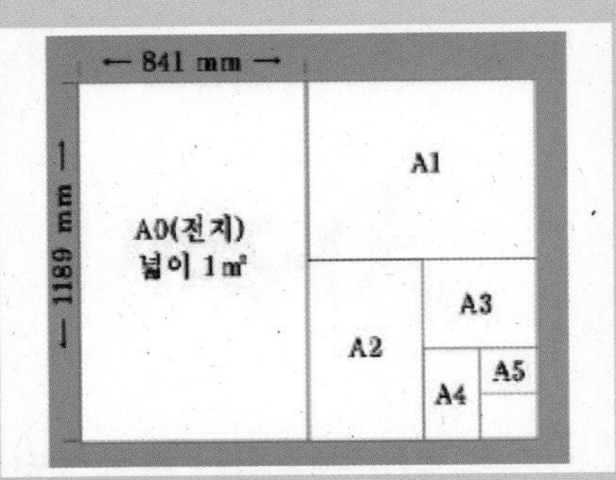

A4 용지
반으로 자르고 또 반으로 잘라도 그 모양이 닮은 꼴

왜?

A4용지의 규격은 297mm × 210mm인가? 그 답은 바로

반으로 잘라서 생긴 직사각형이 서로 닮음이 되도록 하여 낭비되는 부분이 없도록 경제성을 고려하여 정해진 것!

우리가 복사를 하거나 컴퓨터에서 인쇄를 할 때에 가장 많이 사용하는 종이의 크기가 A4 용지이다. 이 A4 용지의 규격은 297 mm × 210 mm이다. 크기를 300 mm × 200 mm로 하면 좋을텐데 왜 이렇게 복잡한 수치를 사용한 것일까?

종이는 제지공장에서 만든 큰 종이를 잘라서 만든 것이다. 공장에서 나오는 큰 종이를 전지라고 하는데, 이것을 반으로 자르고 또 다시 반으로 자르는 과정을 몇 번 반복하여 우리가 필요로 하는 종이를 만든다.

적당한 크기의 타자용지를 반으로 잘라서 편지지로 사용하고 편지지를 반으로 자라서 메모지로 사용하는 등의 방법으로 종이를 낭비 없이 사용할 수 있도록 하는 것이다.

전지의 가로와 세로의 비를 $x:1$이라 하면 반으로 자르면 그 비는 $1:\frac{x}{2}$이다. 이 두 직사각형의 종이가 닮은 꼴이 되려면 $x:1=1:\frac{x}{2}$이면 된다. 이때 $x^2=2$이므로 $x=\sqrt{2}$이다. 따라서, 전지의 가로와 세로의 비를 $\sqrt{2}:1$로 하면 자르는 과정에서 종이를 잘라내는 일이 없이 항상 이 비율을 유지할 수 있다.

또, A0 용지의 규격은 1189 mm × 841 mm이다. 이 값은 더욱 복잡하다. 그러나 그 넓이는 999949로 1에 근사한다. 즉, A0 용지는 가로 세로의 비를 $\sqrt{2}:1$로 하면서 넓이가 1인 종이이다. 이 종이를 반으로 자른 것을 A1 용지라 하고, 다시 반으로 자르면 A2 용지이다. 이렇게 반으로 잘라 나가면 A3, A4 등의 A판 용지가 만들어진다.

I. 제곱근과 실수

학습 목표

1. 제곱근의 뜻을 알고, 그 성질을 이해한다.
2. 무리수의 개념을 이해한다.
3. 실수의 대소 관계를 판단할 수 있다.
4. 근호를 포함한 식의 사칙계산을 할 수 있다.

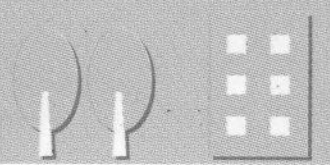

01 제곱근의 뜻

빠른 정답 02쪽

1. **a의 제곱근** : 음이 아닌 수 a에 대하여 어떤 수 x를 제곱하여 a가 될 때, 즉 $x^2=a$ 를 만족시킬 때 x를 a의 제곱근이라 한다.

2. **제곱근의 개수**
   ① 양수의 제곱근은 양수와 음수 2개가 있으며, 그 절댓값은 서로 같다.
   ② 0의 제곱근은 0이다.
   ③ 제곱하여 음수가 되는 수는 없으므로 음수의 제곱근은 없다.

$x^2=a$일 때, x는 a의 제곱근

5, −5 ⇄ 25 (제곱 / 제곱근)

$5^2=25$

$5^2=25$, $(-5)^2=25$이므로 25의 제곱근은 5와 −5

유형 001 제곱근의 뜻

※ 제곱하여 다음 수가 되는 수를 모두 구하여라.

01 4

02 16

03 36

04 100

05 0.09

06 $\frac{1}{9}$

07 $\frac{121}{49}$

유형 002 제곱근 구하기

※ 다음 수의 제곱근을 모두 구하여라.

08 0

09 1

10 6^2

11 $\frac{4}{25}$

12 0.01

13 2^2

14 9^2

15 $\left(-\frac{16}{3}\right)^2$

02 제곱근의 표현

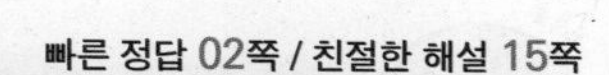
빠른 정답 02쪽 / 친절한 해설 15쪽

1. 제곱근의 표현 : 제곱근을 나타내기 위하여 기호 $\sqrt{\ }$를 사용하는데, 이것을 근호라 하며 '제곱근' 또는 '루트(root)'라 읽는다.

$\sqrt{a}$ ⇨ 제곱근 a, 루트 a

2. 양수 a의 제곱근 : 양수 a의 제곱근 중

① 양수인 것 ⇨ 양의 제곱근 : $\sqrt{a}$

② 음수인 것 ⇨ 음의 제곱근 : $-\sqrt{a}$

$$\pm\sqrt{a} \underset{\text{제곱근}}{\overset{\text{제곱}}{\rightleftarrows}} a$$

유형 003 양의 제곱근, 음의 제곱근

※ 다음 표의 빈칸에 알맞은 수를 써넣어라.

01

a	a의 양의 제곱근	a의 음의 제곱근
1^2	1	
4^2		-4
$(-5)^2$	5	
$(-12)^2$	12	-12
$(0.1)^2$		-0.1
$\left(\frac{3}{2}\right)^2$	$\frac{3}{2}$	
$\left(-\frac{7}{5}\right)^2$		$-\frac{7}{5}$

※ 다음을 구하여라.

02 2의 양의 제곱근

03 6의 음의 제곱근

04 7의 양의 제곱근

05 19의 음의 제곱근

06 20의 양의 제곱근

07 23의 음의 제곱근

08 0.6의 양의 제곱근

09 $\frac{3}{5}$의 음의 제곱근

10 $\frac{1}{2}$의 양의 제곱근

Tip

유리수 중에는 제곱하면 2가 되는 수가 없다. 따라서 2의 제곱근인 새로운 수(무리수)를 표현하기 위해 $\sqrt{\ }$를 사용하기로 약속하였다.

a의 제곱근과 제곱근 a

※ 다음 표의 빈칸에 알맞은 수를 써넣어라.

11

a	a의 제곱근	제곱근 a
4	2, -2	
5		$\sqrt{5}$
11		$\sqrt{11}$
13		
25		
43		$\sqrt{43}$
225		15
0.8		$\sqrt{0.8}$
$\frac{1}{121}$		
$\frac{3}{2}$		$\sqrt{\frac{3}{2}}$

※ 다음을 구하여라.

12 7의 제곱근

13 13의 제곱근

14 30의 제곱근

15 36의 제곱근

16 50의 제곱근

17 제곱근 17

18 제곱근 21

19 제곱근 46

20 제곱근 $\frac{2}{3}$

21 제곱근 $\frac{3}{13}$

학교시험 필수예제

22 다음 중 그 값이 나머지 넷과 다른 하나는?

① 제곱근 81
② 81의 제곱근
③ $(-9)^2$의 제곱근
④ 제곱하여 81이 되는 수
⑤ $x^2=81$을 만족시키는 x의 값

03 제곱근의 성질

빠른 정답 02쪽 / 친절한 해설 15쪽

$a>0$일 때,

(1) a의 제곱근을 제곱하면 a가 된다.
⇨ $(\sqrt{a})^2=a$, $(-\sqrt{a})^2=a$

(2) 근호 안의 수가 어떤 수의 제곱이면 근호 없이 나타낼 수 있다.
⇨ $\sqrt{a^2}=a$, $\sqrt{(-a)^2}=a$

- $(\sqrt{3})^2=3$
- $(-\sqrt{3})^2=(-\sqrt{3})\times(-\sqrt{3})$
  $=(\sqrt{3})^2=3$
- $\sqrt{3^2}=3$
- $\sqrt{(-3)^2}=\sqrt{9}=\sqrt{3^2}=3$

유형 005 $(\sqrt{a})^2=a$, $(-\sqrt{a})^2=a$

※ 다음 수를 근호를 사용하지 않고 나타내어라.

01 $(\sqrt{3})^2$

02 $(\sqrt{4})^2$

03 $(\sqrt{5})^2$

04 $(\sqrt{20})^2$

05 $\left(-\sqrt{\frac{1}{3}}\right)^2$

06 $(-\sqrt{0.2})^2$

07 $-\left(\sqrt{\frac{2}{13}}\right)^2$

유형 006 $\sqrt{a^2}=a$, $\sqrt{(-a)^2}=a$

※ 다음 수를 근호를 사용하지 않고 나타내어라.

08 $\sqrt{8^2}$

09 $\sqrt{12^2}$

10 $-\sqrt{14^2}$

11 $\sqrt{(-10)^2}$

12 $-\sqrt{(-15)^2}$

13 $\sqrt{\left(-\frac{4}{3}\right)^2}$

14 $-\sqrt{\left(\frac{5}{11}\right)^2}$

※ 다음 수를 근호를 사용하지 않고 나타내어라.

15 $\sqrt{4}$

|해설| $\sqrt{4}=\sqrt{2^2}=\square$

16 $\sqrt{9}$

|해설| $\sqrt{9}=\sqrt{3^2}=\square$

17 $-\sqrt{49}$

18 $-\sqrt{100}$

19 $-\sqrt{121}$

20 $\pm\sqrt{36}$

21 $\pm\sqrt{225}$

22 $\sqrt{0.01}$

23 $\sqrt{0.25}$

24 $-\sqrt{0.04}$

25 $\pm\sqrt{0.64}$

26 $\sqrt{\frac{9}{100}}$

27 $\sqrt{\frac{1}{4}}$

28 $-\sqrt{\frac{25}{81}}$

29 $\pm\sqrt{\frac{400}{49}}$

제곱근의 성질을 이용한 계산

※ 다음을 계산하여라.

30 $(-\sqrt{2})^2+\sqrt{(-6)^2}$

31 $(-\sqrt{7})^2-(-\sqrt{3})^2$

32 $(-\sqrt{3.5})^2\times(\sqrt{2})^2$

33 $(\sqrt{4})^2\times(-\sqrt{0.5})^2$

34 $\sqrt{3^2}+\sqrt{7^2}$

35 $\sqrt{6^2}-\sqrt{2^2}$

36 $(-\sqrt{4.1})^2-\sqrt{(-3.5)^2}$

37 $\sqrt{11^2}+\sqrt{(-12)^2}$

38 $(-\sqrt{10})^2+\sqrt{9^2}$

39 $-\sqrt{(-1.5)^2}\div(\sqrt{3})^2$

40 $(\sqrt{6})^2\times\sqrt{\left(-\frac{3}{2}\right)^2}$

41 $\sqrt{\left(\frac{1}{7}\right)^2}\div\left(\sqrt{\frac{6}{7}}\right)^2$

42 $\sqrt{10^2}+\sqrt{81}$

|해설| $\sqrt{10^2}+\sqrt{9^2}=10+\square=\square$

43 $-\sqrt{64}+\sqrt{(-3)^2}$

44 $\sqrt{(-0.1)^2}\times\sqrt{0.16}$

45 $-\sqrt{1.3^2}-\sqrt{0.36}$

46 $\sqrt{16}\div\sqrt{\left(-\frac{1}{2}\right)^2}$

47 $\sqrt{\frac{1}{100}}-\sqrt{\left(\frac{3}{10}\right)^2}$

48 $\sqrt{121}\div(-\sqrt{11^2})$

49 $\sqrt{121}\times\sqrt{64}$

50 $\sqrt{0.49}+\sqrt{0.25}$

51 $\sqrt{\frac{1}{4}}\div\sqrt{\frac{9}{4}}$

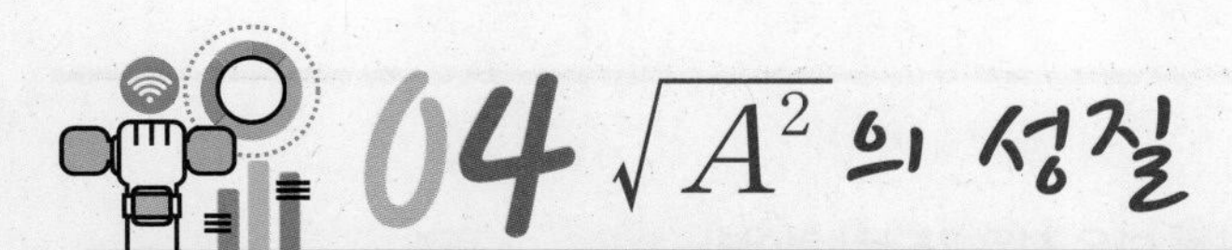

04 $\sqrt{A^2}$의 성질

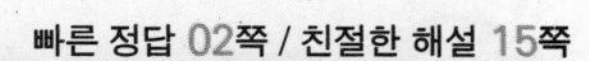
빠른 정답 02쪽 / 친절한 해설 15쪽

근호 안에 문자나 식이 제곱이 되어 있는 경우는 결과가 음이 아닌 수가 되도록 근호를 벗긴다.

(1) $\sqrt{a^2}$ ⇨ $\begin{cases} a \geq 0\text{일 때, } a \\ a < 0\text{일 때, } -a \end{cases}$

(2) $\sqrt{(a-b)^2}$ ⇨ $\begin{cases} a-b \geq 0\text{일 때, } a-b \\ a-b < 0\text{일 때, } -(a-b) \end{cases}$

$\sqrt{(\text{양수})^2} = (\text{양수})$
그대로

$\sqrt{(\text{음수})^2} = -(\text{음수})$
앞에 −를 붙인다.

유형 008 $\sqrt{a^2}$ 꼴 간단히 하기

※ $a>0$일 때, ○ 안에 알맞은 부등호를 써넣고, □ 안에는 알맞은 식을 써넣어라.

01 a ○ 0이므로
$\sqrt{(a)^2}=$ □

02 $3a$ ○ 0이므로
$\sqrt{(3a)^2}=$ □

03 $4a$ ○ 0이므로
$\sqrt{(4a)^2}=$ □

04 $-a$ ○ 0이므로
$\sqrt{(-a)^2}=$ □

05 $-2a$ ○ 0이므로
$\sqrt{(-2a)^2}=$ □

06 $-5a$ ○ 0이므로
$\sqrt{(-5a)^2}=$ □

※ $a<0$일 때, ○ 안에 알맞은 부등호를 써넣고, □ 안에는 알맞은 것을 써넣어라.

07 a ○ 0이므로
$\sqrt{(a)^2}=$ □

08 $5a$ ○ 0이므로
$\sqrt{(5a)^2}=$ □

09 $8a$ ○ 0이므로
$\sqrt{(8a)^2}=$ □

10 $-a$ ○ 0이므로
$\sqrt{(-a)^2}=$ □

11 $-2a$ ○ 0이므로
$\sqrt{(-2a)^2}=$ □

12 $-3a$ ○ 0이므로
$\sqrt{(-3a)^2}=$ □

$\sqrt{(a-b)^2}$ 꼴 간단히 하기

※ 다음 □ 안에 알맞은 것을 써넣어라.

13 $x>1$일 때, $x-1$ □ 0이므로
$\sqrt{(x-1)^2}=$ □

14 $y>-2$일 때, $y+2$ □ 0이므로
$\sqrt{(y+2)^2}=$ □

15 $x<1$일 때, $x-1$ □ 0이므로
$\sqrt{(x-1)^2}=-($ □ $)=$ □

16 $x<-4$일 때, $x+4$ □ 0이므로
$\sqrt{(x+4)^2}=-($ □ $)=$ □

17 $y<-2$일 때, $y+2$ □ 0이므로
$\sqrt{(y+2)^2}=$ □

18 $a>0$일 때,
$\sqrt{(2a)^2}+\sqrt{(7a)^2}=2a+$ □ $=$ □

19 $a>0$일 때,
$\sqrt{(-4a)^2}+\sqrt{(-5a)^2}=$ □ $+5a=$ □

20 $a<0$일 때,
$\sqrt{(9a)^2}+\sqrt{(-a)^2}=$ □ $+($ □ $)=$ □

※ 다음 식을 간단히 하여라.

21 $a<0$일 때, $\sqrt{a^2}+\sqrt{(a-1)^2}$

22 $a<-2$일 때, $\sqrt{(a+2)^2}-\sqrt{(a-2)^2}$

23 $0<a<1$일 때, $\sqrt{(1-a)^2}+\sqrt{(a-1)^2}$

학교시험 필수예제

24 $-5<a<5$일 때 $\sqrt{(a+5)^2}+\sqrt{(a-5)^2}$을 간단히 하여라.

05 제곱수를 이용하여 근호 없애기

빠른 정답 02쪽 / 친절한 해설 15쪽

1. **제곱수** : $1, 4, 9, 16, \cdots$과 같이 자연수의 제곱인 수
2. **제곱수의 성질** : 소인수분해하면 소인수의 지수가 모두 짝수이다.
3. 근호 안의 수가 제곱수이면 근호를 없애고 자연수로 나타낼 수 있다.
4. $\sqrt{ax}$, $\sqrt{\frac{a}{x}}$ (a는 자연수) **꼴을 자연수로 만드는 순서**
   ① a를 소인수분해한다.
   ② 소인수의 지수가 모두 짝수가 되도록 x의 값을 정한다.

$\sqrt{(\text{제곱수})}=\sqrt{(\text{자연수})^2}=(\text{자연수})$

유형 010 $\sqrt{ax}$ 꼴이 자연수가 되도록 하는 자연수

※ 다음 수가 자연수가 되도록 하는 가장 작은 자연수 x를 구하여라.

01 $\sqrt{5\times x}$

|해설| $\sqrt{5\times5}=\sqrt{5^2}=\square$이므로 $x=\square$이다.

02 $\sqrt{2\times3^2\times x}$

03 $\sqrt{2^2\times7\times x}$

04 $\sqrt{2^3\times5\times x}$

Tip $\sqrt{■}=$(자연수): ■를 소인수분해하였을 때, 지수가 모두 짝수이어야 근호를 없앨 수 있다.

05 $\sqrt{8x}$

|해설| $\sqrt{8x}=\sqrt{2^3\times x}$에서 $\sqrt{2^3\times2}=\sqrt{(2^2)^2}=2^2=\square$
따라서 소인수의 지수가 모두 짝수가 되도록 하는 가장 작은 자연수 x는 $\square$이다.

06 $\sqrt{12x}$

07 $\sqrt{20x}$

08 $\sqrt{48x}$

09 $\sqrt{124x}$

$\sqrt{\dfrac{a}{x}}$ 꼴이 자연수가 되도록 하는 자연수

※ 다음 수가 자연수가 되도록 하는 가장 작은 자연수 x를 구하여라.

10 $\sqrt{\dfrac{2^2\times3}{x}}$

|해설| $\sqrt{\dfrac{2^2\times3}{3}}=\sqrt{2^2}=\square$ 이므로 $x=\square$

11 $\sqrt{\dfrac{2\times5^2}{x}}$

12 $\sqrt{\dfrac{3\times5^2\times11}{x}}$

13 $\sqrt{\dfrac{2^3\times7}{x}}$

14 $\sqrt{\dfrac{2\times3^3\times5}{x}}$

15 $\sqrt{\dfrac{20}{x}}$

16 $\sqrt{\dfrac{24}{x}}$

17 $\sqrt{\dfrac{48}{x}}$

18 $\sqrt{\dfrac{60}{x}}$

19 $\sqrt{\dfrac{72}{x}}$

06 제곱근의 대소 관계

빠른 정답 02쪽 / 친절한 해설 15쪽

1. 제곱근의 대소 관계

$a>0$, $b>0$일 때,

① $a<b$이면 $\sqrt{a}<\sqrt{b}$, $-\sqrt{a}>-\sqrt{b}$

② $\sqrt{a}<\sqrt{b}$이면 $a<b$

⇨ 양수에 대하여 그 값이 클수록 그 수의 양의 제곱근의 값도 크다.

2. a와 $\sqrt{b}$의 대소 비교 : $a>0$, $b>0$일 때,

① $\sqrt{a^2}$과 $\sqrt{b}$를 비교

예 3과 $\sqrt{7}$의 대소 비교 ⇨ $3=\sqrt{9}>\sqrt{7}$이므로 $3>\sqrt{7}$

② 두 수를 각각 제곱하여 대소 비교

$(a)^2$과 $(\sqrt{b})^2$을 비교 예 $(3)^2=9$, $(\sqrt{7})^2=7$, $9>7$이므로 $3>\sqrt{7}$

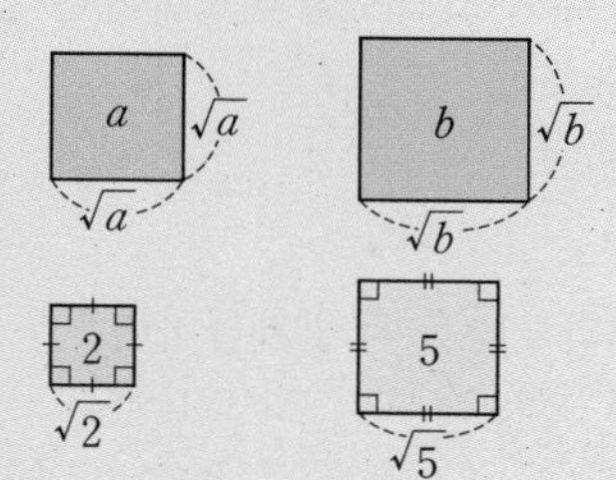

유형 012 $\sqrt{a}$와 $\sqrt{b}$의 대소 비교

※ 다음 두 수의 대소를 비교하여 ○ 안에 부등호를 써넣어라.

01 $\sqrt{3}$ ○ $\sqrt{5}$

|해설| $3<5$이므로 $\sqrt{3}$ ( ) $\sqrt{5}$

02 $\sqrt{10}$ ○ $\sqrt{12}$

03 $\sqrt{0.6}$ ○ $\sqrt{0.7}$

04 $-\sqrt{8}$ ○ $-\sqrt{13}$

05 $-\sqrt{6}$ ○ $-\sqrt{5}$

06 $\sqrt{\frac{1}{2}}$ ○ $\sqrt{\frac{1}{3}}$

07 $\sqrt{\frac{3}{2}}$ ○ $\sqrt{\frac{4}{3}}$

08 $\sqrt{\frac{3}{5}}$ ○ $\sqrt{\frac{3}{4}}$

09 $-\sqrt{\frac{1}{2}}$ ○ $-\sqrt{\frac{3}{5}}$

10 $-\sqrt{\frac{3}{10}}$ ○ $-\sqrt{\frac{1}{5}}$

a와 $\sqrt{b}$의 대소 비교

※ 다음 두 수의 대소를 비교하여 ○ 안에 부등호를 써넣어라.

11 3 ○ $\sqrt{10}$

|해설| 3과 $\sqrt{10}$을 각각 제곱하면
$3^2=9$, $(\sqrt{10})^2=10$이므로
3^2 ○ $(\sqrt{10})^2$ $\therefore 3$ ○ $\sqrt{10}$

12 $\sqrt{24}$ ○ 5

13 $\sqrt{15}$ ○ 4

14 $\sqrt{0.7}$ ○ 0.6

15 $\sqrt{\frac{1}{3}}$ ○ $\frac{1}{2}$

16 $\frac{3}{5}$ ○ $\sqrt{\frac{11}{26}}$

17 -4 ○ $-\sqrt{17}$

18 $-\sqrt{35}$ ○ -6

19 $-\frac{1}{2}$ ○ $-\sqrt{\frac{1}{6}}$

제곱근을 포함한 부등식

※ 다음 부등식을 만족하는 자연수 x의 개수를 구하여라.

20 $\sqrt{x} \leq 4$

|해설| 양변을 제곱하면 $x \leq$ ☐
따라서 자연수 x의 개수는 ☐개이다.

21 $\sqrt{x} < 2$

22 $-\sqrt{x} \geq -\sqrt{5}$

23 $-\sqrt{x} > -\sqrt{12}$

24 $1 < \sqrt{x} < 3$

|해설| 각 변을 제곱하면 $1 < x <$ ☐
따라서 자연수 x의 개수는 ☐개이다.

25 $2 < \sqrt{x} \leq 3$

26 $3 \leq \sqrt{x} \leq \sqrt{10}$

27 $\sqrt{26} < \sqrt{x} < \sqrt{30}$

학교시험 필수예제

28 다음 부등식을 만족하는 자연수 n의 개수를 구하여라.

$$-5 < -\sqrt{n} < -3$$

07 무리수

빠른 정답 03쪽 / 친절한 해설 16쪽

무리수 : 유리수가 아닌 수, 즉 순환하지 않는 무한소수
① 분수로 나타낼 수 없는 수
② 순환하지 않는 무한소수
③ 근호를 벗길 수 없는 수
예 $\sqrt{2}$, $\sqrt{3}$, $-\sqrt{7}$, π, ⋯

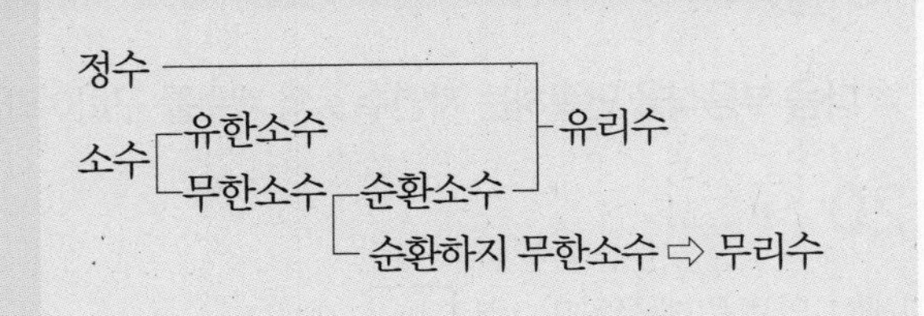

유리수와 무리수의 구별

※ 다음 수가 유리수이면 '유', 무리수이면 '무'를 써넣어라.

01 $\sqrt{8}$

02 $\sqrt{12}$

03 $\sqrt{16}$

04 $\sqrt{64}$

05 $8.\dot{0}4\dot{7}$

06 $\sqrt{7}+1$

07 $1-\sqrt{25}$

08 $-1+\sqrt{11}$

09 $\sqrt{0.81}$

10 $-\sqrt{0.1}$

11 $\sqrt{\dfrac{1}{100}}$

12 $\dfrac{6}{7}$

학교시험 필수예제

13 다음 |보기| 중 무리수를 모두 골라라.

보기		
㉠ $\sqrt{18}$	㉡ $\sqrt{400}$	㉢ $-\sqrt{49}$
㉣ $-\sqrt{5}$	㉤ $\sqrt{1.44}$	㉥ $\sqrt{0.09}$

08 실수

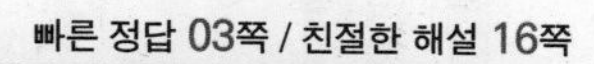
빠른 정답 03쪽 / 친절한 해설 16쪽

- 실수
  - 유리수
    - 정수
      - 양의 정수(자연수) : $1, 2, 3, \cdots$
      - 영(0)
      - 음의 정수 : $-1, 2, 3, \cdots$
    - 정수가 아닌 유리수 : $-\frac{1}{5}, -\frac{2}{3}, 0.7, -2.49, \cdots$
  - 무리수(순환하지 않는 무한소수) : $\sqrt{3}, -\sqrt{5}, \pi, \cdots$

실수 : 유리수와 무리수를 통틀어 실수라고 한다. 자연수, 정수, 유리수, 무리수는 모두 실수이다.

실수의 분류

※ 주어진 수 중에서 다음에 해당하는 수를 모두 찾아서 써라.

01

π $\quad 2 \quad -\sqrt{7} \quad 1.3 \quad 0.4\dot{3}$
$-3 \quad -\sqrt{4} \quad 1+\sqrt{2} \quad 0$

(1) 자연수

(2) 정수

(3) 유리수

(4) 무리수

(5) 실수

02

$3 \quad -\sqrt{10} \quad \sqrt{\frac{9}{4}} \quad -0.3$
$\sqrt{1.8} \quad \frac{5}{3} \quad \sqrt{(-6)^2} \quad 1.2345\cdots$

(1) 자연수

(2) 정수

(3) 유리수

(4) 무리수

(5) 실수

03

$\sqrt{25}$의 음의 제곱근 $\quad 5-\sqrt{3} \quad \sqrt{50}$
$-\sqrt{16} \quad (-\sqrt{2})^2 \quad \sqrt{0.\dot{1}}$
$\sqrt{\frac{25}{9}} \quad \sqrt{2}-1 \quad \sqrt{(-3)^2}$

(1) 자연수

(2) 정수

(3) 유리수

(4) 무리수

(5) 실수

학교시험 필수예제

04 다음 |보기| 중 유리수가 아닌 실수는 모두 몇 개인지 구하여라.

보기

$-2.3, \quad \pi, \quad 6.\dot{1}, \quad \sqrt{49}, \quad \sqrt{\frac{9}{16}}, \quad 3\sqrt{3}, \quad \sqrt{36}$

09 무리수를 수직선 위에 나타내기

빠른 정답 03쪽 / 친절한 해설 16쪽

1. 정사각형의 한 변의 길이와 넓이 사이의 관계를 이용하여 무리수를 수직선 위에 나타낼 수 있다.
   ⇨ 정사각형의 넓이는 한 변의 길이의 제곱과 같다.
   따라서 넓이가 2인 정사각형의 한 변의 길이를 x라 하면
   $x^2=2$이므로 x는 a의 양의 제곱근, 즉 $\sqrt{2}$이다.
2. 피타고라스 정리 이용
   ⇨ 직각을 낀 두 변의 길이가 각각 1인 직각삼각형의 빗변의 길이 : $\sqrt{1^2+1^2}=\sqrt{2}$
   $\overline{BC}=\overline{DC}=\sqrt{2}$

• 모눈 한 칸은 한 변의 길이가 1인 정사각형, □ABCD는 정사각형

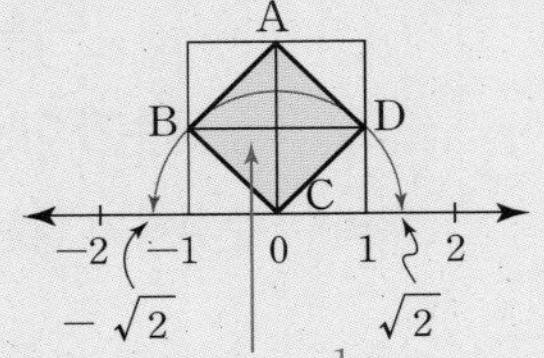

정사각형의 넓이는 $\frac{1}{2}\times2\times2=2$,
정사각형의 한 변의 길이는 $\sqrt{2}$

유형 017 무리수를 수직선 위에 나타내기

※ 다음은 수직선 위에 한 변의 길이가 1인 정사각형을 그린 것이다. 그림에서 수직선 위의 점 P에 대응하는 수를 구하여라.

01

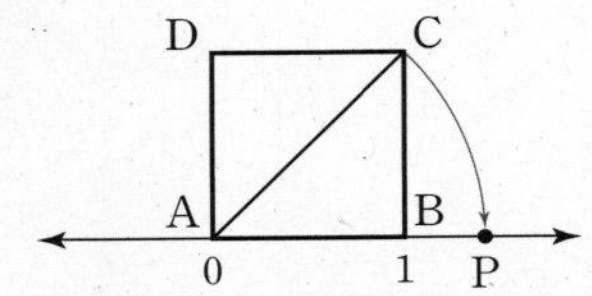

|해설| $\overline{AC}=\overline{AP}=$ □이고, 점 P가 기준점 A(0)의 오른쪽에 있으므로 P(0+□)=P(□)

02

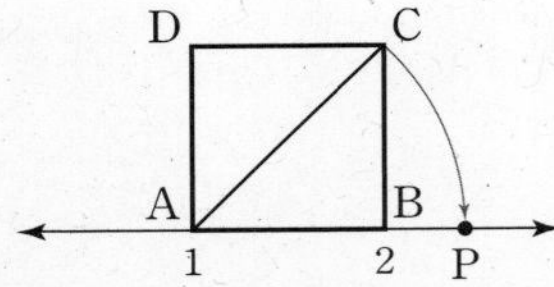

|해설| $\overline{AC}=\overline{AP}=$ □이고, 점 P가 기준점 A(1)의 오른쪽에 있으므로 P(1+□)

03

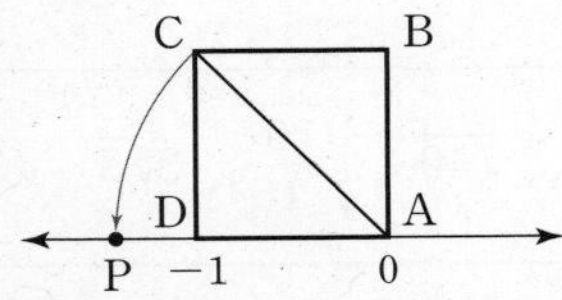

|해설| $\overline{AC}=\overline{AP}=$ □이고, 점 P가 기준점 A(0)의 왼쪽에 있으므로 P(0−□)=P(□)

04

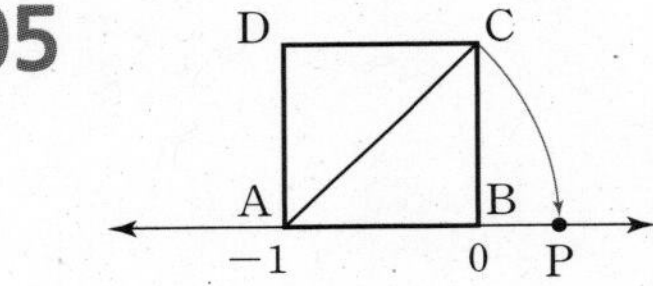

05

D C A B −1 0 P

06

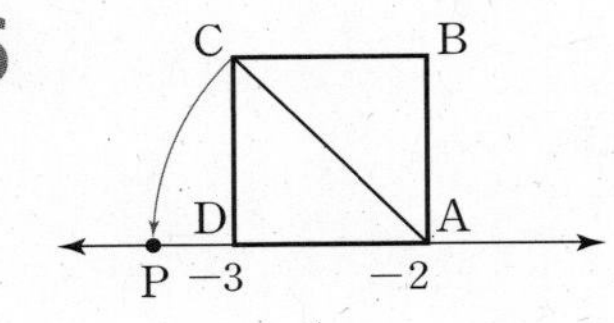

※ 다음 그림에서 $\overline{CD}=\overline{CP}$일 때, 수직선 위의 점 P에 대응하는 수를 구하여라.

07

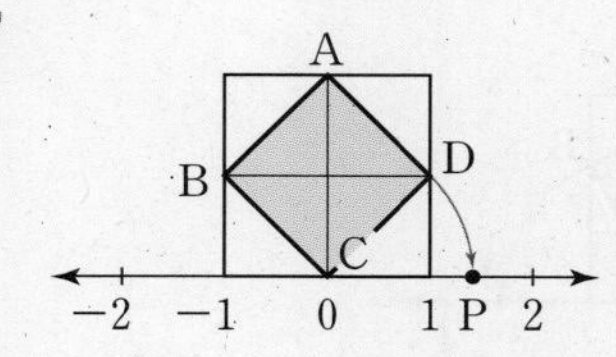

|해설| $\square ABCD=2\times2\times\frac{1}{2}=$ □

따라서 □ABCD의 한 변의 길이는 □이므로

$\overline{CP}=$ □

점 C의 좌표가 0이므로 P(□)

08

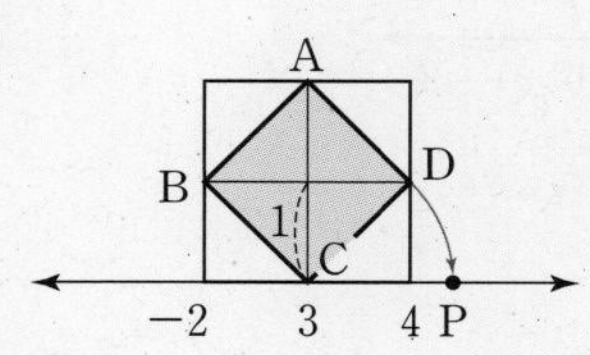

|해설| $\overline{CP}=\sqrt{2}$이고,

C(□)이므로 P(3+ □).

09

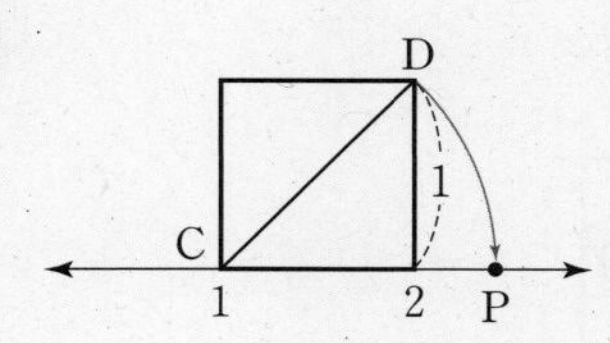

10

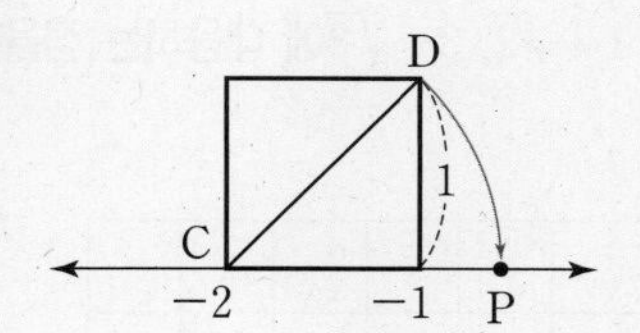

11

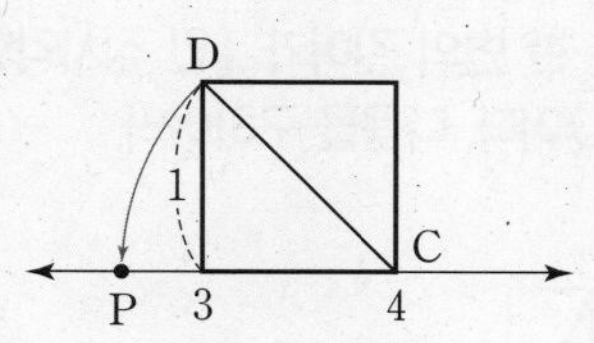

12

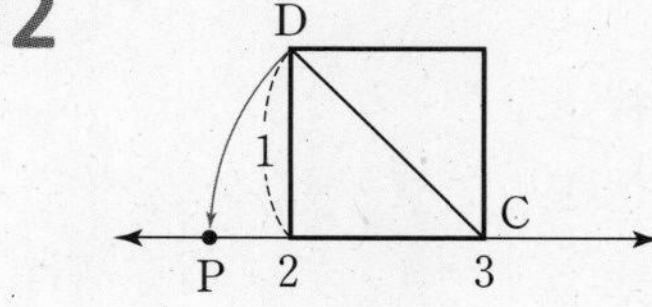

13

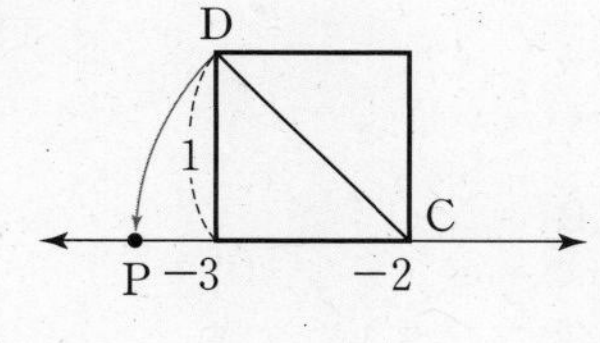

14

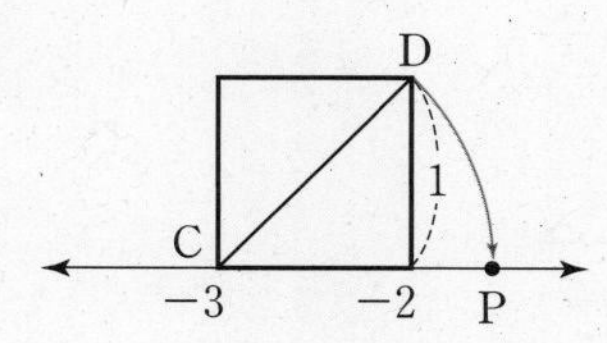

※ 그림에서 모눈 한 칸은 한 변의 길이가 1인 정사각형이고 $\overline{AB}=\overline{AP}$, $\overline{AD}=\overline{AQ}$이다. 다음을 구하여라.

15

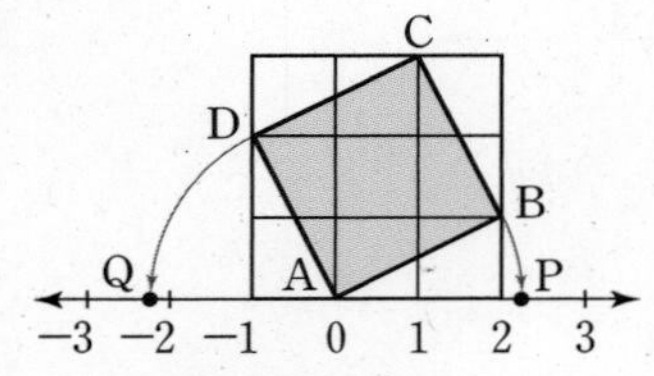

(1) □ABCD의 넓이

(2) $\overline{AB}$와 $\overline{AD}$의 길이의 합

(3) 점 P에 대응하는 수

(4) 점 Q에 대응하는 수

16

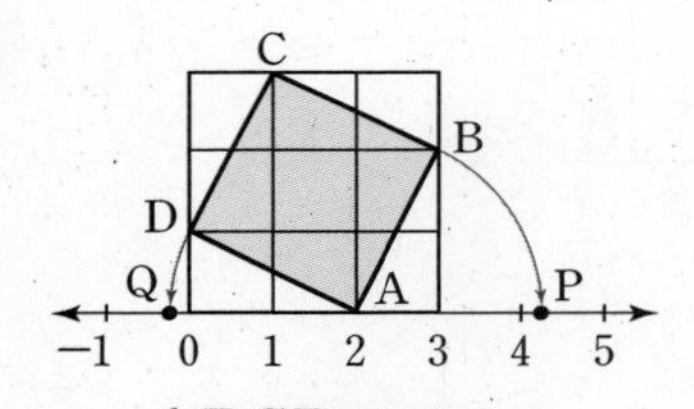

(1) □ABCD의 넓이

(2) $\overline{AB}$와 $\overline{AD}$의 길이의 합

(3) 점 P에 대응하는 수

(4) 점 Q에 대응하는 수

※ 다음 그림에서 모눈 한 칸은 한 변의 길이가 1인 정사각형이다. $\overline{AB}=\overline{AP}$일 때, 수직선 위의 점 P에 대응하는 수를 구하여라.

17

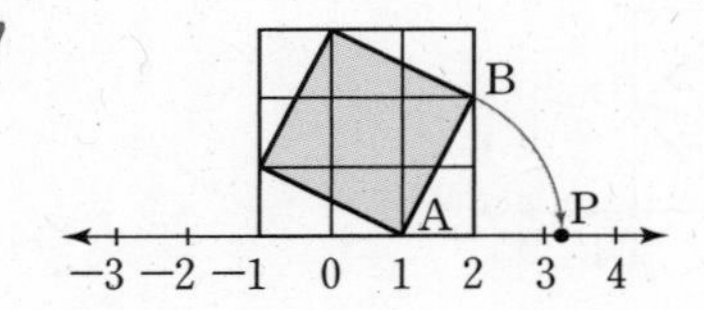

18

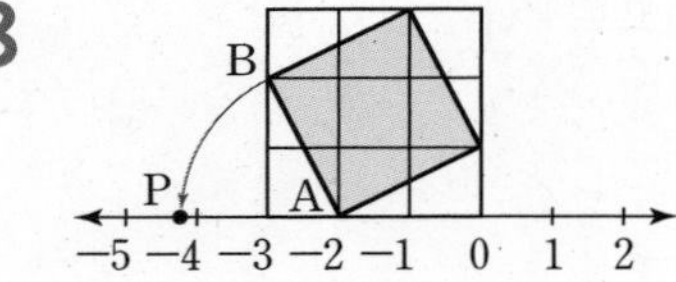

19

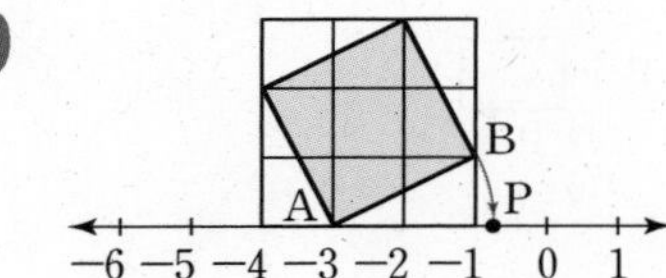

20

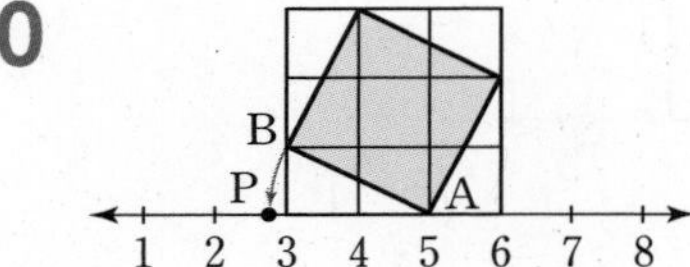

학교시험 필수예제

21 다음 수직선 위에 $-1+\sqrt{2}$, $3-\sqrt{2}$에 대응하는 점을 각각 나타내어라.

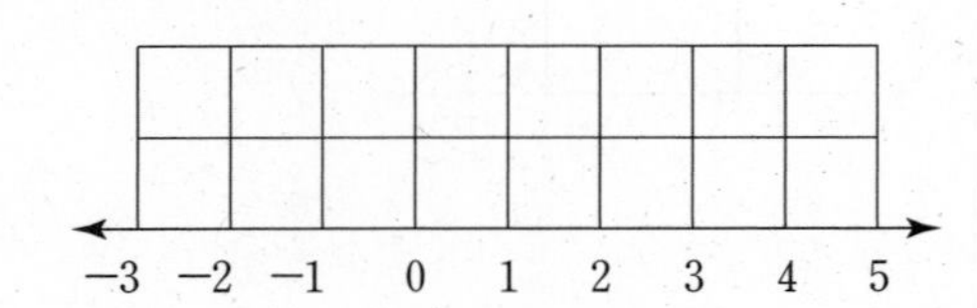

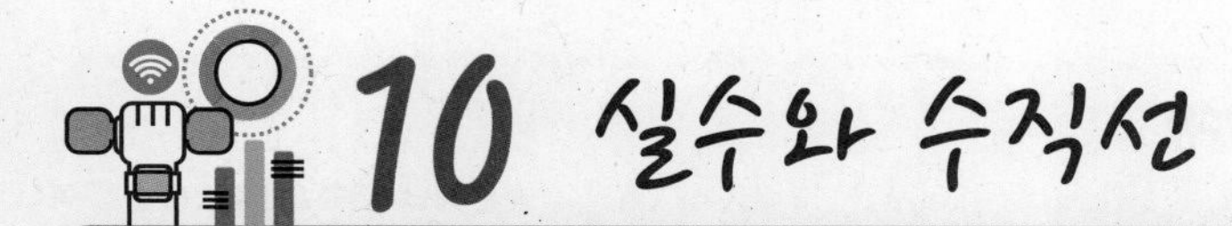

10 실수와 수직선

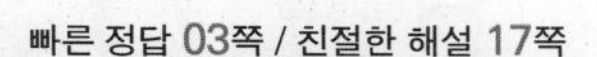
빠른 정답 03쪽 / 친절한 해설 17쪽

1. 무리수와 수직선

① 모든 무리수는 각각 수직선 위의 한 점에 대응된다.

② 서로 다른 두 무리수 사이에는 무수히 많은 무리수가 있다.

2. 실수와 수직선

① 모든 실수는 각각 수직선 위의 한 점에 대응된다.

② 서로 다른 두 실수 사이에는 무수히 많은 실수가 있다.

③ 수직선은 실수에 대응하는 점으로 완전히 메울 수 있다.

A M B

−1 0 1 2 3

$\overline{AB}$의 중점 : $\frac{1+2}{2}=\frac{3}{2}$

$\overline{MB}$의 중점 : $\left(\frac{3}{2}+2\right)\times\frac{1}{2}=\frac{7}{4}$

유형 018 실수와 수직선

※ 다음 중 옳은 것에는 ○표, 옳지 않은 것에는 ×표를 하여라.

01 1과 2 사이에는 무수히 많은 유리수가 있다. ( )

02 수직선 위에 $\sqrt{15}$에 대응하는 점이 있다. ( )

03 수직선 위에는 $2+\sqrt{2}$에 대응하는 점이 있다. ( )

04 $\sqrt{2}$와 5 사이에는 무수히 많은 무리수가 있다. ( )

05 $\frac{1}{3}$과 $\frac{1}{2}$ 사이에는 무리수가 없다. ( )

06 $\sqrt{3}$과 $\sqrt{4}$ 사이에는 유리수가 없다. ( )

07 서로 다른 두 무리수 사이에는 무수히 많은 무리수가 있다. ( )

08 수직선 위의 모든 점은 실수와 대응한다. ( )

09 모든 실수는 수직선 위에 나타낼 수 있다. ( )

10 무리수로 수직선을 완전히 메울 수 있다. ( )

11 유리수와 무리수에 대응하는 점만으로는 수직선을 완전히 메울 수 없다. ( )

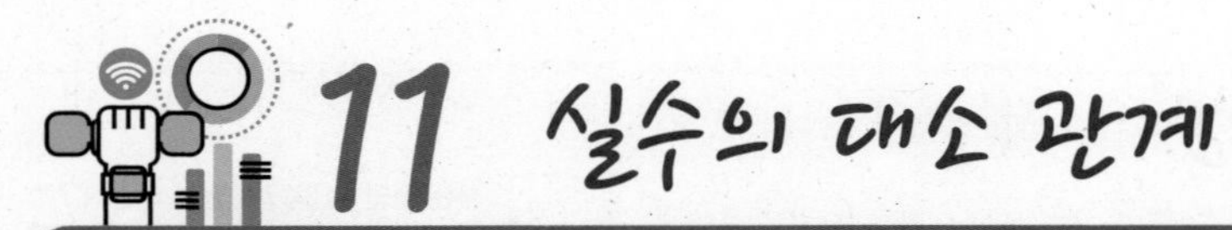

11 실수의 대소 관계

빠른 정답 03쪽 / 친절한 해설 17쪽

1. $a-b$의 부호

두 실수 a, b의 대소 관계는 $a-b$의 부호로 알 수 있다.

① $a-b>0$이면 $a>b$

② $a-b=0$이면 $a=b$

③ $a-b<0$이면 $a<b$

2. 부등식의 성질 이용

$a>b$일 때, $a+c>b+c$, $a-c>b-c$

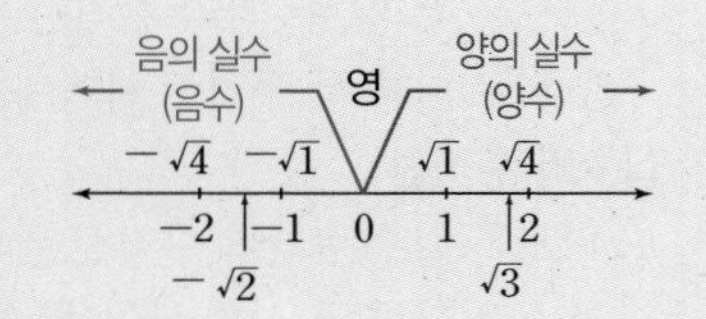

유형 019 두 실수의 대소 비교

※ 다음 ○ 안에 알맞은 부등호 $<$ 또는 $>$를 써넣어라.

01 $\sqrt{3}+2$ ○ $\sqrt{3}+5$

02 $\sqrt{6}-3$ ○ $\sqrt{6}-4$

03 $-1+\sqrt{2}$ ○ $\sqrt{2}$

04 $9-\sqrt{7}$ ○ $10-\sqrt{7}$

05 $\sqrt{2}+1$ ○ $\sqrt{3}+1$

06 $\sqrt{13}-3$ ○ $\sqrt{12}-3$

07 $-3+\sqrt{3}$ ○ $-3+\sqrt{7}$

08 $7-\sqrt{7}$ ○ $7-\sqrt{10}$

09 $\sqrt{21}+\sqrt{6}$ ○ $\sqrt{21}+\sqrt{5}$

10 $\sqrt{15}-\sqrt{2}$ ○ $\sqrt{12}-\sqrt{2}$

11 $-\sqrt{13}+\sqrt{8}$ ○ $-\sqrt{12}+\sqrt{8}$

두 수의 대소 비교 : $a-b$의 부호로 판단하기

※ 다음 ○ 안에 알맞은 부등호 < 또는 >를 써넣어라.

12 $\sqrt{6}-1$ ○ 2

13 $\sqrt{11}-3$ ○ 1

14 $7-\sqrt{7}$ ○ 4

15 $\sqrt{5}-1$ ○ 3

16 $\sqrt{10}-2$ ○ 1

17 $\sqrt{3}-1$ ○ 1

18 $4-\sqrt{2}$ ○ 2

19 3 ○ $\sqrt{8}-1$

20 2 ○ $\sqrt{19}-3$

21 8 ○ $5+\sqrt{11}$

22 2 ○ $3-\sqrt{3}$

23 4 ○ $\sqrt{7}+1$

24 4 ○ $\sqrt{8}+1$

학교시험 필수예제

25 다음은 세 수 $a=\sqrt{2}+1$, $b=2$, $c=\sqrt{3}+1$의 대소를 비교하는 과정이다. ○ 안에 < 또는 >를 써넣어라.

> $a-b=(\sqrt{2}+1)-2=\sqrt{2}-1$ ○ 0 $\therefore a$ ○ b
>
> $a-c=(\sqrt{2}+1)-(\sqrt{3}+1)=\sqrt{2}-\sqrt{3}$ ○ 0
>
> $\therefore a$ ○ c
>
> 따라서 b ○ a, a ○ c이므로
>
> b ○ a ○ c

12 무리수의 정수 부분과 소수 부분

빠른 정답 03쪽 / 친절한 해설 17쪽

(무리수)=(정수 부분)+(소수 부분)

무리수가 양수이면 → (소수 부분)=(무리수)−(정수 부분)

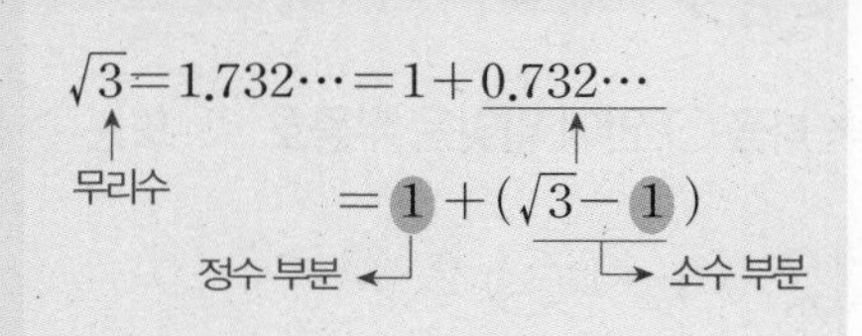

무리수의 정수 부분과 소수 부분

※ 다음 수의 정수 부분과 소수 부분을 차례로 구하여라.

01 $\sqrt{2}$

02 $\sqrt{5}$

03 $\sqrt{8}$

04 $\sqrt{10}$

05 $\sqrt{20}$

06 $\sqrt{3}+3$

07 $\sqrt{7}+2$

08 $\sqrt{11}-2$

09 $\sqrt{32}-5$

학교시험 필수예제

10 $3+\sqrt{2}$의 정수 부분을 a, 소수 부분을 b라 할 때, $3a+b$의 값은?

① $12-\sqrt{2}$ ② $\sqrt{2}+8$ ③ $9-\sqrt{2}$
④ $\sqrt{2}+11$ ⑤ $13-\sqrt{2}$

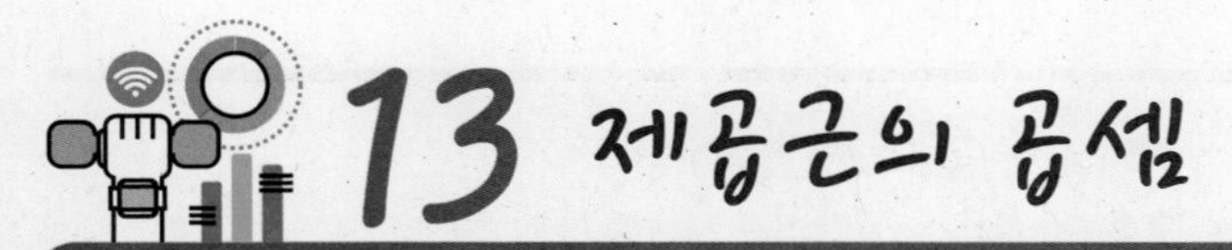

13 제곱근의 곱셈

빠른 정답 03쪽 / 친절한 해설 17쪽

$a>0$, $b>0$이고 m, n이 유리수일 때

(1) $\sqrt{a}\times\sqrt{b}=\sqrt{a}\sqrt{b}=\sqrt{ab}$

(2) $m\times\sqrt{a}=m\sqrt{a}$, $m\times n\sqrt{a}=mn\sqrt{a}$

(3) $m\sqrt{a}\times n\sqrt{b}=mn\sqrt{a}\sqrt{b}=mn\sqrt{ab}$

$\sqrt{a}\times\sqrt{b}=\sqrt{a}\sqrt{b}=\sqrt{ab}$

곱셈 기호를 생략하여 나타낸다.

유형 022 제곱근의 곱셈

※ 다음 식을 간단히 하여라.

01 $\sqrt{2}\times\sqrt{3}$

|해설| $\sqrt{2}\times\sqrt{3}=\sqrt{2\times\square}=\sqrt{\square}$

02 $\sqrt{3}\times\sqrt{5}$

03 $\sqrt{5}\sqrt{7}$

04 $\sqrt{2}\sqrt{5}$

05 $\sqrt{3}\sqrt{7}$

06 $\sqrt{5}\sqrt{6}$

07 $\sqrt{\frac{4}{3}}\sqrt{\frac{9}{2}}$

08 $\sqrt{\frac{2}{5}}\sqrt{\frac{15}{2}}$

09 $\sqrt{2}\times\sqrt{5}\times\sqrt{\frac{3}{5}}$

10 $\sqrt{5}\times\sqrt{2}\times\sqrt{\frac{7}{2}}$

11 $\sqrt{2}\sqrt{3}\sqrt{7}$

12 $\sqrt{2}\sqrt{5}\sqrt{\frac{9}{5}}$

※ 다음 식을 간단히 하여라.

13 $3\sqrt{5}\times 2$

|해설| (주어진 식)$=3\times\square\times\sqrt{5}=\square\sqrt{5}$

14 $4\sqrt{2}\times 2$

15 $3\sqrt{7}\times 5$

16 $5\times 2\sqrt{5}$

17 $5\times 4\sqrt{11}$

18 $5\times 7\sqrt{5}$

19 $\sqrt{0.1}\times 2\sqrt{0.3}$

20 $\sqrt{\frac{14}{5}}\times 3\sqrt{\frac{15}{7}}$

21 $4\sqrt{\frac{9}{5}}\times\sqrt{\frac{25}{3}}$

22 $3\sqrt{3}\times 2\sqrt{7}$

23 $4\sqrt{5}\times 2\sqrt{6}$

24 $6\sqrt{2}\times 3\sqrt{5}$

25 $5\sqrt{0.3}\times 4\sqrt{0.5}$

26 $10\sqrt{\frac{8}{3}}\times 3\sqrt{\frac{9}{8}}$

학교시험 필수예제

27 다음 식을 간단히 하여라.

(1) $4\sqrt{3}\times(-\sqrt{2})$

(2) $-4\times 3\sqrt{2}\times 2\sqrt{7}$

(3) $2\sqrt{\frac{8}{3}}\sqrt{\frac{3}{4}}$

14 근호가 있는 식의 변형-제곱근의 곱셈

빠른 정답 04쪽 / 친절한 해설 17쪽

1. 근호 안의 수에 제곱인 인수가 있으면 근호 밖으로 꺼낸다.
   즉, $a>0$, $b>0$일 때, $\sqrt{a^2b}=a\sqrt{b}$
   ※ 근호 안의 수는 가장 작은 자연수가 되게 한다.
2. 근호 밖의 양수를 제곱하여 근호 안에 넣을 수 있다.
   즉, $a>0$, $b>0$일 때, $a\sqrt{b}=\sqrt{a^2b}$

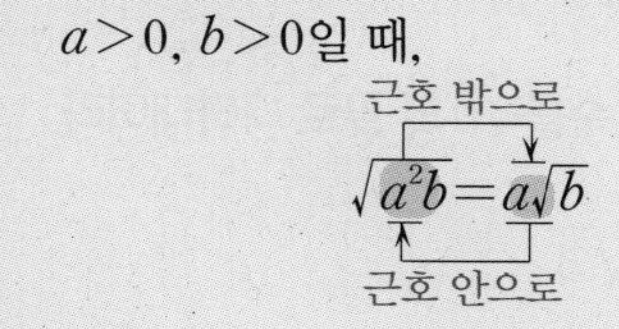

$\sqrt{a^2b}=a\sqrt{b}$

※ 다음 □ 안에 알맞은 수를 써넣어라.

01 $\sqrt{8}=\sqrt{2^2\times\square}=2\sqrt{\square}$

02 $\sqrt{12}=\sqrt{\square^2\times3}=\square\sqrt{3}$

03 $\sqrt{18}=\sqrt{\square^2\times2}=\square\sqrt{2}$

04 $\sqrt{27}=\sqrt{3^2\times\square}=3\sqrt{\square}$

05 $\sqrt{32}=\sqrt{\square^2\times2}=\square\sqrt{2}$

06 $\sqrt{48}=\sqrt{\square^2\times3}=\square\sqrt{3}$

07 $\sqrt{50}=\sqrt{\square^2\times2}=\square\sqrt{2}$

※ 다음 수를 $a\sqrt{b}$의 꼴로 나타내어라. (단, b는 가장 작은 자연수이다.)

08 $\sqrt{45}$

|해설| $\sqrt{45}=\sqrt{\square^2\times5}=\square\sqrt{5}$

09 $\sqrt{63}$

10 $\sqrt{80}$

11 $\sqrt{98}$

12 $\sqrt{99}$

13 $\sqrt{128}$

$a\sqrt{b}=\sqrt{a^2b}$

※ 다음 수를 $\sqrt{a}$의 꼴로 나타내어라.

14 $2\sqrt{3}$

|해설| $2\sqrt{3}=\sqrt{\square^2\times 3}=\sqrt{\square}$

15 $2\sqrt{5}$

16 $3\sqrt{2}$

17 $5\sqrt{5}$

18 $6\sqrt{2}$

19 $4\sqrt{7}$

20 $2\sqrt{\frac{1}{3}}$

21 $4\sqrt{\frac{3}{5}}$

22 $2\sqrt{3}\times 3$

|해설| $2\sqrt{3}\times 3=\sqrt{\square^2\times 3}=\sqrt{\square}$

23 $2\sqrt{5}\times 3$

24 $3\sqrt{5}\times\sqrt{3}$

25 $3\sqrt{7}\times\sqrt{2}$

26 $2\sqrt{2}\times\sqrt{5}$

27 $2\sqrt{2}\times 3\sqrt{5}$

28 $5\sqrt{2}\times 2\sqrt{3}$

학교시험 필수예제

29 다음 중 가장 큰 수는?

① $5\sqrt{2}$　② $\sqrt{90}$　③ $6\sqrt{3}$
④ $2\sqrt{6}$　⑤ $\sqrt{121}$

Tip

근호 밖의 수를 근호 안으로 넣을 때에는 양수만 가능하므로
$-2\sqrt{5}$를 $\sqrt{(-2)^2\times 5}$로 계산하지 않고
$-2\sqrt{5}=-\sqrt{2^2\times 5}$와 같이 계산함에 주의한다.

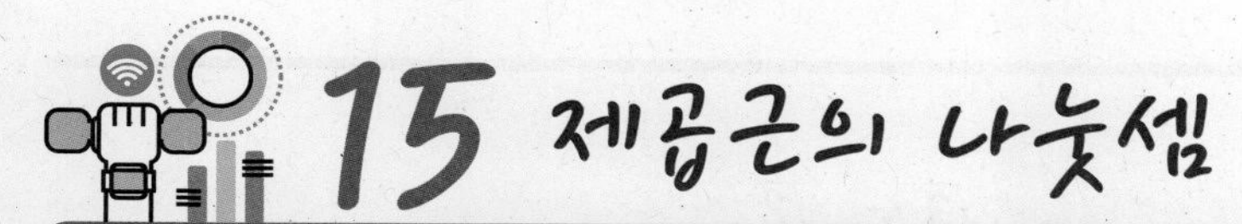

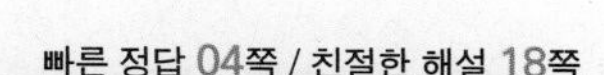

$a>0$, $b>0$, $c>0$, $d>0$일 때,

(1) $\sqrt{b}\div\sqrt{a}=\frac{\sqrt{b}}{\sqrt{a}}=\sqrt{\frac{b}{a}}$

(2) $m\sqrt{a}\div n\sqrt{b}=m\sqrt{a}\times\frac{1}{n\sqrt{b}}=\frac{m}{n}\sqrt{\frac{a}{b}}$

(3) $\frac{\sqrt{b}}{\sqrt{a}}\div\frac{\sqrt{d}}{\sqrt{c}}=\frac{\sqrt{b}}{\sqrt{a}}\times\frac{\sqrt{c}}{\sqrt{d}}=\sqrt{\frac{b}{a}\times\frac{c}{d}}=\sqrt{\frac{bc}{ad}}$

$\left(\frac{\sqrt{3}}{\sqrt{2}}\right)^2=\frac{(\sqrt{3})^2}{(\sqrt{2})^2}=\frac{3}{2}$이므로 $\frac{\sqrt{3}}{\sqrt{2}}$은 $\frac{3}{2}$의 양의 제곱근이다.

그런데 $\frac{3}{2}$의 양의 제곱근은 $\sqrt{\frac{3}{2}}$이므로 $\frac{\sqrt{3}}{\sqrt{2}}=\sqrt{\frac{3}{2}}$

제곱근의 나눗셈

※ 다음 식을 간단히 하여라.

01 $\frac{\sqrt{4}}{\sqrt{2}}$

|해설| $\frac{\sqrt{4}}{\sqrt{2}}=\sqrt{\frac{\square}{2}}=\sqrt{\square}$

02 $\frac{\sqrt{6}}{\sqrt{2}}$

03 $\frac{\sqrt{15}}{\sqrt{5}}$

04 $\frac{\sqrt{20}}{\sqrt{4}}$

05 $\frac{\sqrt{20}}{\sqrt{10}}$

06 $\frac{\sqrt{50}}{\sqrt{5}}$

07 $\frac{\sqrt{35}}{\sqrt{7}}$

08 $\frac{\sqrt{56}}{\sqrt{8}}$

09 $\frac{\sqrt{2}}{\sqrt{8}}$

10 $\frac{\sqrt{11}}{\sqrt{77}}$

※ 다음 식을 간단히 하여라.

11 $\sqrt{63}\div\sqrt{9}$

12 $\sqrt{35}\div\sqrt{5}$

13 $\sqrt{143}\div\sqrt{11}$

14 $3\sqrt{6}\div\sqrt{2}$

15 $6\sqrt{6}\div3\sqrt{2}$

16 $4\sqrt{15}\div2\sqrt{3}$

17 $12\sqrt{45}\div4\sqrt{3}$

18 $\dfrac{\sqrt{3}}{\sqrt{2}}\div\dfrac{\sqrt{3}}{\sqrt{10}}$

|해설| $\dfrac{\sqrt{3}}{\sqrt{2}}\div\dfrac{\sqrt{3}}{\sqrt{10}}=\dfrac{\sqrt{3}}{\sqrt{2}}\times\dfrac{\sqrt{\square}}{\sqrt{\square}}=\sqrt{\dfrac{3}{2}\times\square}=\sqrt{\square}$

19 $\dfrac{\sqrt{2}}{\sqrt{5}}\div\dfrac{\sqrt{4}}{\sqrt{20}}$

20 $\dfrac{\sqrt{6}}{\sqrt{7}}\div\dfrac{\sqrt{3}}{\sqrt{14}}$

21 $\dfrac{\sqrt{7}}{\sqrt{10}}\div\dfrac{\sqrt{28}}{\sqrt{5}}$

22 $\dfrac{\sqrt{5}}{\sqrt{8}}\div\dfrac{\sqrt{5}}{\sqrt{16}}$

23 $\dfrac{\sqrt{10}}{\sqrt{3}}\div\dfrac{\sqrt{5}}{\sqrt{30}}$

16 근호가 있는 식의 변형-제곱근의 나눗셈

빠른 정답 04쪽 / 친절한 해설 18쪽

1. 근호 안의 수에 제곱인 인수가 있으면 근호 밖으로 꺼낸다.
   즉, $a>0$, $b>0$일 때, $\sqrt{\frac{a}{b^2}}=\frac{\sqrt{a}}{b}$
2. 근호 밖의 양수를 제곱하여 근호 안으로 넣을 수 있다.
   즉, $a>0$, $b>0$일 때, $\frac{\sqrt{a}}{b}=\sqrt{\frac{a}{b^2}}$

$a>0$, $b>0$일 때

근호 밖으로

$\sqrt{\frac{a}{b^2}}=\frac{\sqrt{a}}{b}$

근호 안으로

유형 026 $\sqrt{\frac{b}{a^2}}=\frac{\sqrt{b}}{a}$

※ 다음을 $\frac{\sqrt{b}}{a}$의 꼴로 나타내어라.

01 $\sqrt{\frac{3}{4}}$

|해설| $\sqrt{\frac{3}{4}}=\sqrt{\frac{3}{\square^2}}=\frac{\sqrt{3}}{\square}$

02 $\sqrt{\frac{7}{9}}$

03 $\sqrt{\frac{5}{16}}$

04 $\sqrt{\frac{3}{25}}$

05 $\sqrt{0.07}$

06 $\sqrt{0.11}$

유형 027 $\frac{\sqrt{b}}{a}=\sqrt{\frac{b}{a^2}}$

※ 다음을 $\sqrt{\frac{b}{a}}$의 꼴로 나타내어라.

07 $\frac{\sqrt{5}}{2}$

08 $\frac{\sqrt{2}}{3}$

09 $\frac{\sqrt{3}}{5}$

10 $\frac{\sqrt{11}}{6}$

11 $\frac{\sqrt{7}}{8}$

12 $\frac{\sqrt{3}}{10}$

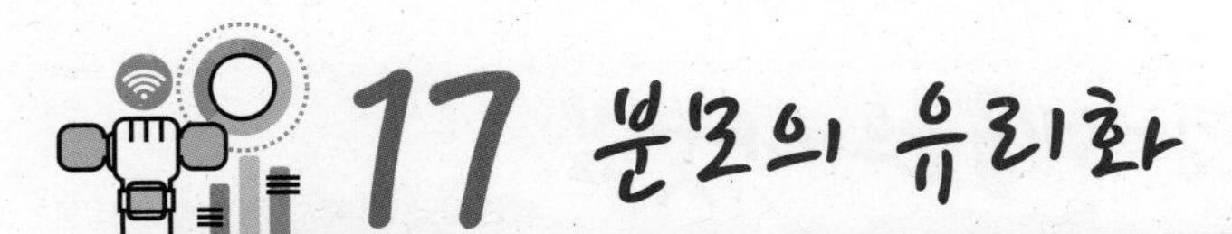

17 분모의 유리화

빠른 정답 04쪽 / 친절한 해설 18쪽

1. 분모의 유리화 : 분모에 근호를 포함한 식의 분모와 분자에 0이 아닌 같은 수를 곱하여 분모를 유리수로 고치는 것

2. 분모를 유리화하는 방법

분모에 들어 있는 제곱근을 분모와 분자에 각각 곱한다. 즉 $a>0$, $b>0$일 때,

(1) $\dfrac{1}{\sqrt{b}}=\dfrac{1}{\sqrt{b}\times\sqrt{b}}=\dfrac{\sqrt{b}}{b}$

(2) $\dfrac{a}{\sqrt{b}}=\dfrac{a\times\sqrt{b}}{\sqrt{b}\times\sqrt{b}}=\dfrac{a\sqrt{b}}{b}$

(3) $\dfrac{\sqrt{a}}{\sqrt{b}}=\dfrac{\sqrt{a}\times\sqrt{b}}{\sqrt{b}\times\sqrt{b}}=\dfrac{\sqrt{ab}}{b}$

$\dfrac{6}{\sqrt{20}}=\dfrac{6}{2\sqrt{5}}=\dfrac{3}{\sqrt{5}}=\dfrac{3\times\sqrt{5}}{\sqrt{5}\times\sqrt{5}}=\dfrac{3\sqrt{5}}{5}$

($a\sqrt{b}$꼴, 약분, 유리화)

$\dfrac{\sqrt{21}}{\sqrt{14}}=\dfrac{\sqrt{3}}{\sqrt{2}}=\dfrac{\sqrt{3}\times\sqrt{2}}{\sqrt{2}\times\sqrt{2}}=\dfrac{\sqrt{6}}{2}$

(약분, 유리화)

유형 028 $\dfrac{1}{\sqrt{b}}$꼴 분모의 유리화

※ 다음 수의 분모를 유리화하여라.

01 $\dfrac{1}{\sqrt{2}}$

|해설| $\dfrac{1}{\sqrt{2}}=\dfrac{\square}{\sqrt{2}\times\square}=\dfrac{\square}{2}$

02 $\dfrac{1}{\sqrt{3}}$

03 $\dfrac{1}{\sqrt{5}}$

04 $\dfrac{1}{\sqrt{7}}$

05 $\dfrac{1}{\sqrt{11}}$

06 $\dfrac{1}{\sqrt{13}}$

유형 029 $\dfrac{a}{\sqrt{b}}$꼴 분모의 유리화

※ 다음 수의 분모를 유리화하여라.

07 $\dfrac{5}{\sqrt{2}}$

|해설| $\dfrac{5}{\sqrt{2}}=\dfrac{5\times\square}{\sqrt{2}\times\square}=\dfrac{5\square}{2}$

08 $\dfrac{2}{\sqrt{3}}$

09 $\dfrac{4}{\sqrt{5}}$

10 $\dfrac{6}{\sqrt{7}}$

11 $\dfrac{12}{\sqrt{6}}$

12 $\dfrac{26}{\sqrt{13}}$

$\dfrac{\sqrt{a}}{\sqrt{b}}$ 꼴 분모의 유리화

※ 다음 수의 분모를 유리화하여라.

13 $\dfrac{\sqrt{2}}{\sqrt{3}}$

|해설| $\dfrac{\sqrt{2}}{\sqrt{3}}=\dfrac{\sqrt{2}\times\square}{\sqrt{3}\times\square}=\dfrac{\sqrt{\square}}{\square}$

14 $\dfrac{\sqrt{2}}{\sqrt{5}}$

15 $\dfrac{\sqrt{5}}{\sqrt{6}}$

16 $\dfrac{\sqrt{3}}{\sqrt{7}}$

17 $\dfrac{\sqrt{3}}{\sqrt{10}}$

18 $\dfrac{\sqrt{2}}{\sqrt{15}}$

19 $\dfrac{\sqrt{3}}{\sqrt{17}}$

$\dfrac{\sqrt{a}}{b\sqrt{c}}$ 꼴 분모의 유리화

※ 다음 수의 분모를 유리화하여라.

20 $\dfrac{\sqrt{2}}{2\sqrt{3}}$

|해설| $\dfrac{\sqrt{2}}{2\sqrt{3}}=\dfrac{\sqrt{2}\times\square}{2\sqrt{3}\times\square}=\dfrac{\square}{\square}$

21 $\dfrac{\sqrt{5}}{2\sqrt{3}}$

22 $\dfrac{\sqrt{6}}{2\sqrt{7}}$

23 $\dfrac{\sqrt{5}}{3\sqrt{3}}$

24 $\dfrac{\sqrt{5}}{5\sqrt{11}}$

25 $\dfrac{\sqrt{3}}{\sqrt{8}}$

26 $\dfrac{\sqrt{7}}{\sqrt{20}}$

18 제곱근표를 이용한 어림한 값

빠른 정답 04쪽

1. 제곱근표

1.00에서 99.9까지의 수에 대한 양의 제곱근을 어림한 값을 반올림하여 소수점 아래 셋째 자리까지 정리하여 나타낸 표이다.

2. 제곱근표 보는 법

처음 두 자리 수의 가로줄과 끝자리 수의 세로줄이 만나는 곳에 있는 수를 읽는다.

$\sqrt{3.02} \fallingdotseq 1.738$ $\sqrt{3.11} \fallingdotseq 1.764$

수	0	1	2	3	⋯
⋮	⋮	⋮	⋮	⋮	⋮
3.0	1.732	1.735	1.738	1.741	⋯
3.1	1.761	1.764	1.766	1.769	⋯
⋮	⋮	⋮	⋮	⋮	⋮

제곱근표 읽기

※ 아래 제곱근표를 이용하여 다음 수를 어림한 값을 구하여라.

수	0	1	2	3
1.0	1.000	1.005	1.010	1.015
1.1	1.049	1.054	1.058	1.063
1.2	1.095	1.100	1.105	1.109
1.3	1.140	1.145	1.149	1.153
1.4	1.183	1.187	1.192	1.196
1.5	1.225	1.229	1.233	1.237
1.6	1.265	1.269	1.273	1.277
1.7	1.304	1.308	1.311	1.315
1.8	1.342	1.345	1.349	1.353
1.9	1.378	1.382	1.386	1.389

01 $\sqrt{1.03}$

02 $\sqrt{1.92}$

03 $\sqrt{1.6}$

04 $\sqrt{1.82}$

05 $\sqrt{1.5}$

※ 아래 제곱근표를 이용하여 다음 수를 어림한 값을 구하여라.

수	5	6	7	8	9
3.5	1.884	1.887	1.889	1.892	1.895
3.6	1.910	1.913	1.916	1.918	1.921
3.7	1.936	1.939	1.942	1.944	1.947
3.8	1.962	1.965	1.967	1.970	1.972
3.9	1.987	1.990	1.992	1.995	1.997
4.0	2.012	2.015	2.017	2.020	2.022
4.1	2.037	2.040	2.042	2.045	2.047
4.2	2.062	2.064	2.066	2.069	2.071
4.3	2.086	2.088	2.090	2.093	2.095
4.4	2.110	2.112	2.114	2.117	2.119
4.5	2.133	2.135	2.138	2.140	2.142
4.6	2.156	2.159	2.161	2.163	2.166
4.7	2.179	2.182	2.184	2.186	2.189
4.8	2.202	2.205	2.207	2.209	2.211
4.9	2.225	2.227	2.229	2.232	2.234

06 $\sqrt{3.56}$

07 $\sqrt{4.49}$

08 $\sqrt{3.98}$

09 $\sqrt{4.77}$

10 $\sqrt{3.95}$

11 $\sqrt{4.06}$

19 제곱근표에 없는 수의 어림한 값

빠른 정답 04쪽 / 친절한 해설 19쪽

(1) 100보다 큰 수의 제곱근의 어림한 값

① 근호 안의 수를 $100a$, $10000a$, … 의 꼴로 나타낸다. (단, $1 \le a \le 99.9$)

② $\sqrt{100a}=10\sqrt{a}$, $\sqrt{10000a}=100\sqrt{a}$, … 로 고친다.

③ 제곱근표에서 $\sqrt{a}$의 어림한 값을 구하여 대입한다.

(2) 0보다 크고 1보다 작은 수의 제곱근의 어림한 값

① 근호 안의 수를 $\frac{a}{100}$, $\frac{a}{10000}$의 꼴로 나타낸다. (단, $1 \le a \le 99.9$)

② $\sqrt{\frac{a}{100}}=\frac{\sqrt{a}}{10}$, $\sqrt{\frac{a}{10000}}=\frac{\sqrt{a}}{100}$의 꼴로 고친다.

③ 제곱근표에서 $\sqrt{a}$의 어림한 값을 구하여 대입한다.

$\sqrt{a}$와 $\sqrt{10a}$의 어림한 값의 이용 (단, $1 \le a < 10$)

① $\sqrt{a}$의 어림한 값으로 구할 수 있는 값

➡ $\sqrt{100a}$, $\sqrt{10000a}$, $\sqrt{\frac{a}{100}}$, $\sqrt{\frac{a}{10000}}$

➡ $\sqrt{10^{2n}a}$ 또는 $\sqrt{\frac{a}{10^{2n}}}$ (n은 자연수) (→ 짝수)

② $\sqrt{10a}$의 어림한 값으로 구할 수 있는 값

➡ $\sqrt{1000a}$, $\sqrt{100000a}$, $\sqrt{\frac{a}{10}}$, $\sqrt{\frac{a}{1000}}$, …

➡ $\sqrt{10^{2n-3}a}$ 또는 $\sqrt{\frac{a}{10^{2n-3}}}$ (n은 자연수) (→ 홀수)

유형 033 주어진 제곱근의 값을 이용한 어림한 값

※ 제곱근표에서 $\sqrt{2}$의 어림한 값은 1.414이고, $\sqrt{20}$의 어림한 값은 4.472이다. 이를 이용하여 다음 수의 값을 구하여라.

01 $\sqrt{200}$

|해설| $\sqrt{200}=\sqrt{2\times\square}=\square\sqrt{2}\fallingdotseq\square\times1.414=\square$

02 $\sqrt{2000}$

|해설| $\sqrt{2000}=\sqrt{\square\times\square}$
$=10\sqrt{\square}\fallingdotseq10\times\square=\square$

03 $\sqrt{0.02}$

|해설| $\sqrt{0.02}=\sqrt{\frac{2}{\square}}=\frac{\sqrt{2}}{\square}\fallingdotseq\frac{1}{\square}\times1.414=\square$

04 $\sqrt{0.2}$

|해설| $\sqrt{0.2}=\sqrt{\frac{20}{\square}}=\frac{\sqrt{20}}{\square}\fallingdotseq\frac{1}{\square}\times4.472=\square$

※ 제곱근표에서 $\sqrt{3}$의 어림한 값은 1.732이고, $\sqrt{30}$의 어림한 값은 5.477이다. 이를 이용하여 다음 수의 값을 구하여라.

05 $\sqrt{30000}$

06 $\sqrt{3000}$

07 $\sqrt{300}$

08 $\sqrt{0.3}$

09 $\sqrt{0.03}$

10의 거듭제곱을 근호 밖으로 꺼낼 때는 소수점을 기준으로 두 자리씩 끊어서 생각한다.

20 제곱근의 곱셈과 나눗셈의 혼합 계산

빠른 정답 05쪽 / 친절한 해설 19쪽

제곱근의 곱셈과 나눗셈의 혼합 계산은 다음과 같은 순서로 한다.
① 앞에서부터 순서대로 계산한다.
② 나눗셈은 역수의 곱셈으로 고친다.
③ 제곱근의 성질과 분모의 유리화를 이용한다.

$$\sqrt{5}\div\sqrt{15}\times\frac{\sqrt{3}}{\sqrt{2}}=\sqrt{5}\times\frac{1}{\sqrt{15}}\times\sqrt{\frac{3}{2}}$$
$$=\sqrt{5\times\frac{1}{15}\times\frac{3}{2}}$$
$$=\frac{1}{\sqrt{2}}=\frac{\sqrt{2}}{2}$$

유형 034 제곱근의 곱셈과 나눗셈의 혼합 계산

※ 다음 식을 간단히 하여라.

01 $\sqrt{3}\times\sqrt{15}\div\sqrt{5}$

|해설| $\sqrt{3}\times\sqrt{15}\div\sqrt{5}$
$=\sqrt{3}\times\sqrt{15}\times\frac{1}{\square}$
$=\sqrt{3\times15\times\frac{1}{\square}}=\sqrt{\square}=\square$

02 $\sqrt{15}\times\sqrt{14}\div\sqrt{21}$

03 $\sqrt{10}\div\sqrt{2}\times\sqrt{3}$

04 $\sqrt{14}\times\sqrt{22}\div\sqrt{77}$

05 $\sqrt{6}\times2\sqrt{2}\div\sqrt{6}$

06 $2\sqrt{2}\times\sqrt{3}\div2\sqrt{3}$

07 $2\sqrt{7}\div\frac{\sqrt{14}}{3}\times\sqrt{6}$

08 $\frac{4}{\sqrt{3}}\times\frac{\sqrt{15}}{2}\div\sqrt{5}$

09 $\sqrt{27}\div6\sqrt{3}\times2\sqrt{2}$

|해설| $\sqrt{27}\div\sqrt{3}\times2\sqrt{2}$

$=3\square\times\frac{1}{6\sqrt{3}}\times2\sqrt{2}$

$=\left(3\times\frac{1}{6}\times2\right)\times\sqrt{\square\times\frac{1}{3}\times2}$

$=\sqrt{\square}$

10 $\sqrt{7}\times\sqrt{21}\div\sqrt{27}$

11 $\sqrt{49}\div\sqrt{7}\times(-\sqrt{28})$

12 $3\sqrt{2}\div\sqrt{6}\times\sqrt{12}$

13 $\frac{\sqrt{15}}{\sqrt{2}}\div\sqrt{5}\times\frac{\sqrt{10}}{\sqrt{21}}$

14 $3\sqrt{2}\div\frac{2\sqrt{2}}{\sqrt{5}}\div\left(-\frac{\sqrt{10}}{2}\right)$

15 $\frac{4\sqrt{3}}{\sqrt{2}}\div\frac{\sqrt{6}}{2\sqrt{5}}\times\frac{1}{\sqrt{15}}$

학교시험 필수예제

16 다음 식을 간단히 하여라.

$$(-3\sqrt{7})\div\sqrt{14}\times\sqrt{12}$$

21 제곱근의 덧셈과 뺄셈 (1)

빠른 정답 05쪽 / 친절한 해설 19쪽

근호 안의 수가 같을 때, 근호를 포함한 식의 덧셈과 뺄셈은 근호 안의 수가 같은 부분을 하나의 문자로 생각하여 다항식에서 동류항의 덧셈과 뺄셈을 하는 것과 같은 방법으로 한다.
즉 m, n, l은 유리수이고 $\sqrt{a}$는 무리수일 때,
① $m\sqrt{a}+n\sqrt{a}=(m+n)\sqrt{a}$
② $m\sqrt{a}-n\sqrt{a}=(m-n)\sqrt{a}$
③ $m\sqrt{a}+n\sqrt{a}-l\sqrt{a}=(m+n-l)\sqrt{a}$

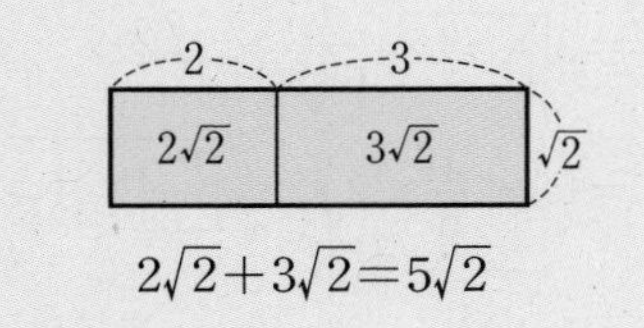

제곱근의 덧셈

※ 다음 식을 간단히 하여라.

01 $2\sqrt{3}+3\sqrt{3}$

|해설| $2\sqrt{3}+3\sqrt{3}=(2+\square)\sqrt{3}=\square\sqrt{3}$

02 $\sqrt{2}+5\sqrt{2}$

03 $3\sqrt{6}+6\sqrt{6}$

04 $5\sqrt{2}+6\sqrt{2}$

05 $2\sqrt{7}+8\sqrt{7}$

06 $3\sqrt{2}+4\sqrt{2}$

07 $4\sqrt{17}+2\sqrt{17}$

08 $3\sqrt{13}+7\sqrt{13}$

09 $7\sqrt{10}+9\sqrt{10}$

10 $\sqrt{19}+9\sqrt{19}$

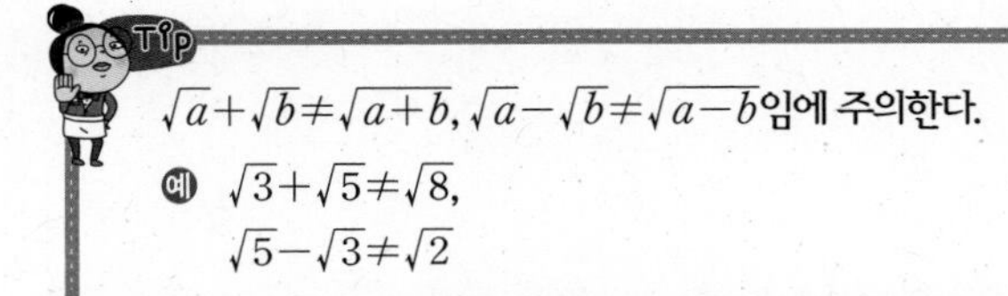

$\sqrt{a}+\sqrt{b}\neq\sqrt{a+b}$, $\sqrt{a}-\sqrt{b}\neq\sqrt{a-b}$임에 주의한다.

예 $\sqrt{3}+\sqrt{5}\neq\sqrt{8}$,
$\sqrt{5}-\sqrt{3}\neq\sqrt{2}$

제곱근의 뺄셈

※ 다음 식을 간단히 하여라.

11 $10\sqrt{2}-8\sqrt{2}$

|해설| $10\sqrt{2}-8\sqrt{2}=(10-\square)\sqrt{2}=\square\sqrt{2}$

12 $9\sqrt{5}-4\sqrt{5}$

13 $10\sqrt{6}-2\sqrt{6}$

14 $5\sqrt{2}-\sqrt{2}$

15 $4\sqrt{10}-8\sqrt{10}$

16 $-10\sqrt{11}-2\sqrt{11}$

17 $-9\sqrt{3}-8\sqrt{3}$

제곱근의 덧셈과 뺄셈의 혼합 계산

※ 다음 식을 간단히 하여라.

18 $5\sqrt{5}+4\sqrt{5}-\sqrt{5}$

|해설| $5\sqrt{5}+4\sqrt{5}-\sqrt{5}=(5+4-1)\square=8\square$

19 $-4\sqrt{3}+8\sqrt{3}-2\sqrt{3}$

20 $3\sqrt{7}-5\sqrt{7}+\sqrt{7}$

21 $5\sqrt{3}-4\sqrt{3}+2\sqrt{3}$

22 $-2\sqrt{15}+8\sqrt{15}-\sqrt{15}$

학교시험 필수예제

23 다음 중 옳지 않은 것은?

① $4\sqrt{3}+2\sqrt{3}-3\sqrt{3}=3\sqrt{3}$

② $\frac{\sqrt{7}}{2}-\frac{\sqrt{7}}{3}+\frac{\sqrt{7}}{6}=\frac{\sqrt{7}}{3}$

③ $8\sqrt{5}-4\sqrt{5}+2\sqrt{5}=6\sqrt{5}$

④ $\frac{5\sqrt{2}}{12}-\frac{2\sqrt{2}}{3}+\frac{3\sqrt{2}}{4}=\frac{\sqrt{2}}{6}$

⑤ $2\sqrt{6}-7\sqrt{2}+3\sqrt{6}=-7\sqrt{2}+5\sqrt{6}$

22 제곱근의 덧셈과 뺄셈 (2)

빠른 정답 05쪽 / 친절한 해설 20쪽

(1) 근호 안의 수에 제곱인 인수가 있으면 $a\sqrt{b}$의 꼴로 변형한 뒤 계산한다.
(2) 분모에 근호가 있으면 분모를 유리화한 뒤 계산한다.

$\sqrt{8}+\sqrt{32}-\sqrt{18}$
$=\sqrt{2^2\times 2}+\sqrt{4^2\times 2}-\sqrt{3^2\times 2}$
$=2\sqrt{2}+4\sqrt{2}-3\sqrt{2}$
$=(2+4-3)\sqrt{2}=3\sqrt{2}$

유형 038 근호 안을 간단히 하여 계산하기

※ 다음 식을 간단히 하여라.

01 $\sqrt{32}+3\sqrt{2}$

|해설| $\sqrt{32}+3\sqrt{2}=\square\sqrt{2}+3\sqrt{2}$
$=(\square+3)\sqrt{2}$
$=\square\sqrt{2}$

02 $\sqrt{27}+5\sqrt{3}$

03 $\sqrt{48}+6\sqrt{3}$

04 $\sqrt{75}-4\sqrt{3}$

05 $\sqrt{8}-2\sqrt{2}$

06 $\sqrt{12}+\sqrt{48}$

07 $\sqrt{48}+\sqrt{75}$

08 $\sqrt{45}-\sqrt{20}$

09 $\sqrt{80}-\sqrt{125}$

10 $\sqrt{160}-\sqrt{40}$

※ 다음 식을 간단히 하여라.

11 $\sqrt{32}-\sqrt{2}+\sqrt{18}$

|해설| $\sqrt{32}-\sqrt{2}+\sqrt{18}=\square\sqrt{2}-\sqrt{2}+\square\sqrt{2}$
$=(\square-1+\square)\sqrt{2}=\square\sqrt{2}$

12 $\sqrt{5}+\sqrt{80}-\sqrt{20}$

13 $\sqrt{18}-\sqrt{32}+2\sqrt{2}$

14 $-2\sqrt{6}-\sqrt{24}+\sqrt{150}$

15 $-\sqrt{50}+\sqrt{128}-\sqrt{98}$

16 $2\sqrt{3}-\dfrac{1}{\sqrt{3}}$

17 $3\sqrt{7}-\dfrac{14}{\sqrt{7}}$

18 $\sqrt{12}-\dfrac{2}{\sqrt{3}}$

19 $2\sqrt{5}-\sqrt{45}+\dfrac{25}{\sqrt{5}}$

학교시험 필수예제

20 다음 식을 간단히 하여라.

(1) $\sqrt{3}\times\sqrt{6}-\sqrt{6}\div\sqrt{12}$

(2) $\sqrt{2}\times\sqrt{6}-5\div\sqrt{3}$

23 근호가 있는 식의 분배법칙

빠른 정답 05쪽

$a>0$, $b>0$, $c>0$일 때

(1) $\sqrt{a}(\sqrt{b}\pm\sqrt{c})=\sqrt{a}\sqrt{b}\pm\sqrt{a}\sqrt{c}=\sqrt{ab}\pm\sqrt{ac}$ (복부호 동순)

(2) $(\sqrt{a}\pm\sqrt{b})\sqrt{c}=\sqrt{a}\sqrt{c}\pm\sqrt{b}\sqrt{c}=\sqrt{ac}\pm\sqrt{bc}$ (복부호 동순)

$\sqrt{a}(\sqrt{b}\pm\sqrt{c})=\sqrt{ab}\pm\sqrt{ac}$

$(\sqrt{a}\pm\sqrt{b})\sqrt{c}=\sqrt{ac}\pm\sqrt{bc}$

유형 039 근호가 있는 식의 분배법칙

※ 다음 식을 간단히 하여라.

01 $\sqrt{5}(\sqrt{3}+\sqrt{5})$

02 $\sqrt{5}(\sqrt{5}+\sqrt{15})$

03 $\sqrt{6}(2\sqrt{2}+\sqrt{3})$

04 $(3\sqrt{2}+2)\sqrt{2}$

05 $\sqrt{2}(2+\sqrt{8})$

06 $(\sqrt{10}-3\sqrt{2})\sqrt{5}$

07 $\sqrt{3}(\sqrt{6}-3\sqrt{3})$

08 $\sqrt{3}(\sqrt{15}-\sqrt{3})$

09 $(\sqrt{25}+\sqrt{45})\div\sqrt{5}$

10 $(\sqrt{35}+\sqrt{45})\div\sqrt{5}$

11 $(5\sqrt{7}-\sqrt{14})\div\sqrt{7}$

12 $(\sqrt{48}-\sqrt{24})\div\sqrt{6}$

24 근호를 포함한 복잡한 식의 계산

빠른 정답 05쪽 / 친절한 해설 20쪽

(1) 괄호가 있으면 분배법칙을 이용하여 괄호를 푼다.
(2) 나눗셈은 곱셈으로 바꾸어 계산한다. 이때, 약분이 되는 것은 약분한다.
(3) 근호 안에 제곱인 인수가 있으면 근호 밖으로 꺼낸다.
(4) 분모는 반드시 유리화한다.
(5) 곱셈과 나눗셈을 먼저 한 후, 덧셈과 뺄셈을 한다.

근호가 있는 복잡한 식의 계산 방법

① 분모는 반드시 유리화한다.
② 근호 안의 수는 가장 작은 자연수로 만든다.
③ 근호 안의 수가 같은 것끼리 모아서 계산한다.

유형 040 근호를 포함한 복잡한 식의 계산

※ 다음 식을 간단히 하여라.

01 $(3-\sqrt{6})\div\sqrt{3}+\sqrt{3}(\sqrt{27}-1)$

02 $\dfrac{\sqrt{5}}{\sqrt{3}}-\sqrt{60}+\dfrac{2\sqrt{15}}{3}$

03 $\dfrac{2}{\sqrt{5}-\sqrt{3}}+2\sqrt{5}+\sqrt{12}$

04 $\sqrt{5}\times\dfrac{5}{\sqrt{10}}+3\sqrt{6}\div\sqrt{3}$

05 $\dfrac{1+2\sqrt{3}}{\sqrt{2}}-\dfrac{\sqrt{2}}{2}$

06 $\dfrac{2+\sqrt{27}}{\sqrt{3}}+\dfrac{5-\sqrt{8}}{\sqrt{2}}$

07 $\sqrt{2}\left(\sqrt{18}-\dfrac{3}{\sqrt{2}}\right)+\sqrt{18}$

학교시험 필수예제

08 다음 계산 결과가 유리수가 되게 하는 a의 값을 구하여라. (단, a는 유리수)

$$5+7\sqrt{6}-\sqrt{27}-\sqrt{24}+a\sqrt{3}-5\sqrt{6}$$

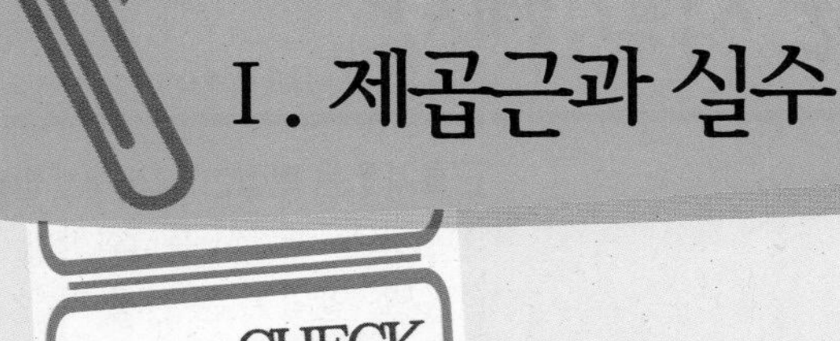

1. 제곱근의 뜻

(1) 음이 아닌 수 a에 대하여 어떤 수 x를 제곱하여 a가 될 때,
즉 $x^2=a$를 만족시킬 때 x를 a의 ❶ ______ 이라 한다.

(2) 제곱근의 개수
① 양수의 제곱근은 양수와 음수 ❷ ______ 개가 있으며, 그 절댓값은 서로 같다.
② 0의 제곱근은 ❸ ______ 이다. ➡ 1개
③ 제곱하여 음수가 되는 수는 없으므로 음수의 제곱근은 ❹ ______.

2. 제곱근의 표현

(1) 제곱근을 나타내기 위하여 기호 $\sqrt{\ }$를 사용하는데, 이것을 근호라 하며
'제곱근' 또는 '루트(root)'라 읽는다. $\sqrt{a}$ ➡ 제곱근 a, 루트 a

(2) 양수 a의 제곱근 : 양수 a의 제곱근 중
① 양수인 것 ➡ 양의 제곱근 : ❺ ______
② 음수인 것 ➡ 음의 제곱근 : ❻ ______

8. 실수

(1) 유리수와 무리수를 통틀어 ❼ ______ 라고 한다.

(2) 실수의 분류

- 실수
  - 유리수
    - 정수
      - 양의 정수(자연수) : $1, 2, 3, \cdots$
      - 0
      - 음의 정수 : $-1, -2, -3, \cdots$
    - 정수가 아닌 유리수 : $\frac{1}{5}, -\frac{2}{3}, \frac{4}{7}, \cdots$
  - ❽ ______ (순환하지 않는 무한소수) : $\sqrt{3}, -\sqrt{5}, \pi, \cdots$

9. 무리수를 수직선 위에 나타내기

(1) 정사각형의 한 변의 길이와 넓이 사이의 관계를 이용하여 무리수를 수직선 위에 나타낼 수 있다.
⇨ 정사각형의 넓이는 한 변의 길이의 제곱과 같다.
따라서 넓이가 2인 정사각형의 한 변의 길이를 x라 하면
$x^2=2$이므로 x는 a의 양의 제곱근, 즉 $\sqrt{2}$이다.

(2) **피타고라스 정리 이용**
⇨ 직각을 낀 두 변의 길이가 각각 1인 직각삼각형의 빗변의 길이 : $\sqrt{1^2+1^2}=\sqrt{2}$
$\overline{BC}=\overline{DC}=\sqrt{2}$

❶ 제곱근 ❷ 2 ❸ 0 ❹ 없다 ❺ $\sqrt{a}$ ❻ $-\sqrt{a}$ ❼ 실수 ❽ 무리수

개념 Window

$2, -2$ ⇄ 4 (제곱 →, ← 제곱근)
$2^2=4$, $(-2)^2=4$이므로
2, -2는 4의 제곱근

$\pm\sqrt{a}$ ⇄ a (제곱 →, ← 제곱근)

무리수 : 유리수가 아닌 수, 즉 순환하지 않는 무한소수
① 분수로 나타낼 수 없는 수
② 순환하지 않는 무한소수
③ 근호를 벗길 수 없는 수

소수의 분류
- 소수
  - 유한소수 ➡ 유리수
  - 무한소수
    - 순환소수 ➡ 유리수
    - 순환하지 않는 무한소수 ➡ 무리수

• 모눈 한 칸은 한 변의 길이가 1인 정사각형, □ABCD는 정사각형

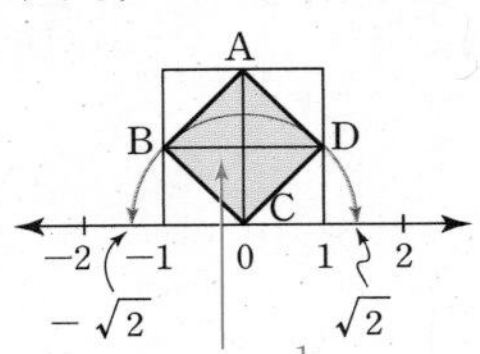

정사각형의 넓이는 $\frac{1}{2}\times2\times2=2$,
정사각형의 한 변의 길이는 $\sqrt{2}$

10. 실수와 수직선

(1) 유리수와 수직선

① 모든 유리수는 각각 수직선 위의 한 점에 대응된다.

② 서로 다른 두 유리수 사이에는 무수히 많은 유리수가 있다.

(2) 무리수와 수직선

① 모든 무리수는 각각 수직선 위의 한 점에 대응된다.

② 서로 다른 두 무리수 사이에는 ⑨ [ ] 가 있다.

(3) 실수와 수직선

① 모든 실수는 각각 수직선 위의 한 점에 대응된다.

② 서로 다른 두 실수 사이에는 무수히 많은 실수가 있다.

③ 수직선은 ⑩ [ ] 에 대응하는 점으로 완전히 매울 수 있다.

개념 window

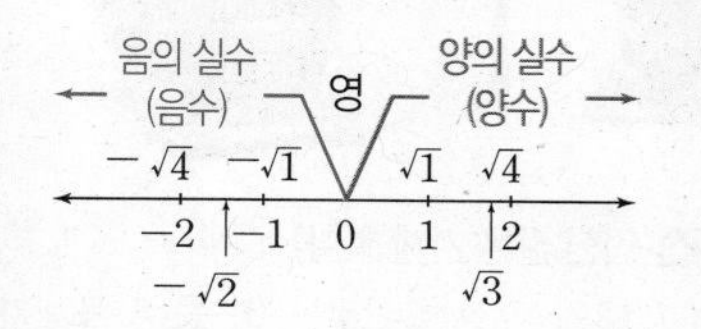

13. 제곱근의 곱셈

$a>0$, $b>0$이고 m, n이 유리수일 때,

(1) $\sqrt{a}\sqrt{b}=\sqrt{ab}$ (2) $m\sqrt{a}\times n=mn\sqrt{a}$ (3) $m\sqrt{a}\times n\sqrt{b}=$ ⑪ [ ]

$a>0$, $b>0$일 때

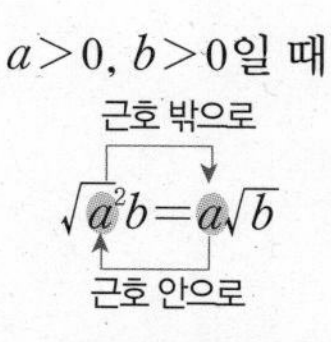

15. 제곱근의 나눗셈

$a>0$, $b>0$, m, n이 유리수일 때

(1) $\dfrac{\sqrt{b}}{\sqrt{a}}=\sqrt{\dfrac{b}{a}}$

(2) $m\sqrt{a}\div\sqrt{b}=m\sqrt{a}\times\dfrac{1}{n\sqrt{b}}=$ ⑫ [ ] $\sqrt{\dfrac{a}{b}}$

(3) $\dfrac{\sqrt{b}}{\sqrt{a}}\div\dfrac{\sqrt{d}}{\sqrt{c}}=\dfrac{\sqrt{b}}{\sqrt{a}}\times\dfrac{\sqrt{c}}{\sqrt{d}}=\sqrt{\dfrac{b}{a}\times\dfrac{c}{d}}=\sqrt{\dfrac{bc}{ad}}$

$a>0$, $b>0$일 때

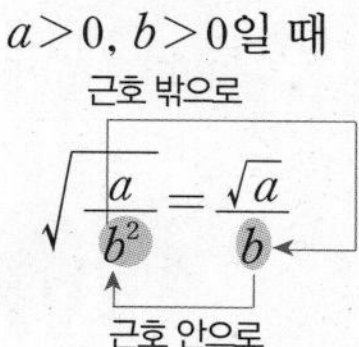

17. 분모의 유리화

(1) 분모에 근호를 포함한 식의 분모와 분자에 0이 아닌 같은 수를 곱하여 분모를 유리수로 고치는 것을 분모의 ⑬ [ ] 라고 한다.

(2) 분모를 유리화하는 방법 : 분모에 들어 있는 제곱근을 분모와 분자에 각각 곱한다.

18. 제곱근표

(1) 1.00에서 99.9까지의 수에 대한 양의 제곱근을 어림한 값을 반올림하여 소수점 아래 셋째 자리까지 정리하여 나타낸 표를 ⑭ [ ] 라고 한다.

(2) 제곱근표 보는 법 : 처음 두 자리 수의 가로줄과 끝자리 수의 세로줄이 만나는 곳에 있는 수를 읽는다.

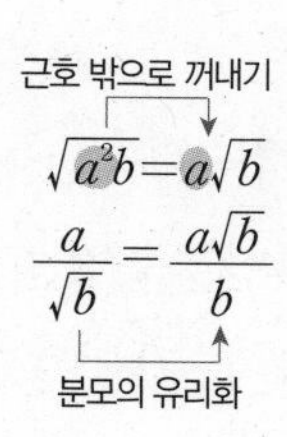

21. 제곱근의 덧셈과 뺄셈

(1) m, n, l은 유리수이고 $\sqrt{a}$는 무리수일 때,

① $m\sqrt{a}+n\sqrt{a}=(m+n)\sqrt{a}$

② $m\sqrt{a}-n\sqrt{a}=($ ⑮ [ ] $)\sqrt{a}$

③ $m\sqrt{a}+n\sqrt{a}-l\sqrt{a}=(m+n-l)\sqrt{a}$

(2) 근호 안에 제곱인 인수가 포함되어 있으면 $a\sqrt{b}$의 꼴로 변형한 후 계산한다.

(3) 분모에 근호가 있으면 분모를 유리화한 후 계산한다.

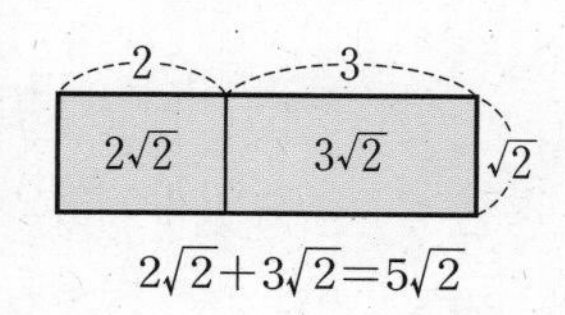

$2\sqrt{2}+3\sqrt{2}=5\sqrt{2}$

⑨ 무수히 많은 무리수 ⑩ 실수 ⑪ $mn\sqrt{ab}$ ⑫ $\dfrac{m}{n}$ ⑬ 유리화 ⑭ 제곱근표 ⑮ $m-n$

신기전(귀신 같은 기계 화살)
조선 시대의 로켓 화살로 쏘아 올린 물체가 땅에 떨어질 때까지 걸리는 시간을 고려하여 사용한 무기

Google **본사**
구글 검색기, 안드로이드 운영 체제, 구글웨어 개발

어떻게?

Google은 전 세계 검색 시장을
주도하고 있는가?
그 답은 바로

인수분해에 기초한 다양한 수학적 방법을 이용하고 있기 때문

자연수의 소인수분해를 알면, 그 자연수의 약수들을 쉽게 구할 수 있다. 자연수들 중에는 더 작은 자연수들의 곱으로 표현할 수 있는 합성수가 있는 것처럼, 다항식에도 차수가 낮은 다항식들의 곱으로 나타낼 수 있는 것들이 있다. 이렇게 차수가 낮은 다항식의 곱으로 나타내는 방법은 복잡한 방정식을 풀 때 매우 유용하게 쓰인다. 이러한 방법을 통하여 수학은 빠르게 발전할 수 있었고, 이는 과학과 산업의 비약적인 발전에 밑거름이 되었다.

오늘날에는 이러한 방법을 통하여 각종 암호를 만들어 이메일의 비밀을 보장하고, 전자 투표나 전자 상거래 등을 안전하게 할 수 있게 되었으며, Google처럼 인터넷 검색 광고 분야의 세계적인 기업이 탄생하기도 하였다. 이외에도 바다를 가로지르는 교량이나 천체 관측이 가능한 파라볼라 망원경과 안테나 그리고 방대한 데이터의 분석에도 인수분해에 기초한 다양한 방법들이 이용되고 있다.

Ⅱ. 다항식의 곱셈과 인수분해

학습 목표

1. 다항식의 곱셈과, 인수분해를 할 수 있다.

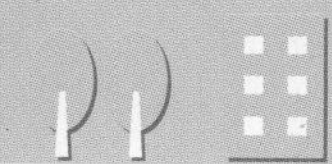

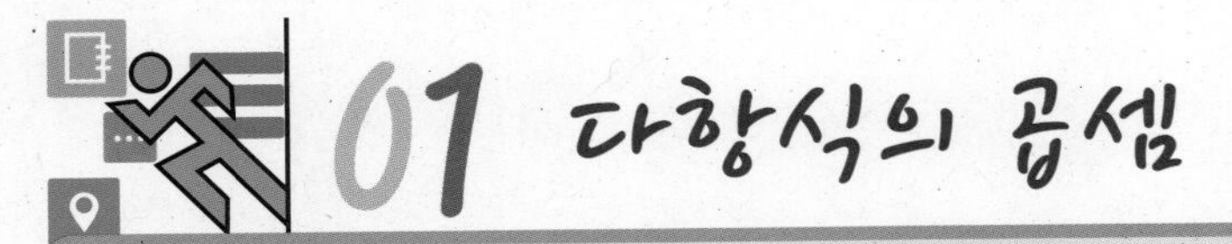

빠른 정답 05쪽 / 친절한 해설 20쪽

다항식과 다항식의 곱셈

(1) 분배법칙을 이용하여 전개

(2) 전개식에서 동류항이 있으면 동류항끼리 모아서 간단히 한다.

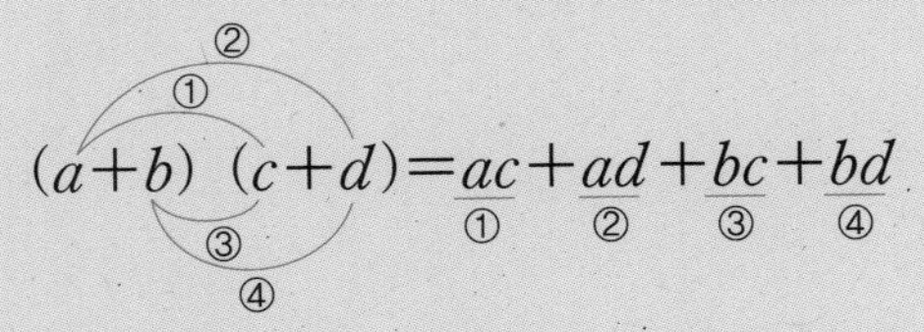

예 $(x+3)(x-4)=x\times x+x\times(-4)+3\times x+3\times(-4)$
$=x^2-4x+3x-12=x^2-x-12$

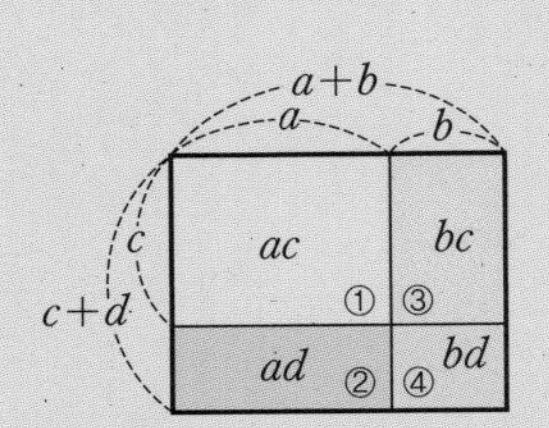

가로, 세로의 길이가 각각 $a+b$, $c+d$인 직사각형의 넓이 $(a+b)(c+d)$는 작은 직사각형 ①~④의 넓이의 합과 같다.

유형 041 식의 전개

※ 다음 식을 전개하여라.

01 $(a+1)(b-2)$

|해설| $(a+1)(b-2)$
$=a\times\square+a\times(\square)+\square\times b+\square\times(-2)$
$=\square-2a+b-\square$

02 $(x-1)(y+2)$

03 $(2a-3)(a+4)$

04 $(2x+3)(x-4)$

05 $(a+7b)(-3a-2b)$

※ 다음 식의 전개식에서 xy의 계수를 구하여라.

06 $(-x+4y)(3x-5y)$

07 $(x+2y)(2x-3y)$

08 $(x+2y)(-x+y)$

09 $(3x-2y)(4x-y)$

02 곱셈 공식(1) 합의 제곱, 차의 제곱

빠른 정답 05쪽 / 친절한 해설 20쪽

1. 합의 제곱

$$(a+b)^2=a^2+2ab+b^2$$

참고 $(a+b)^2=(a+b)(a+b)=a^2+ab+ba+b^2$
$=a^2+2ab+b^2$

2. 차의 제곱

$$(a-b)^2=a^2-2ab+b^2$$

참고 $(a-b)^2=(a-b)(a-b)=a^2-ab-ba+b^2$
$=a^2-2ab+b^2$

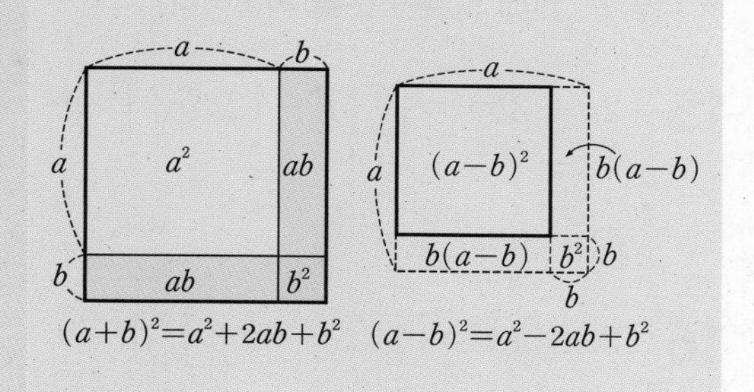

유형 042 곱셈 공식 (1) 합의 제곱

※ 다음 □ 안에 알맞은 수를 써넣어라.

01 $(2a+3)^2=4a^2+\square\times2a\times3+9$
$=4a^2+\square a+9$

02 $(3x+y)^2=9x^2+2\times\square\times\square+y^2$
$=9x^2+\square xy+y^2$

03 $(2a+3b)^2=\square a^2+12ab+\square b^2$

04 $(6x+1)^2=\square x^2+12x+\square$

※ 곱셈 공식을 이용하여 다음 식을 전개하여라.

05 $(a+4)^2$

06 $(x+2)^2$

07 $(a+3b)^2$

08 $(x+2y)^2$

09 $(4a+b)^2$

10 $(7x+y)^2$

11 $(4a+3b)^2$

12 $(2x+5y)^2$

13 $(-3a-5b)^2$

14 $(-6x-2y)^2$

곱셈 공식 (1) 차의 제곱

※ 다음 □ 안에 알맞은 수를 써넣어라.

15 $(2a-3b)^2=\square a^2-12ab+\square b^2$

16 $(3x-1)^2=\square x^2-6x+\square$

17 $(2a-4)^2=4a^2-\square\times 2a\times 4+16$
$=4a^2-\square a+16$

18 $(3x-5y)^2=9x^2-2\times\square\times\square+25y^2$
$=9x^2-\square xy+25y^2$

※ 곱셈 공식을 이용하여 다음 식을 전개하여라.

19 $(a-4)^2$

20 $(x-2)^2$

21 $(a-3b)^2$

22 $(x-2y)^2$

23 $(4a-b)^2$

24 $(7x-y)^2$

25 $(4a-3b)^2$

26 $(2x-5y)^2$

27 $(-a+2b)^2$

28 $(-3x+y)^2$

29 $(-3a+2b)^2$

30 $(-2x+4y)^2$

학교시험 필수예제

31 다음 중 $(-2x+5)^2$과 전개식이 같은 것은?

① $(2x+5)^2$ ② $(-2x-5)^2$
③ $(2x-5)^2$ ④ $-(2x+5)^2$
⑤ $-(2x-5)^2$

03 곱셈 공식 (2) 합과 차의 곱

빠른 정답 06쪽 / 친절한 해설 21쪽

$$(a+b)(a-b)=a^2-b^2$$

참고 $(a+b)(a-b)=a^2-ab+ba-b^2$
$=a^2-b^2$

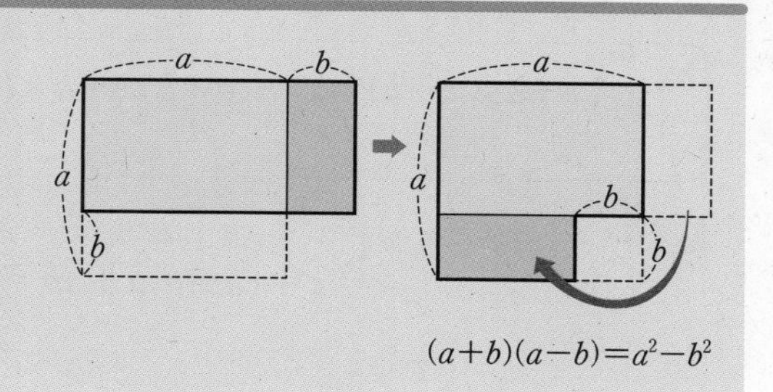

유형 044 곱셈 공식 (2) 합과 차의 곱

※ 곱셈 공식을 이용하여 다음 식을 전개하여라.

01 $(a+2)(a-2)$

02 $(x-3)(x+3)$

03 $(a+2b)(a-2b)$

04 $(x-4y)(x+4y)$

05 $(5a+3b)(5a-3b)$

06 $(2x+5y)(2x-5y)$

07 $(-a+5b)(-a-5b)$

08 $(-2a+3)(-2a-3)$

09 $(-3x+5)(-3x-5)$

10 $(-a+2b)(-a-2b)$

11 $(-4x+y)(-4x-y)$

12 $(-1+2a)(1+2a)$

13 $(-2-3x)(2-3x)$

14 $\left(\frac{1}{2}a+\frac{1}{3}b\right)\left(\frac{1}{2}a-\frac{1}{3}b\right)$

04 곱셈 공식 (3) x의 계수가 1인 두 일차식의 곱

빠른 정답 06쪽 / 친절한 해설 21쪽

$$(x+a)(x+b)=x^2+(\underset{\text{합}}{a+b})x+\underset{\text{곱}}{a\times b}$$

참고 $(x+a)(x+b)=x^2+xb+ax+ab$
$=x^2+(a+b)x+ab$

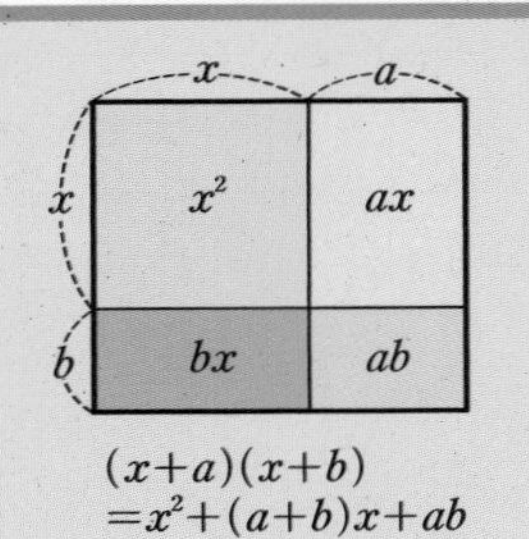

$(x+a)(x+b)$
$=x^2+(a+b)x+ab$

유형 045 곱셈 공식 (3) x의 계수가 1인 두 일차식의 곱

※ 다음 □ 안에 알맞은 수를 써넣어라.

01 $(a+3)(a+2)$
$=a^2+(\square+\square)a+\square\times\square$
$=a^2+\square a+\square$

02 $(x-2)(x+5)$
$=x^2+(\square+\square)x+\square\times\square$
$=x^2+\square x-\square$

03 $(a+1)(a+2)=a^2+\square a+\square$

04 $(x+5)(x-3)=x^2+\square x-\square$

05 $(a+5b)(a-3b)=a^2+\square ab-\square b^2$

06 $(x-5y)(x-2y)=x^2-\square xy+\square y^2$

07 $(a+\square)(a-7)=a^2-\square a-28$

08 $(x-y)(x+\square y)=x^2+9xy-\square y^2$

※ 곱셈 공식을 이용하여 다음 식을 전개하여라.

09 $(a+3)(a+4)$

10 $(x-4)(x+3)$

11 $(a+2)(a+5)$

12 $(x-1)(x+7)$

13 $(a+6b)(a-3b)$

14 $(x-4y)(x-5y)$

※ 다음을 만족하는 상수 a, b의 값을 구하여라.

15 $(x+3)(x+5)=x^2+ax+b$

해설 (좌변)$=x^2+(3+\square)x+3\times\square$

$=x^2+\square x+\square$

(우변)$=x^2+ax+b$

좌변과 우변의 계수를 각각 비교하면

$a=\square$, $b=\square$

16 $(x-1)(x+7)=x^2+ax+b$

17 $(x-2y)(x-6y)=x^2+axy+by^2$

18 $(x+5y)(x-3y)=x^2+axy+by^2$

※ 다음 식의 전개식에서 x의 계수를 a, 상수항을 b라고 할 때, $a\times b$의 값을 구하여라.

19 $(x+3)(x-5)$

해설 $(x+3)(x-5)=x^2-\square x-\square$이므로

$a=\square$, $b=\square$

$\therefore a\times b=\square$

20 $(x+1)(x-6)$

21 $(x-2)(x+3)$

22 $(x+3)(x-6)$

23 $(x-4)(x-5)$

05 곱셈 공식(4) x의 계수가 1인 아닌 두 일차식의 곱

빠른 정답 06쪽 / 친절한 해설 21쪽

$$(ax+b)(cx+d)=acx^2+(ad+bc)x+bd$$

참고 $(ax+b)(cx+d)=ax\times cx+ax\times d+cx\times b+b\times d$
$=acx^2+adx+bcx+bd$
$=acx^2+(ad+bc)x+bd$

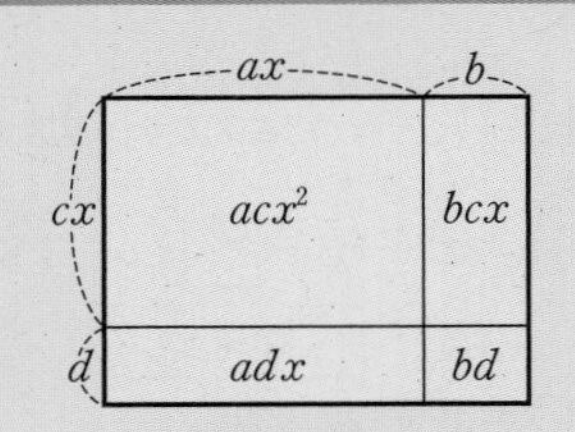

유형 046 곱셈 공식(4) x의 계수가 1이 아닌 두 일차식의 곱

※ 다음 □ 안에 알맞은 수를 써넣어라.

01 $(2a+3)(5a+4)$
$=(2\times\square)a^2+(2\times\square+3\times\square)a+3\times\square$
$=\square a^2+23a+\square$

02 $(4x+3)(x+5)$
$=(\square\times1)x^2+(4\times\square+\square\times1)x+\square\times5$
$=\square x^2+23x+\square$

03 $(2a+5)(2a-3)=4a^2+\square a-\square$

04 $(3x-5)(4x+1)=12x^2-\square x-\square$

05 $(2a+3b)(5a-b)=10a^2+\square ab-\square b^2$

06 $(3x-y)(4x-3y)=12x^2-\square xy+\square y^2$

07 $(a-2b)(\square a-5b)=2a^2-\square ab+10b^2$

08 $(2x-y)(\square x-7y)=8x^2-\square xy+7y^2$

※ 곱셈 공식을 이용하여 다음 식을 전개하여라.

09 $(3a-1)(5a+2)$

10 $(3x+4)(2x-3)$

11 $(2a+5)(3a+4)$

12 $(4x-3)(x+5)$

13 $(6a-5b)(7a+3b)$

14 $(5x-2y)(x-5y)$

※ 다음을 만족하는 상수 a, b, c의 값을 구하여라.

15 $(2x+1)(4x+5)=ax^2+bx+c$

|해설| (좌변)$=(2\times4)x^2+(2\times\square+\square\times4)x+1\times\square$

$=\square x^2+\square x+\square$

(우변)$=ax^2+bx+c$

좌변과 우변의 계수를 각각 비교하면

$a=\square$, $b=\square$, $c=\square$

16 $(3x-1)(2x+4)=ax^2+bx+c$

17 $(2x-y)(x-6y)=ax^2+bxy+cy^2$

18 $(5x+y)(2x-3y)=ax^2+bxy+cy^2$

※ 다음 식의 전개식에서 x의 계수를 a, 상수항을 b라고 할 때, $a\times b$의 값을 구하여라.

19 $(2x+1)(3x-5)$

|해설| $(2x+1)(3x-5)=6x^2-\square x-\square$이므로

$a=\square$, $b=\square$

$\therefore a\times b=\square$

20 $(3x+1)(2x-5)$

21 $(2x-3)(5x+1)$

22 $(6x+1)(2x-3)$

23 $(5x-4)(x-2)$

06 곱셈 공식을 이용한 수의 계산

빠른 정답 06쪽 / 친절한 해설 21쪽

곱셈 공식을 이용하여 수의 계산을 간편하게 할 수 있다.

1. $(a\pm b)^2=a^2\pm 2ab+b^2$을 이용

예 101^2

$=(100+1)^2$ → $(a+b)^2$의 꼴

$=100^2+2\times 100\times 1+1^2$ → $a^2\pm 2ab+b^2$의 꼴

$=10201$

2. $(a+b)(a-b)=a^2-b^2$을 이용

예 97×103

$=(100-3)(100+3)$ → $(a+b)(a-b)$의 꼴

$=100^2-3^2$

$=9991$

3. $(x+a)(x+b)=x^2+(a+b)x+ab$를 이용

예 101×104

$=(100+1)(100+4)$ → $(x+a)(x+b)$의 꼴

$=100^2+(1+4)\times 100+1\times 4$ → $x^2+(a+b)x+ab$의 꼴

$=10504$

유형 047 곱셈 공식을 이용한 수의 계산

※ 곱셈 공식을 이용하여 다음을 계산하여라.

01 $51^2=(50+\square)^2$

$=2500+2\times\square\times 1+\square$

$=\square$

02 103^2

03 $99^2=(100-\square)^2$

$=10000-2\times\square\times 1+\square$

$=\square$

04 98^2

※ 곱셈 공식을 이용하여 다음을 계산하여라.

05 $66\times 74=(70-4)(70+4)$

$=\square^2-\square^2$

$=\square$

06 48×52

07 98×102

08 1003×997

※ 곱셈 공식을 이용하여 다음을 계산하여라.

09 $101\times103=(100+\square)(100+\square)$
$=100^2+(1+\square)\times100+\square\times3$
$=\square$

10 102×104

11 301×303

12 99×97

13 498×496

※ 다음 보기에서 아래의 수를 계산할 때, 가장 편리한 곱셈 공식을 골라라.

보기
㉠ $(a+b)^2=a^2+2ab+b^2$
㉡ $(a-b)^2=a^2-2ab+b^2$
㉢ $(a+b)(a-b)=a^2-b^2$
㉣ $(x+a)(x+b)=x^2+(a+b)x+ab$

14 502^2

15 1001×1004

16 997^2

17 295×305

18 102^2

두 수가 주어진 경우의 식의 값

※ $a=\sqrt{2}+1$, $b=\sqrt{2}-1$일 때, 다음 식의 값을 구하여라.

19 $a+b$

20 ab

21 $\frac{1}{a}+\frac{1}{b}$

22 a^2+b^2

23 $\frac{b}{a}+\frac{a}{b}$

24 a^2+ab+b^2

※ $a=\sqrt{3}-\sqrt{2}$, $b=\sqrt{3}+\sqrt{2}$일 때, 다음 식의 값을 구하여라.

25 $a+b$

26 ab

27 $\frac{1}{a}+\frac{1}{b}$

28 a^2+b^2

29 $\frac{b}{a}+\frac{a}{b}$

30 a^2-ab+b^2

07 곱셈 공식을 이용한 제곱근의 계산

빠른 정답 06쪽 / 친절한 해설 22쪽

1. $(a+\sqrt{b})^2=a^2+2a\sqrt{b}+b=(a^2+b)+2a\sqrt{b}$
2. $(a-\sqrt{b})^2=a^2-2a\sqrt{b}+b=(a^2+b)-2a\sqrt{b}$ ← $(a\pm b)^2$을 이용
3. $(a+\sqrt{b})(a-\sqrt{b})=a^2-b$ ← $(a+b)(a-b)$를 이용

참고 $(-a+\sqrt{b})(a-\sqrt{b})$
$=-(a-\sqrt{b})^2$
$=(-a^2-b)+2a\sqrt{b}$

유형 049 제곱근을 포함한 수의 계산

※ 곱셈 공식을 이용하여 다음을 계산하여라.

01 $(\sqrt{3}+1)^2$

|해설| $(\sqrt{3}+1)^2=(\square)^2+2\times\square\times1+\square^2$
$=\square+\square\sqrt{3}$

02 $(2+\sqrt{7})^2$

03 $(\sqrt{2}-1)^2$

04 $(\sqrt{3}-5)^2$

05 $(1+\sqrt{2})^2$

06 $(-1-\sqrt{3})^2$

07 $(2+2\sqrt{2})^2$

08 $(3-2\sqrt{3})^2$

09 $(7+4\sqrt{5})^2$

10 $(10-3\sqrt{3})^2$

11 $(\sqrt{5}-\sqrt{2})(\sqrt{5}+\sqrt{2})$

12 $(3+\sqrt{3})(3-\sqrt{3})$

13 $(3-2\sqrt{2})(3+2\sqrt{2})$

14 $(1-\sqrt{6})(-1-\sqrt{6})$

15 $(\sqrt{6}+2\sqrt{2})(\sqrt{6}-2\sqrt{2})$

16 $(2\sqrt{3}-1)(2\sqrt{3}+1)$

17 $(-1-\sqrt{7})(-1+\sqrt{7})$

18 $(-4+2\sqrt{5})(4-2\sqrt{5})$

학교시험 필수예제

19 $\sqrt{(4+2\sqrt{3})^2}-\sqrt{(4+\sqrt{3})(4-\sqrt{3})}$을 간단히 하여라.

08 곱셈 공식을 이용한 분모의 유리화

빠른 정답 06쪽 / 친절한 해설 22쪽

분모에 근호를 포함한 식은 먼저 분모를 유리화한다.

$a>0$, $b>0$, $c>0$일 때

(1) 분모가 1개의 항으로 되어 있는 무리수이면 분모에 있는 무리수를 분모, 분자에 곱해 준다.

$$\frac{\sqrt{a}+\sqrt{b}}{\sqrt{c}}=\frac{(\sqrt{a}+\sqrt{b})\times\sqrt{c}}{\sqrt{c}\times\sqrt{c}}=\frac{\sqrt{ac}+\sqrt{bc}}{c}$$

(2) 분모가 2개의 항으로 되어 있는 무리수이면
곱셈 공식 $(a+b)(a-b)=a^2-b^2$을 이용하여 분모를 유리화한다.

$$\frac{c}{\sqrt{a}+\sqrt{b}}=\frac{c(\sqrt{a}-\sqrt{b})}{(\sqrt{a}+\sqrt{b})(\sqrt{a}-\sqrt{b})}=\frac{c\sqrt{a}-c\sqrt{b}}{a-b}$$

분모	분자, 분모에 곱하는 수
$a+\sqrt{b}$	$a-\sqrt{b}$
$a-\sqrt{b}$	$a+\sqrt{b}$
$\sqrt{a}+\sqrt{b}$	$\sqrt{a}-\sqrt{b}$
$\sqrt{a}-\sqrt{b}$	$\sqrt{a}+\sqrt{b}$

부호 반대

분배법칙을 이용한 분모의 유리화 : $\frac{\sqrt{a}+\sqrt{b}}{\sqrt{c}}$꼴

※ 다음 수의 분모를 유리화하여라.

01 $\frac{\sqrt{2}+1}{\sqrt{3}}$

|해설| $\frac{\sqrt{2}+1}{\sqrt{3}}=\frac{(\sqrt{2}+1)\times\square}{\sqrt{3}\times\square}=\frac{\square+\sqrt{3}}{\square}$

02 $\frac{\sqrt{3}+\sqrt{2}}{\sqrt{5}}$

03 $\frac{\sqrt{3}+\sqrt{7}}{\sqrt{2}}$

04 $\frac{\sqrt{3}+\sqrt{6}}{\sqrt{2}}$

05 $\frac{\sqrt{3}+\sqrt{2}}{\sqrt{7}}$

06 $\frac{1-\sqrt{3}}{\sqrt{2}}$

07 $\frac{2-\sqrt{3}}{\sqrt{3}}$

08 $\frac{\sqrt{6}-\sqrt{2}}{\sqrt{3}}$

09 $\frac{6-\sqrt{12}}{\sqrt{3}}$

10 $\frac{\sqrt{10}-5}{\sqrt{5}}$

곱셈공식을 이용한 분모의 유리화 : $\dfrac{c}{\sqrt{a}+\sqrt{b}}$꼴

※ 다음 수의 분모를 유리화하여라.

11 $\dfrac{1}{2+\sqrt{3}}$

|해설| $\dfrac{1}{2+\sqrt{3}}=\dfrac{\square}{(2+\sqrt{3})\times(\square)}=\square$

12 $\dfrac{1}{3+\sqrt{2}}$

13 $\dfrac{1}{\sqrt{3}+\sqrt{2}}$

14 $\dfrac{2}{\sqrt{5}+\sqrt{3}}$

15 $\dfrac{2}{3+\sqrt{7}}$

16 $\dfrac{1}{\sqrt{2}-1}$

17 $\dfrac{1}{3-\sqrt{5}}$

18 $\dfrac{3}{\sqrt{5}-\sqrt{3}}$

19 $\dfrac{2}{\sqrt{7}-\sqrt{5}}$

20 $\dfrac{1}{3-2\sqrt{2}}$

21 $\dfrac{1}{\sqrt{2}+1}+\dfrac{1}{\sqrt{2}-1}$

22 $\dfrac{\sqrt{3}}{2\sqrt{3}-3}+\dfrac{\sqrt{3}}{2\sqrt{3}+3}$

09 곱셈 공식의 변형

빠른 정답 06쪽 / 친절한 해설 23쪽

1. $a^2+b^2=(a+b)^2-2ab$
2. $a^2+b^2=(a-b)^2+2ab$
3. $(a+b)^2=(a-b)^2+4ab$
4. $(a-b)^2=(a+b)^2-4ab$

$(a+b)^2=a^2+2ab+b^2$
$(a-b)^2=a^2-2ab+b^2$
$\therefore (a+b)^2-4ab=(a-b)^2$

유형 052 곱셈공식의 변형

※ $a+b=6$, $ab=5$일 때, 다음 식의 값을 구하여라.

01 a^2+b^2

|해설| $(a+b)^2=a^2+\square+b^2$이므로
$a^2+b^2=(a+b)^2-\square$
$=6^2-\square=\square$

02 $(a-b)^2$

※ $a-b=3$, $ab=6$일 때, 다음 식의 값을 구하여라.

03 a^2+b^2

04 $(a+b)^2$

※ $x+y=8$, $xy=7$일 때, 다음 식의 값을 구하여라.

05 x^2+y^2

06 $(x-y)^2$

※ $x-y=2$, $xy=7$일 때, 다음 식의 값을 구하여라.

07 x^2+y^2

08 $(x+y)^2$

학교시험 필수예제

09 $x+y=3\sqrt{2}$, $xy=4$일 때, $(x-y)^2$의 값을 구하여라.

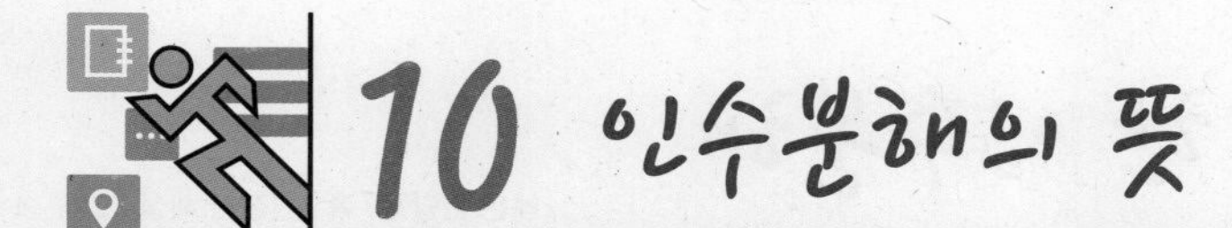

10 인수분해의 뜻

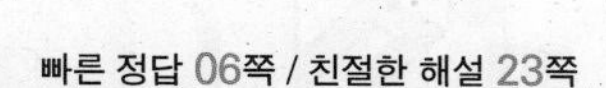
빠른 정답 06쪽 / 친절한 해설 23쪽

1. **인수분해** : 하나의 다항식을 두 개 이상의 인수의 곱으로 나타내는 것
2. **인수** : 하나의 다항식을 두 개 이상의 다항식의 곱으로 나타내었을 때 곱해진 각각의 식

참고 1과 자기 자신도 그 다항식의 인수이다.

x^2+x-6 ⇄ $(x+3)(x-2)$ (인수분해 / 전개, 인수)

유형 053 인수분해의 뜻

※ 다음 식은 어떤 다항식을 인수분해한 것인지 구하여라.

01 $(x-1)(x+3)$

|해설| 식을 전개하면

$(x-1)(x+3)=x^2+(-1+\square)x+(-1)\times\square$

이므로 $x^2+\square x-3$을 인수분해한 것이다.

02 $3x(2x+1)$

03 $(x+5)(2x-1)$

04 $(x+7)(x-7)$

05 $a(x-4)(x+1)$

06 $(x-y)(x-2y)$

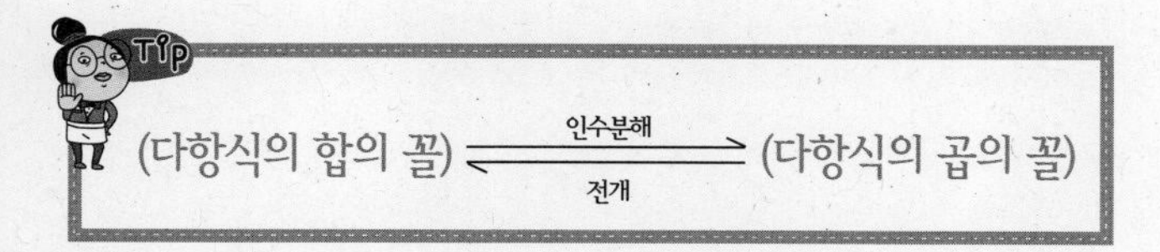

유형 054 인수

※ 다음 식의 인수를 모두 말하여라.

07 $(x-1)(x+3)$

|해설| $(x-1)(x+3)$에 곱해진 모든 식을 구하면

1, $\square$, $\square$, $(x-1)(x+3)$이다.

08 $(x+5)(2x-1)$

09 $(x+7)(x-7)$

10 $(x-y)(x-2y)$

학교시험 필수예제

11 다음 |보기| 중 $a(x-4)(x+1)$의 인수를 모두 골라라.

|보기|

㉠ 1	㉡ x^2-3x-4
㉢ $-3ax$	㉣ $a(x+1)$
㉤ $a(x-4)(x+1)$	㉥ a^2x-4

11 공통 인수를 이용한 인수분해

빠른 정답 07쪽 / 친절한 해설 22쪽

각 항에 공통으로 들어 있는 인수가 있으면
⇨ 그 인수를 이용하여 인수분해할 수 있다.

$$ma+mb=m(a+b)$$

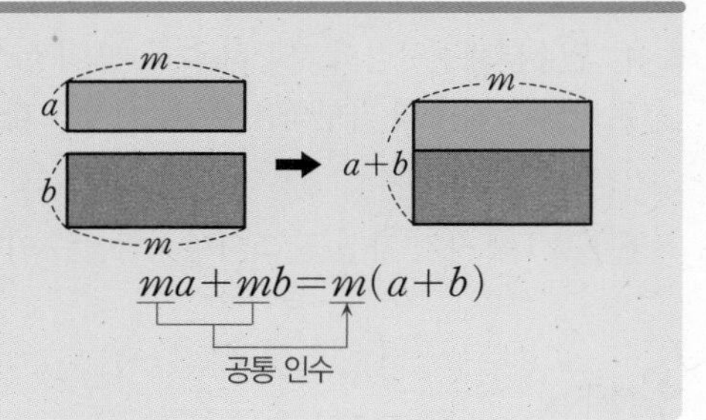

공통 인수를 이용한 인수분해

※ 다음 식에서 공통 인수를 찾아 인수분해하여라.

01 $ab+ac$

|해설| 두 항 ab와 ac에 공통으로 들어 있는 인수가 □이므로 인수분해하면 □이다.

02 $2a^2-5a$

03 $3x^2-5x$

04 y^2-3xy

05 $6x^2+2x$

06 $3a^2b-12a^2$

07 $2a^2b-3ab+6b$

08 $x^3+2x^2y-8x^2$

09 $4a^2-12ab+8a$

10 $6x^2-8xy+2x$

학교시험 필수예제

11 다음 중 $4ab^2-2a^2b$의 인수가 아닌 것은?

① -1 ② $-ab$ ③ $a-2b^2$
④ $2(a-2b)$ ⑤ $a(a-2b)$

12 인수분해 공식(1) $a^2\pm2ab+b^2$

빠른 정답 07쪽 / 친절한 해설 23쪽

1. **완전제곱식** : 다항식의 제곱으로 된 식 또는 이 식에 상수를 곱한 식
2. **$a^2\pm2ab+b^2$의 인수분해**
   (1) $a^2+2ab+b^2=(a+b)^2$
   (2) $a^2-2ab+b^2=(a-b)^2$
3. **완전제곱식이 될 조건**
   x^2+ax+b가 완전제곱식이 되는 조건은
   ① $b=\left(\frac{a}{2}\right)^2$ ② $a=\pm2\sqrt{b}$

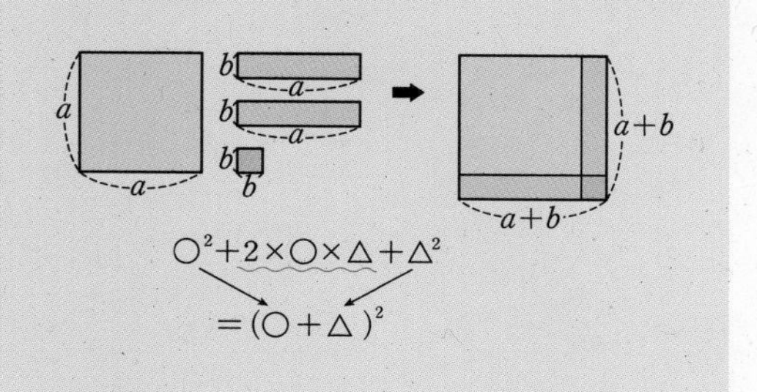

유형 056 인수분해 공식 (1) $a^2\pm2ab+b^2$

※ 다음 등식의 □ 안에 알맞은 것을 써넣어라.

01 $x^2+2x+1=x^2+2\times x\times\square+\square^2$
$=(x+\square)^2$

02 $a^2+8a+16=a^2+2\times a\times\square+\square^2$
$=(a+\square)^2$

03 $x^2+x+\frac{1}{4}=x^2+2\times x\times\square+(\square)^2$
$=(x+\square)^2$

04 $4x^2+4xy+y^2=(\square)^2+2\times\square\times y+y^2$
$=(\square+y)^2$

05 $25t^2+20t+4=(\square)^2+2\times\square\times2+2^2$
$=(\square+2)^2$

06 $x^2-4x+4=x^2-2\times x\times\square+\square^2$
$=(x-\square)^2$

07 $a^2-6a+9=a^2-2\times a\times\square+\square^2$
$=(a-\square)^2$

08 $x^2-x+\frac{1}{4}=x^2-2\times x\times\square+(\square)^2$
$=(x-\square)^2$

09 $16a^2-8ab+b^2=(\square)^2-2\times\square\times b+b^2$
$=(\square-b)^2$

10 $4x^2-12x+9=(\square)^2-2\times\square\times3+3^2$
$=(\square-3)^2$

※ 다음 식을 인수분해하여라.

11 x^2+6x+9

12 $x^2+14x+49$

13 $x^2+18x+81$

14 $x^2+40x+400$

15 $x^2+\frac{2}{5}x+\frac{1}{25}$

16 $x^2+\frac{4}{3}x+\frac{4}{9}$

17 $16x^2+8x+1$

18 $81x^2+18x+1$

19 $\frac{1}{9}x^2+\frac{2}{3}x+1$

20 $\frac{1}{49}x^2+\frac{2}{7}x+1$

21 $\frac{9}{16}x^2+\frac{3}{2}x+1$

22 $\frac{9}{25}x^2+\frac{6}{5}x+1$

23 $4x^2+36x+81$

29 $x^2-8x+16$

24 $9x^2+42x+49$

30 $x^2-12x+36$

25 $25x^2+30x+9$

31 $x^2-20x+100$

26 $4x^2+20x+25$

32 $x^2-24x+144$

27 $9x^2+12x+4$

33 $x^2-\frac{1}{2}x+\frac{1}{16}$

28 $\frac{1}{16}x^2+x+4$

34 $x^2-3x+\frac{9}{4}$

35 $9x^2-6x+1$

36 $64x^2-16x+1$

37 $100x^2-20x+1$

38 $\frac{1}{4}x^2-x+1$

39 $\frac{9}{16}x^2-\frac{3}{2}x+1$

40 $\frac{4}{25}x^2-\frac{4}{5}x+1$

41 $4x^2-28x+49$

42 $9x^2-24x+16$

43 $25x^2-20x+4$

44 $\frac{1}{4}x^2-4x+16$

학교시험 필수예제

45 다음 |보기| 중 완전제곱식으로 인수분해되는 것을 모두 골라라.

보기	
㉠ $x^2+\frac{1}{5}x+\frac{1}{25}$	㉡ x^2-6x+9
㉢ $x^2+14x+49$	㉣ $x^2-9x+81$
㉤ $4x^2+20x+25$	㉥ $\frac{1}{6}x^2-\frac{1}{3}x+1$

057 완전제곱식이 될 조건

※ 다음 식이 완전제곱식이 되도록 하는 상수 b의 값을 구하여라.

46 x^2+4x+b

47 x^2+x+b

48 $x^2+\frac{1}{2}x+b$

49 $x^2-14x+b$

50 $x^2-20x+b$

51 x^2-5x+b

※ 다음 식이 완전제곱식이 되도록 하는 양수 a의 값을 구하여라.

52 x^2+ax+9

53 $x^2+ax+81$

54 $x^2+ax+\frac{1}{16}$

55 x^2-ax+1

56 $x^2-ax+25$

57 $x^2-ax+\frac{9}{4}$

Tip

완전제곱식이 될 조건

(1) $x^2\pm ax+b \rightarrow b=\left(\frac{a}{2}\right)^2$

(2) $x^2+ax+b\ (b>0) \rightarrow a=\pm 2\sqrt{b}$

근호 안이 완전제곱식으로 인수분해되는 식

※ $0<a<2$일 때, 다음 식을 간단히 하여라.

58 $\sqrt{a^2-4a+4}-\sqrt{a^2+2a+1}$

|해설| $\sqrt{a^2-4a+4}-\sqrt{a^2+2a+1}$

$=\sqrt{(a-2)^2}-\sqrt{\square}$

$0<a<2$에서 $a-2<0$, $\square>0$이므로

(주어진 식)$=-(a-2)-(\square)=\square$

59 $\sqrt{a^2}+\sqrt{a^2-4a+4}$

60 $\sqrt{a^2-6a+9}-\sqrt{a^2}$

61 $\sqrt{a^2-4a+4}+\sqrt{a^2+4a+4}$

62 $\sqrt{a^2+4a+4}-\sqrt{a^2}$

63 $\sqrt{a^2+6a+9}+\sqrt{a^2-4a+4}$

※ $0<a<b$일 때, 다음 식을 간단히 하여라.

64 $\sqrt{a^2+2ab+b^2}+\sqrt{a^2-2ab+b^2}$

|해설| $\sqrt{a^2+2ab+b^2}+\sqrt{a^2-2ab+b^2}$

$=\sqrt{(a+b)^2}+\sqrt{\square}$

$0<a<b$에서 $a+b>0$, $\square<0$이므로

(주어진 식)$=(a+b)-(\square)=\square$

65 $\sqrt{b^2-2ab+a^2}$

66 $\sqrt{a^2+4ab+4b^2}$

67 $\sqrt{4a^2-20ab+25b^2}$

68 $\sqrt{a^2-2ab+b^2}+\sqrt{b^2-2ab+a^2}$

69 $\sqrt{a^2+4ab+4b^2}-\sqrt{a^2-6ab+9b^2}$

13 인수분해 공식 (2) a^2-b^2

빠른 정답 07쪽 / 친절한 해설 23쪽

a^2-b^2의 인수분해

$a^2-b^2=(a+b)(a-b)$
제곱의 차 　합　 차

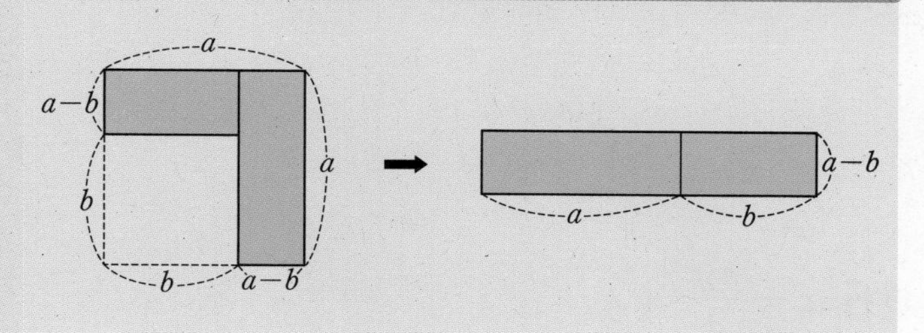

인수분해 공식 (2) a^2-b^2

※ 다음 식을 인수분해하여라.

01 a^2-4

02 x^2-1

03 x^2-9

04 x^2-36

05 a^2-64

06 a^2-81

07 x^2-144

08 $4x^2-25$

09 $4x^2-49$

10 $9x^2-4$

11 $9x^2-16$

12 $16x^2-1$

13 $25x^2-9$

14 $36x^2-49$

15 $x^2-\frac{9}{4}$

16 $x^2-\frac{49}{9}$

17 $x^2-\frac{16}{25}$

18 $x^2-\frac{1}{81}$

19 x^2-y^2

20 x^2-4y^2

21 x^2-36y^2

22 x^2-100y^2

23 $4x^2-49y^2$

24 $9x^2-4y^2$

25 $9x^2-64y^2$

26 $16x^2-25y^2$

27 $25x^2-81y^2$

28 $x^2-\frac{49}{4}y^2$

29 $x^2-\frac{9}{25}y^2$

학교시험 필수예제

30 다음 중 x^8-1의 인수가 아닌 것은?

① 1　② $x-1$　③ x^2-1
④ x^3-1　⑤ x^4-1

14 인수분해 공식 (3) $x^2+(a+b)x+ab$

빠른 정답 07쪽

$x^2+(a+b)x+ab$의 인수분해

① 곱해서 상수항이 되는 두 수를 모두 찾는다.

② ①의 두 수 중 합이 x의 계수가 되는 a, b를 고른다.

두 수의 곱

$$x^2+(a+b)x+ab=(x+a)(x+b)$$

두 수의 합

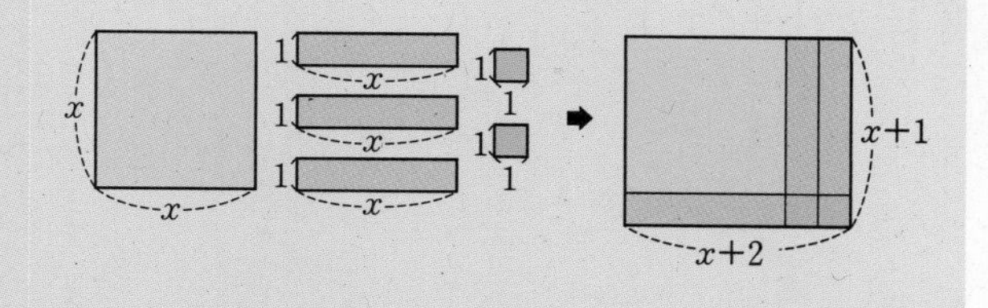

인수분해 공식 (3) $x^2+(a+b)x+ab$

※ 합과 곱이 다음과 같은 두 정수를 구하여라.

01 합이 7, 곱이 6

02 합이 12, 곱이 32

03 합이 -5, 곱이 4

04 합이 -10, 곱이 21

05 합이 1, 곱이 -30

06 합이 -5, 곱이 -14

※ 다음은 주어진 다항식을 인수분해하는 과정이다. □ 안에 알맞은 것을 써넣어라.

07 $x^2+12x+32$

1 ╲╱ 4 → 4

1 ╱╲ □ → □ (+

12

$=(x+4)(x+\square)$

08 $x^2-10x+21$

1 ╲╱ □ → □

1 ╱╲ -7 → □ (+

□

$=(x-\square)(x-7)$

09 x^2+x-30

1 ╲╱ □ → □

1 ╱╲ -5 → □ (+

□

$=(\square)(x-5)$

10 $x^2-5x-14$

1 ╲╱ 2 → □

1 ╱╲ □ → □ (+

□

$=(x+2)(\square)$

※ 다음 식을 인수분해하여라.

11 x^2+4x+3

12 x^2+6x+8

13 $x^2+9x+18$

14 $x^2+9x+20$

15 $x^2+11x+30$

16 $x^2+12x+20$

17 $x^2+12x+35$

18 $x^2+13x+12$

19 $x^2+13x+30$

20 $x^2+13x+42$

21 $x^2+14x+40$

22 $x^2+15x+26$

23 $x^2+15x+50$

29 x^2-3x+2

24 $x^2+15x+56$

30 $x^2-7x+12$

25 $x^2+16x+15$

31 x^2-8x+7

26 $x^2+17x+72$

32 $x^2-8x+12$

27 x^2+7x+6

33 $x^2-9x+18$

28 $x^2+14x+45$

34 $x^2-10x+9$

35 $x^2-10x+16$

36 $x^2-10x+24$

37 $x^2-12x+20$

38 $x^2-12x+27$

39 $x^2-12x+35$

40 $x^2-13x+30$

41 $x^2-14x+24$

42 $x^2-14x+48$

43 $x^2-15x+54$

44 x^2-5x+4

45 $x^2-18x+80$

46 $x^2-16x+63$

47 $x^2-13x-30$

53 $x^2-5x-36$

48 $x^2-9x-10$

54 $x^2-3x-18$

49 $x^2-4x-32$

55 $x^2-3x-40$

50 x^2-7x-8

56 $x^2-2x-24$

51 x^2-x-12

57 $x^2-2x-63$

52 $x^2-5x-50$

58 x^2-x-30

59 x^2+x-6

65 $x^2+2x-24$

60 x^2+x-72

66 x^2+3x-4

61 $x^2+3x-10$

67 $x^2+3x-28$

62 $x^2+5x-36$

68 $x^2+4x-12$

63 $x^2+4x-21$

69 x^2+6x-7

64 x^2+x-56

70 $x^2+6x-27$

15 인수분해 공식 (4) $acx^2+(ad+bc)x+bd$

빠른 정답 08쪽

$acx^2+(ad+bc)x+bd$의 인수분해

① 곱해서 x^2항이 되는 두 단항식을 세로로 나열한다.
② 곱해서 상수항이 되는 두 수를 세로로 나열한다.
③ 대각선 방향으로 곱하여 더한 것이 x항이 되는 것을 찾는다.

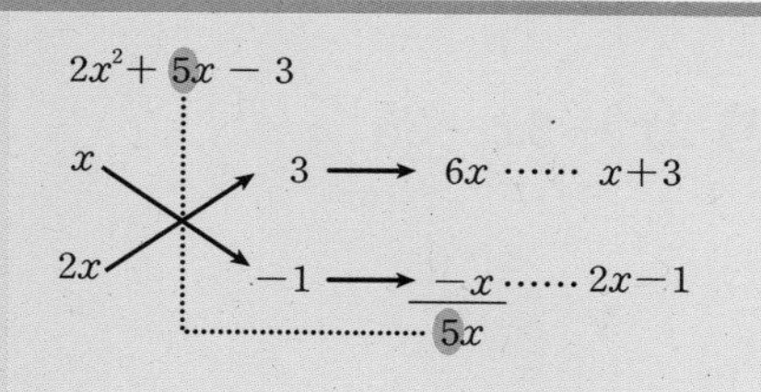

인수분해 공식 (4) $acx^2+(ad+bc)x+bd$

※ 다음은 주어진 다항식을 인수분해하는 과정이다. □ 안에 알맞은 것을 써넣어라.

01 $2x^2+17x+30$

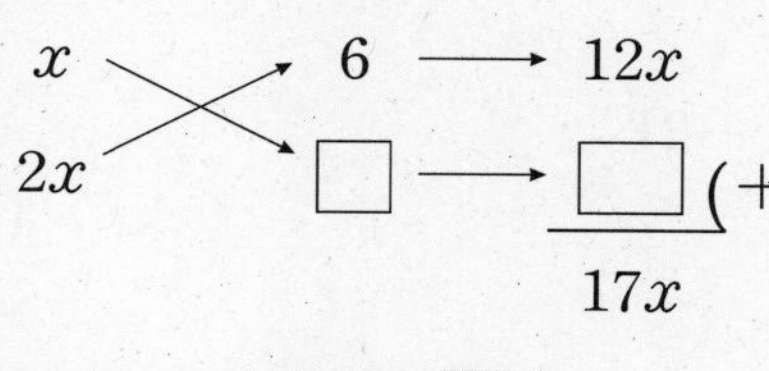

$=(x+6)(2x+\square)$

02 $3x^2+10x+8$

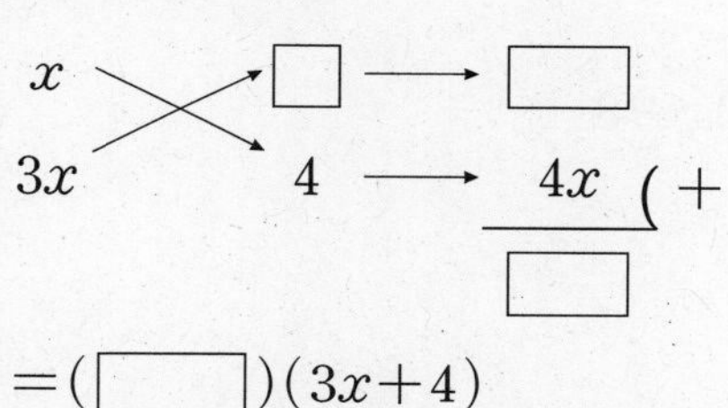

$=(\square)(3x+4)$

03 $2x^2-9x+7$

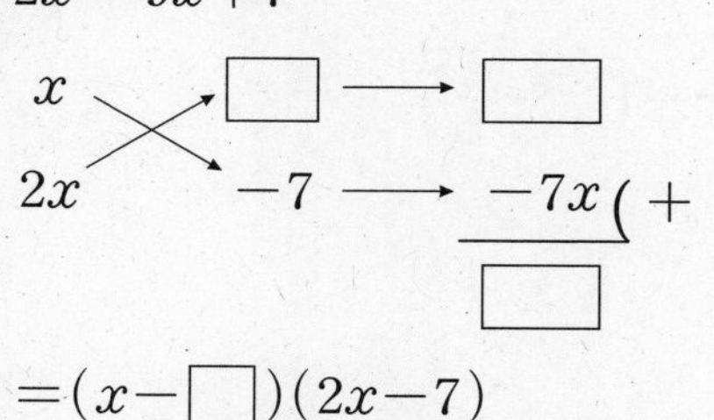

$=(x-\square)(2x-7)$

04 $5x^2-16x+12$

x → -2 → □
$5x$ → □ → □ (+
□

$=(x-2)(\square)$

05 $3x^2+20x-32$

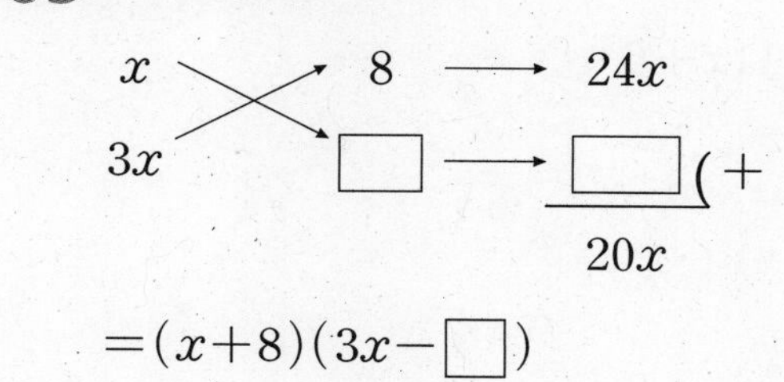

$=(x+8)(3x-\square)$

06 $2x^2-7x-15$

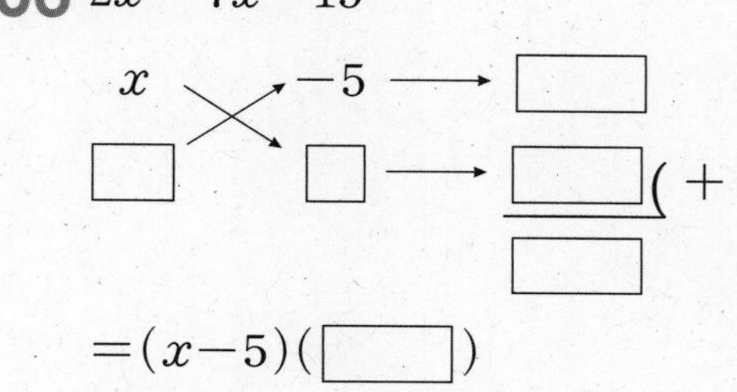

$=(x-5)(\square)$

07 $4x^2-16x+15$

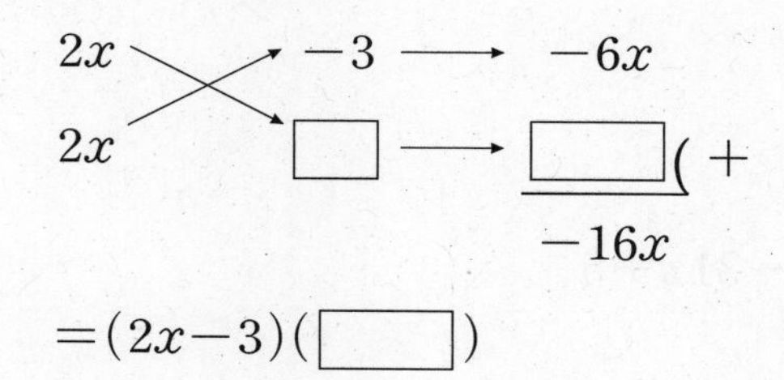

$=(2x-3)(\square)$

08 $15x^2-2x-1$

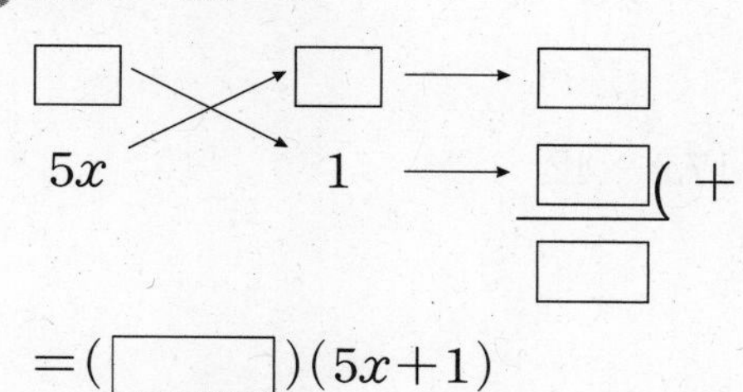

$=(\square)(5x+1)$

※ 다음 식을 인수분해하여라.

09 $2x^2+3x-35$

10 $3x^2+11x+6$

11 $2x^2+x-10$

12 $3x^2+14x+15$

13 $6x^2-31x+5$

14 $4x^2+17x-42$

15 $2x^2+21x+54$

16 $3x^2-22x+24$

17 $6x^2-11x-21$

18 $3x^2-10x-8$

19 $8x^2-2x-1$

20 $6x^2+x-15$

16 인수분해 공식의 종합

빠른 정답 08쪽 / 친절한 해설 23쪽

다음의 인수분해 공식을 이용하여 여러 가지 인수분해 관련 문항을 해결할 수 있다.

(1) $a^2 \pm 2ab + b^2 = (a \pm b)^2$

(2) $a^2 - b^2 = (a+b)(a-b)$

(3) $x^2 + (a+b)x + ab = (x+a)(x+b)$

(4) $acx^2 + (ad+bc)x + bd = (ax+b)(cx+d)$

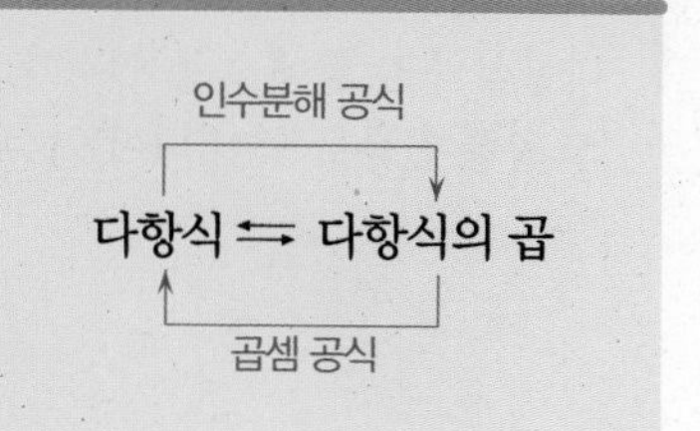

인수분해 공식의 종합

※ 다음 두 다항식의 공통 인수를 구하여라.

01 $x^2 - 16$, $6x^2 - 25x + 4$

|해설| 두 다항식을 각각 인수분해하면

$x^2 - 16 = (x+4)(\square)$

$6x^2 - 25x + 4 = (\square)(6x-1)$ 이므로

두 다항식의 공통 인수는 $\square$이다.

02 $x^2 + 2x + 1$, $x^2 + 5x + 4$

03 $4x^2 - 9$, $2x^2 - 21x + 27$

04 $x^2 + 9x + 8$, $2x^2 + 9x - 56$

※ 다음 이차식이 $x-2$를 인수로 가질 때, 상수 a의 값을 구하여라.

05 $x^2 - 6x + a$

|해설| $x^2 - 6x + a = (x-2)(x+b)$로 놓으면

$-6 = \square + b$, $a = -2 \times b$에서

$b = \square$, $a = \square$

06 $x^2 + ax - 10$

07 $6x^2 - 5x + a$

08 $ax^2 - 3x - 2$

17 공통 인수로 묶는 인수분해

빠른 정답 08쪽 / 친절한 해설 23쪽

다항식의 각 항에 공통 인수가 있으면
⇨ 공통 인수로 묶어 내어 인수분해한다.

예 $2x^2y-8y$
$=2y(x^2-4)$ → 공통 인수
$=2y(x+2)(x-2)$: 인수분해

유형 063 공통 인수로 묶어 인수분해하기

※ 다음 식을 인수분해하여라.

01 $2a^3b+4a^2b^2+2ab^3$
$=2ab(a^2+\square+b^2)$
$=2ab(\square)^2$

02 $3ax^2-12ax+12a$

03 $-ax^2+9a$

04 x^3-xy^2

05 $8x^2y^2-2y^4$

06 $-x^3+3x^2y-2xy^2$
$=-x(x^2-3xy+\square)$
$=-x(x-y)(\square)$

07 $7ax^2+28ax+21a$

08 $a^2b+7ab+10b$

09 x^3+4x^2-5x

10 $6ax^2-10ax-4a$

11 $a(b+2)+c(b+2)$
$=(b+2)(\square)$

12 $x(y-1)+(y-1)$

13 $a(x+5)-3(x+5)$

14 $(x-1)a+(1-x)$

15 $(a+b)^2+(a+b)$

16 $(x-1)^2-(x-1)$

17 $x^2(y-5)+3x(y-5)+2(y-5)$
$=(y-5)(x^2+3x+\square)$
$=(y-5)(x+1)(\square)$

18 $x^2(x+1)+(x+1)$

19 $a^2(b+2)-2a(b+2)+(b+2)$

20 $a^2(b-1)+(1-b)$

21 $x^2(x-2)+4(2-x)$

22 $a^3(b+2)-9a(b+2)$

18 치환을 이용한 인수분해

빠른 정답 08쪽 / 친절한 해설 24쪽

주어진 다항식에 공통 부분이 있으면
⇨ 한 문자로 치환하여 인수분해한 뒤, 원래의 식을 대입하여 정리한다.
예 $(a+1)^2-(a+1)-2$
⇨ $a+1$을 A로 치환 → $A^2-A-2=(A+1)(A-2)$
⇨ 원래의 식을 대입 → $(a+1+1)(a+1-2)=(a+2)(a-1)$

공통 부분을 A로 치환
↓
인수분해
↓
A에 원래의 식을 대입하여 정리한다.

유형 064 치환을 이용한 인수분해

※ 다음 식을 치환을 이용하여 인수분해하여라.

01 $(x-3)^2+2(x-3)-15$

|해설| $x-3=A$로 놓으면
(주어진 식)$=A^2+2A-15$
$=(A-3)(A+\square)$
$=(x-3-\square)(x-3+\square)$
$=(x-\square)(x+\square)$

02 $(a-5)^2-4(a-5)+4$

03 $(x+6)^2-3(x+6)-18$

04 $(x+y)^2+4(x+y)+4$

|해설| $x+y=A$로 놓으면
(주어진 식)$=A^2+4A+4$
$=(A+\square)^2$
$=(x+y+\square)^2$

05 $(3x-y)^2-6(3x-y)+5$

06 $2(a-1)^2+(a-1)-1$

07 x^4+3x^2+2

08 x^4+2x^2-3

09 $(a+b)(a+b+4)-5$

10 $(x+y)(x+y+1)-12$

11 $(a+b)(a+b-3)-10$

12 $(a+1)^2-(b+1)^2$

13 $(2x+1)^2-(x-2)^2$

14 $(a-5)^2-(a+2)^2$

학교시험 필수예제

15 $(2x-3)^2-(x+4)^2=(3x+a)(x+b)$일 때, $a+b$의 값은? (단, a, b는 상수이다.)

① -6 ② -3 ③ -1
④ 3 ⑤ 6

19 복잡한 식의 인수분해

빠른 정답 08쪽 / 친절한 해설 24쪽

(1) 다항식의 항이 여러 개 있으면
⇨ 공통 부분이 생기도록 두 항씩 묶어 인수분해한다.
(2) A^2-B^2의 꼴인 경우
⇨ (3개의 항)+(1개의 항) 또는 (1개의 항)+(3개의 항)으로 묶어 인수분해한다.
(3) 다항식의 항이 5개 이상이거나 문자가 2개 이상 있으면
⇨ 한 문자에 대하여 내림차순으로 정리한다.

참고 항이 4개 중 3개가 완전제곱식으로 인수분해될 때 3개의 항과 1개의 항을 A^2-B^2의 꼴로 변형하여 인수분해한다.

유형 065 복잡한 식의 인수분해

※ 다음 식을 인수분해하여라.

01 $ax+ay-bx-by$
$=\square(x+y)-b(x+y)$
$=(x+y)(\square)$

02 $ab-a-b+1$

03 $x^2+3x+3y-y^2$

04 x^3+x^2-x-1

05 $a^2+2ab+b^2-9$
$=(a+b)^2-\square^2$
$=(a+b+\square)(\square)$

06 $a^2-4a+4-b^2$

07 $x^2-6xy+9y^2-1$

08 $1-a^2-b^2+2ab$

20 인수분해 공식을 이용한 수의 계산

빠른 정답 09쪽 / 친절한 해설 25쪽

인수분해 공식을 이용하여 수의 계산을 간편하게 할 수 있다.

1. $ma+mb=m(a+b)$를 이용
   예 $15\times96-15\times86$
   $=15\times(96-86)$
   $=15\times10=150$

2. $a^2\pm2ab+b^2=(a\pm b)^2$을 이용
   예 $103^2+2\times103\times97+97^2$ → $a^2\pm2ab+b^2$의 꼴
   $=(103+97)^2$ → $(a\pm b)^2$의 꼴
   $=200^2=40000$

3. $a^2-b^2=(a+b)(a-b)$를 이용
   예 106^2-94^2 → a^2-b^2의 꼴
   $=(106+94)\times(106-94)$ → $(a+b)(a-b)$의 꼴
   $=200\times12=2400$

유형 066 공통 인수를 이용한 수의 계산

※ 공통 인수를 이용하여 다음을 계산하여라.

01 $17\times96+17\times4$

$=\square\times(96+4)$

$=\square\times100=\square$

02 $23\times40+27\times40$

03 $84\times0.91+84\times0.09$

04 $31\times0.24+69\times0.24$

05 $1.98\times48+1.98\times52$

06 $25\times54-25\times14$

$=\square\times(54-14)$

$=\square\times40=\square$

07 $49\times21-29\times21$

08 $170\times3.59-170\times3.49$

09 $84\times4.5-74\times4.5$

10 $2.7\times135-2.7\times35$

완전제곱식을 이용한 수의 계산

※ 인수분해 공식을 이용하여 다음을 계산하여라.

11 $97^2+2\times97\times3+3^2$
$=(97+\square)^2$
$=(\square)^2=\square$

12 $39^2+2\times39+1$

13 $95^2+2\times95\times5+5^2$

14 $18^2+4\times18+4$

15 $47^2+6\times47+9$

16 $66^2+8\times66+16$

17 $92^2-2\times92\times2+2^2$
$=(92-\square)^2$
$=(\square)^2=\square$

18 $81^2-2\times81+1$

19 $36^2-2\times36\times6+6^2$

20 $103^2-6\times103+9$

21 $12^2-4\times12+4$

22 $25^2-10\times25+25$

제곱의 차를 이용한 수의 계산

※ 인수분해 공식을 이용하여 다음을 계산하여라.

23 51^2-49^2

$=(51+49)(\square)$

$=100\times\square=\square$

24 98^2-2^2

25 48^2-47^2

26 102^2-98^2

27 $6.8^2-3.2^2$

28 $5.5^2-4.5^2$

인수분해 공식을 이용한 여러 가지 수의 계산

※ 인수분해 공식을 이용하여 다음을 계산하여라.

29 $25\times17^2-25\times13^2$

$=25\times(17^2-13^2)$

$=25\times(17+13)(\square)$

$=25\times30\times\square=\square$

30 $100\times0.99^2-100\times0.01^2$

31 $26^2\times3.14-24^2\times3.14$

32 $\dfrac{996\times997+996\times3}{998^2-2^2}$

33 $\dfrac{99^2+2\times99+1}{51^2-49^2}$

학교시험 필수예제

34 다음을 계산하여라.

$$10^2-9^2+8^2-7^2+\cdots+2^2-1$$

21 인수분해 공식을 이용한 식의 값

빠른 정답 09쪽 / 친절한 해설 25쪽

주어진 식을 인수분해한 다음, 문자의 값을 대입하여 식의 값을 구한다.

예 $x=98$일 때, x^2+4x+4의 값

x^2+4x+4
$=(x+2)^2$) 인수분해
$=(98+2)^2$) $x=98$을 대입
$=100^2=10000$ ← 식의 값

인수분해 → 대입 → 식의 값

유형 070 인수분해 공식을 이용한 식의 값

※ 인수분해 공식을 이용하여 다음을 구하여라.

01 $x=\sqrt{5}-1$일 때, x^2+2x+1의 값

|해설| x^2+2x+1
$=(x+1)^2$) 인수분해
$=(\square+1)^2$) $x=\sqrt{5}-1$을 대입
$=\square$ ← 식의 값

02 $x=77$일 때, x^2+6x+9의 값

03 $x=2\sqrt{3}-2$일 때, x^2+4x+4의 값

04 $x=55$일 때, $x^2-10x+25$의 값

|해설| $x^2-10x+25$
$=(x-5)^2$) 인수분해
$=(\square-5)^2$) $x=55$를 대입
$=\square^2=\square$ ← 식의 값

05 $x=3+\sqrt{2}$일 때, x^2-6x+9의 값

06 $x=32$일 때, x^2-4x+4의 값

※ $x=2+\sqrt{3}$, $y=2-\sqrt{3}$일 때, 다음 식의 값을 구하여라.

07 $x^2-2xy+y^2$

|해설| $x^2-2xy+y^2$
$=(x-y)^2$) 인수분해
$=\{(\square)-(2-\sqrt{3})\}^2$) $x=2+\sqrt{3}$, $y=2-\sqrt{3}$을 대입
$=(\square)^2=\square$ ← 식의 값

08 $x^2+2xy+y^2$

09 x^2-y^2

10 x^2y+xy^2

학교시험 필수예제

11 $x=85$, $y=15$일 때, x^2-y^2의 값을 구하여라.

※ 인수분해 공식을 이용하여 다음을 구하여라.

12 $x=\dfrac{1}{2-\sqrt{3}}$일 때, x^2-4x+4의 값

|해설| $\dfrac{1}{2-\sqrt{3}}$의 분모를 유리화하면 $x=$ ☐

$x^2-4x+4=(x-2)^2$

$=($ ☐ $-2)^2=$ ☐

13 $x=\dfrac{1}{\sqrt{10}-3}$일 때, x^2-6x+9의 값

14 $x=\dfrac{1}{\sqrt{2}+1}$일 때, x^2+2x+1의 값

15 $x=\dfrac{1}{\sqrt{5}+2}$일 때, x^2+4x+4의 값

16 $x=\dfrac{1}{2+\sqrt{2}}$일 때, x^2-2x+1의 값

Tip

분모에 무리수가 있을 경우, 먼저 분모를 유리화한다.

※ $x=\dfrac{1}{\sqrt{2}-1}$, $y=\dfrac{1}{\sqrt{2}+1}$일 때, 다음의 식의 값을 구하여라.

17 $x^2+2xy+y^2$

18 $x^2-2xy+y^2$

19 x^2-y^2

20 x^2y-xy^2

21 x^3y-xy^3

※ 인수분해 공식을 이용하여 다음을 구하여라.

22 $x+y=100$, $x-y=5$일 때, x^2-y^2의 값

|해설| $x^2-y^2=(\boxed{})(x-y)$
$=\boxed{}\times 5=\boxed{}$

23 $x+y=3$, $x-y=-4$일 때, x^2-y^2의 값

24 $x+y=15$, $x-y=2$일 때, $2x^2-2y^2$의 값

25 $x+y=2\sqrt{5}$, $x-y=\sqrt{5}$일 때, x^2-y^2의 값

26 $x+y=2\sqrt{3}$, $x-y=\sqrt{2}$일 때, x^2-y^2의 값

27 $x+y=8$, $xy=6$일 때, x^2y+xy^2의 값

28 $x+y=3$, $xy=-2$일 때, x^2y+xy^2의 값

29 $x+y=5$, $xy=2$일 때, $x^3y^2+x^2y^3$의 값

30 $x+y=1$, $xy=-5$일 때, $x^3y+2x^2y^2+xy^3$의 값

학교시험 필수예제

31 $x+y=2\sqrt{3}$, $xy=\sqrt{3}$일 때, x^2y+xy^2의 값을 구하여라.

22 이차식의 계수 구하기

빠른 정답 09쪽 / 친절한 해설 26쪽

1. 인수가 주어진 이차식의 계수 구하기

이차식 A가 $x+1$을 인수로 가질 때,

⇨ $A=$(일차식)×(일차식)이므로 $(x+1)\times$(일차식)

⇨ $(x+1)\times$(일차식)을 전개하여 이차식 A와 계수를 비교한다.

2. 잘못 보고 푼 것을 제대로 풀기

$a\neq0$인 이차식 ax^2+bx+c에서

① 'x의 계수를 잘못 보고 풀었다.'

⇨ x^2의 계수, 상수항은 제대로 본 것

② '상수항을 잘못 보고 풀었다.'

⇨ x^2의 계수, x의 계수는 제대로 본 것

1. x^2-kx-3이 $x+1$을 인수로 가질 때, 상수 k의 값

⇨ x^2-kx-3을 $(x+1)(x+a)$ 꼴로 나타내면

$(x+1)(x+a)$

$=x^2+(1+a)x+a$

$a=-3$이므로 $1+a=-2=k$

유형 071 이차식의 계수 구하기

01 다항식 x^2+kx+6이 $x+2$를 인수로 가질 때, 상수 k의 값을 구하여라.

|해설| $x^2+kx+6=(x+\square)(x+a)$로 나타낼 수 있고,

$(x+2)(x+a)=x^2+(\square+a)x+\square a$이므로

$2a=\square$, $a=\square$이고, $2+a=\square$, 그러므로 $k=\square$

02 다항식 $x^2+kx-20$이 $x+5$를 인수로 가질 때, 상수 k의 값을 구하여라.

03 다항식 $x^2+kx-15$가 $x+5$를 인수로 가질 때, 상수 k의 값을 구하여라.

유형 072 잘못 보고 푼 것을 제대로 풀기

04 이차항의 계수가 1인 어떤 이차식을 태형이는 x의 계수를 잘못 보고 인수분해해서 $(x+4)(x-9)$가 되었고, 지민이는 상수항을 잘못 보고 인수분해해서 $(x-1)(x-8)$이 되었다. 처음 이차식을 바르게 인수분해하여라.

|해설|
- x의 계수를 잘못 본 것 ⇨ 이차항과 상수항은 맞으므로 $(x+4)(x-9)$를 전개하면 $x^2-5x-\square$, 그러므로 처음 이차식의 상수항은 $\square$
- 상수항을 잘못 본 것 ⇨ 이차항과 x의 계수는 맞으므로 $(x-1)(x-8)$을 전개하면 $x^2-\square x+9$, 그러므로 처음 이차식의 x의 계수는 $\square$

∴ 처음 이차식$=x^2-\square x-\square$,

인수분해하면 $(x+\square)(x-\square)$

05 이차항의 계수가 2인 어떤 이차식을 x의 계수를 잘못 보고 인수분해해서 $(x+2)(2x+9)$가 되고, 상수항을 잘못 보고 인수분해해서 $(2x-7)(x-4)$가 되었을 때, 처음 이차식을 바르게 인수분해하여라.

23 인수분해 공식의 활용

빠른 정답 09쪽 / 친절한 해설 26쪽

(1) (정사각형의 넓이)=(한 변의 길이)^2
(2) (직사각형의 넓이)=(가로의 길이)×(세로의 길이)
(3) (정육면체의 부피)=(한 모서리의 길이)^3
(4) (원의 둘레의 길이)$=2\pi\times$(반지름의 길이)
(5) (원의 넓이)$=\pi\times$(반지름의 길이)^2

참고 도형의 둘레, 넓이, 부피를 나타내는 다항식을 인수분해하여 다항식의 곱으로 나타낸다.

유형 073 인수분해 공식의 도형에의 활용

※ 다음을 읽고 물음에 답하여라.

넓이가 $8x^2+14x+3$인 직사각형의 가로의 길이가 $4x+1$일 때, 직사각형의 둘레의 길이를 구하려고 한다.

01 $8x^2+14x+3$을 인수분해하여라.

|해설| $8x^2+14x+3=(4x+1)(\square x+\square)$

02 세로의 길이를 구하여라.

03 직사각형의 둘레의 길이를 구하여라.

|해설| 직사각형의 가로, 세로의 길이가 각각
$4x+1$, $\square$이므로 둘레의 길이는
$2\{(4x+1)+(\square)\}=\square x+\square$

학교시험 필수예제

04 넓이가 $6x^2+17x+7$인 직사각형의 세로의 길이가 $2x+1$일 때, 이 직사각형의 둘레의 길이는?

① $6x-3$ ② $6x+1$ ③ $10x+16$
④ $10x-8$ ⑤ $4x+7$

※ 다음을 읽고 물음에 답하여라.

오른쪽 그림과 같이 $\overline{AB}=2x$, $\overline{AC}=2y$를 지름으로 하는 두 원에 대하여 색칠한 부분의 둘레의 길이와 넓이가 각각 16π, 16π라고 한다. 이때, x, y의 값을 각각 구하려고 한다.

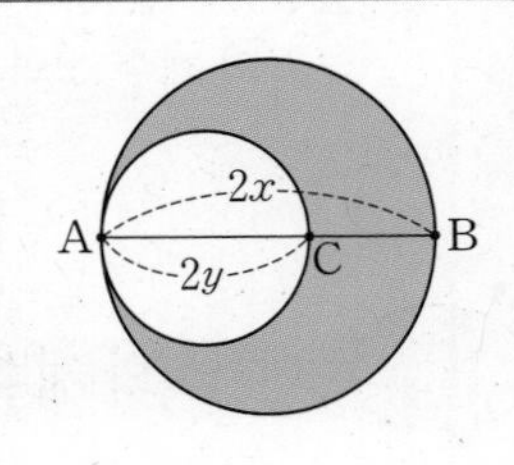

05 색칠한 부분의 둘레의 길이를 x, y에 대한 식으로 나타내어라.

|해설| 큰 원의 둘레의 길이는 $\square\pi$
작은 원의 둘레의 길이는 $2y\pi$이므로
구하는 부분의 둘레의 길이는 $2\pi(\square+y)$이다.

06 색칠한 부분의 넓이를 x, y에 대한 식으로 나타내어라.

|해설| 큰 원의 넓이는 $x^2\pi$
작은 원의 넓이는 $\square\pi$이므로
구하는 부분의 넓이는
$x^2\pi-\square\pi=\pi(x^2-y^2)=\pi(x+y)(\square)$

07 색칠한 부분의 둘레의 길이와 넓이가 각각 16π, 16π임을 이용하여 x, y의 값을 각각 구하여라.

|해설| $2\pi(\square+y)=16\pi$에서 $\square+y=8$이고,
$\pi(x+y)(\square)=16\pi$에서 $\square=2$
따라서 $x=\square$, $y=\square$

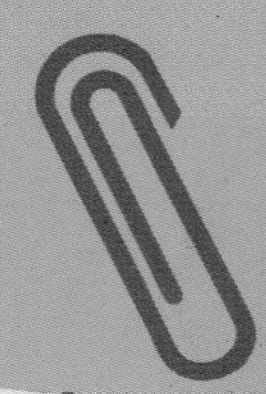

Ⅱ. 다항식의 곱셈과 인수분해

1. 다항식의 곱셈

분배법칙을 이용하여 다음과 같이 전개한다.

$$(a+b)(c+d)=\underset{①}{ac}+\underset{②}{ad}+\underset{③}{bc}+\underset{④}{bd}$$

예 $(x+3)(x-4)=x\times x+x\times(-4)+3\times x+3\times(-4)$

$=x^2-4x+3x-12=x^2-x-12$

2. 인수분해의 뜻

(1) 하나의 다항식을 두 개 이상의 단항식이나 다항식의 곱으로 나타낼 때, 각각의 식을 처음 식의 [❶] 라고 한다.

(2) 하나의 다항식을 두 개 이상의 인수의 곱의 꼴로 나타내는 것을 그 다항식을 [❷] 한다고 한다.

3. 곱셈공식과 인수분해 공식

(1) $m(a+b) \rightleftarrows ma+mb$

(2) $(a+b)^2 \rightleftarrows a^2+2ab+b^2$

(3) [❸] $\rightleftarrows a^2-2ab+b^2$

(4) ([❹])$(a-b) \rightleftarrows a^2-b^2$

(5) ([❺])$(x+b) \rightleftarrows x^2+(a+b)x+ab$

(6) $(ax+b)$([❻]) $\rightleftarrows acx^2+(ad+bc)x+bd$

4. 복잡한 식의 인수분해

(1) 공통 인수로 묶어 인수분해하기

⇨ 공통 인수가 있으면 공통 인수로 묶어낸 후 인수분해 공식을 이용한다.

(2) 공통 부분을 치환하여 인수분해하기

⇨ 공통인 식이 있으면 한 문자로 [❼] 하여 인수분해한다.

(3) 항이 여러 개인 경우 인수분해하기

① 적당한 항끼리 묶거나 식을 변형하여 공통 부분이 생기도록 한 후 치환하여 인수분해한다.

② 공통 부분을 쉽게 찾을 수 없거나 문자가 여러 개 있는 경우에는 한 문자에 대하여 내림차순으로 정리한다.

5. 인수분해 공식을 이용한 수의 계산

예 ① $15\times96-15\times86=$ [❽] $\times(96-86)=$ [❾]

② $103^2+2\times103\times97+97^2=(103+97)^2=200^2=40000$

③ $106^2-94^2=(106+94)\times($ [❿] $)=$ [⓫]

❶ 인수 ❷ 인수분해 ❸ $(a-b)^2$ ❹ $a+b$ ❺ $x+a$ ❻ $cx+d$ ❼ 치환 ❽ 15 ❾ 150 ❿ 106−94 ⓫ 2400

개념 Window

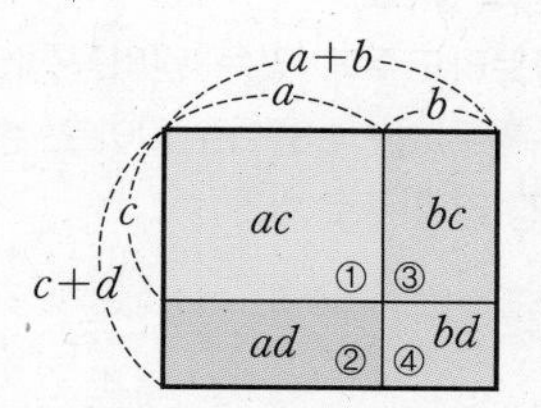

가로, 세로의 길이가 각각 $a+b$, $c+d$인 직사각형의 넓이 $(a+b)(c+d)$는 작은 직사각형 ①~④의 넓이의 합과 같다.

$$x^2+x-6 \underset{\text{전개}}{\overset{\text{인수분해}}{\rightleftarrows}} \underbrace{(x+3)(x-2)}_{\text{인수}}$$

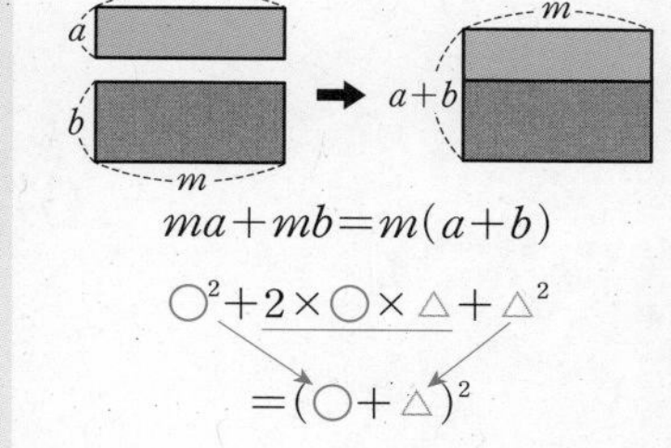

$ma+mb=m(a+b)$

$○^2+2\times○\times△+△^2$

$=(○+△)^2$

덴버 공항의 활주로
미국 콜로라도주에 있는 덴버공항(Denver, DEN)의 활주로는 4,877m 길이로, 현재 세계에서 가장 긴 활주로이다.

지구 탈출 속도
인공위성이나 로켓이 지구의 인력을 벗어나 탈출하기 위한 최소한도의 속도이다. 지구 탈출 속도는 초속 11.2km이다.

알콰리즈미
대수학 저서인 〈복원과 대비의 계산〉에서 일차방정식과 이차방정식의 해석적 해법이 포함되어 있다.

어떻게?

활주로의 길이는 결정되는 것일까?

그 답은 바로 이차방정식의 해를 이용하여 정지거리를 구해 이륙하던 거리와의 합을 구하는 것

공항하면 떠오르는 단어는 뭐니 뭐니 해도 비행기와 활주로일 것이다. 활주로는 '비행기가 활주를 하기 위한 직선 상태의 길'을 말한다.

그러면 활주로의 길이는 어떻게 결정되는 것일까? 공항 운영의 국제 기준인 ICAO(국제민간항공기구) 부속서 14(비행장 편)에 따르면 비행기가 이륙하는 데 필요한 길이, 비행기가 착륙하는 데 필요한 길이, 이륙 도중 비행기의 고장으로 급브레이크를 걸었을 때 안전하게 활주로 상에서 멈출 수 있는 만큼의 길이가 확보되어야 한다.

이륙하다 말고 정지해야할 때 필요한 거리가 활주로의 길이를 결정짓는 가장 중요한 요소인데, 이는 이륙하던 거리와 정지거리의 합이다. 속도 v로 움직이던 물체가 정지할 때까지 걸리는 시간 t는 이차방정식 $vt-\frac{1}{2}at^2=0$의 해이고, 시간 t만큼 이동하는 거리가 정지거리이다.

마찬가지로 주변에서 흔히 볼 수 있는 분수대에서 속도 v로 뿜어진 물줄기가 최고높이까지 올라갔다가 다시 분수로 떨어지는 데 걸리는 시간 t는 이차방정식 $vt-\frac{1}{2}gt^2=vt-4.9t^2=0$의 해이다.

III. 이차방정식

학습 목표

1. 이차방정식을 인수분해 또는 근의 공식을 활용하여 풀 수 있다.

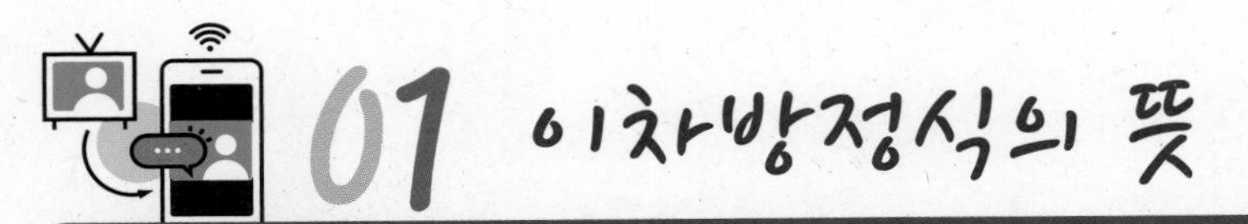

01 이차방정식의 뜻

빠른 정답 09쪽 / 친절한 해설 26쪽

1. **이차방정식** : 미지수가 x인 방정식의 우변의 모든 항을 좌변으로 이항하여 정리한 식이
   $(x$에 대한 이차식$)=0$
   의 꼴로 변형되는 방정식
2. **이차방정식의 일반형** : 일반적으로 x에 대한 이차방정식은
   $ax^2+bx+c=0$ ($a\neq0$, a, b, c는 상수)의 꼴로 나타낼 수 있다.

x^2-2x+3 ⇨ 이차식
$x^2-2x+3=0$ ⇨ 이차방정식

유형 074 이차방정식의 뜻

※ 다음 등식을 $ax^2+bx+c=0$의 꼴로 나타내어라. (단, $a>0$)

01 $x(x-5)=0$

02 $x(3x+2)=-4$

03 $3x(2x-1)=5x-7$

04 $(x+3)(3-x)=x^2$

05 $(2x-1)(x+4)=3x(x-2)$

※ 다음 등식이 이차방정식이면 ○표, 이차방정식이 아니면 ×표 하여라.

06 $(x+1)(x+2)=-x^2$ (　　)

|해설| 방정식의 우변의 모든 항을 좌변으로 이항하면
□$+3x+2=$□
즉, $(x$에 대한 이차식$)=$□의 꼴로 변형되므로
이차방정식이다.

07 $-x^2+5x=5x-4$ (　　)

08 $(x-3)(x+2)=x^2-7$ (　　)

09 $5x^2+3x=(2x-1)(3x+2)$ (　　)

학교시험 필수예제

10 다음 |보기| 중 x에 대한 이차방정식을 모두 골라라.

보기
ㄱ. $(x-1)^2=x^2$　　ㄴ. $(x+1)(x-1)=2x$
ㄷ. $x^2=-1$　　ㄹ. $(x+2)^2-9$

02 이차방정식의 해

빠른 정답 09쪽 / 친절한 해설 26쪽

이차방정식의 해(근) : 이차방정식 $ax^2+bx+c=0(a\neq0)$을 참이 되게 하는 x의 값

예 이차방정식 $x^2-5x+4=0$에 $x=1$을 대입하면 $1-5+4=0$으로 등식이 성립하므로 $x=1$은 이 이차방정식의 해이다.

$x=k$가
이차방정식 $ax^2+bx+c=0(a\neq0)$의 해이다.

⇕

$ak^2+bk+c=0$

유형 075 이차방정식의 해

※ 표를 완성하고, 이차방정식의 해를 구하여라.

01 $x^2+2x=0$

x	-2	-1	0	1	2
x^2+2x	0				8

|해설| 따라서 이차방정식의 해는
$x=-2$ 또는 $x=$ □ 이다.

02 $x^2-2x+1=0$

x	-2	-1	0	1	2
x^2-2x+1		4	1		

03 $x^2-4=0$

x	-2	-1	0	1	2
x^2-4		-3		-3	

※ 다음 중 $x=3$이 주어진 이차방정식의 해인 것에는 ○표, 아닌 것에는 ×표 하여라.

04 $x^2-2x+1=0$ (　　)

|해설| $x=$ □ 을 대입하면 $9-6+1=$ □ 이므로
$x=$ □ 은 이차방정식의 해가 아니다.

05 $(x+3)(x-1)=0$ (　　)

06 $x^2-4x+3=0$ (　　)

07 $3x^2-9=0$ (　　)

08 $x(x-2)=x$ (　　)

09 $(x+1)(x-1)=6$ (　　)

한 근이 주어진 이차방정식

※ 다음 이차방정식의 한 근이 $x=2$일 때, 상수 a의 값을 구하여라.

10 $x^2+3x+a=0$

|해설| 이차방정식 $x^2+3x+a=0$에 $x=\square$를 대입하면

$4+\square+a=0$

$\therefore a=\square$

11 $x^2-x+a=0$

12 $x^2+x+a=0$

13 $x^2-2x+a=0$

14 $2x^2-x+a=0$

15 $x^2+ax+6=0$

16 $x^2+ax+2=0$

17 $x^2+ax-8=0$

18 $x^2+ax-4=0$

19 $4x^2+ax-2=0$

학교시험 필수예제

20 이차방정식 $3x^2+a^2x-2a=0$의 한 근이 $x=-1$일 때, 상수 a의 값을 모두 구하여라.

※ **이차방정식 $x^2-x-6=0$의 한 근이 $x=a$일 때, 다음 식의 값을 구하여라.**

21 a^2-a-6

|해설| 이차방정식 $x^2-x-6=0$에 $x=a$를 대입하면
$a^2-a-6=\square$

22 a^2-a

23 a^2-a+1

24 $2a^2-2a$

25 $3a^2-3a-6$

※ **이차방정식 $2x^2+6x+3=0$의 한 근이 $x=a$일 때, 다음 식의 값을 구하여라.**

26 $2a^2+6a+3$

|해설| 이차방정식 $2x^2+6x+3=0$에 $x=a$를 대입하면
$2a^2+6a+\square=\square$

27 $2a^2+6a$

28 $2a^2+6a-3$

29 a^2+3a

30 $-a^2-3a+3$

03 인수분해를 이용한 이차방정식의 풀이

빠른 정답 09쪽 / 친절한 해설 27쪽

인수분해를 이용한 이차방정식의 풀이 순서

① (x에 대한 이차식)$=0$의 꼴로 정리한다.
② $AB=0$의 꼴로 좌변을 인수분해한다.
③ $AB=0$이면 $A=0$ 또는 $B=0$임을 이용한다.
④ 해를 구한다.

- $AB=0$
  $\Leftrightarrow A=0$ 또는 $B=0$
- $(x-a)(x-b)=0$
  $\Leftrightarrow x=a$ 또는 $x=b$

유형 077 인수분해를 이용한 이차방정식의 풀이

※ 다음 이차방정식을 풀어라.

01 $(x+2)(x-7)=0$

|해설| $x+2=\square$ 또는 $x-7=\square$
$\therefore x=\square$ 또는 $x=\square$

02 $(x+4)(x+2)=0$

03 $(x+9)(x+1)=0$

04 $(x+3)(x-2)=0$

05 $x(x-10)=0$

06 $(x+5)(x-5)=0$

07 $(x-3)(x-4)=0$

08 $(x-1)(x-6)=0$

※ 다음 이차방정식을 풀어라.

09 $x^2-4x=0$

|해설| $x(x-\square)=0$

$\therefore x=\square$ 또는 $x=\square$

10 $x^2-12x=0$

11 $x^2-x=0$

12 $x^2+3x=0$

13 $x^2+7x=0$

14 $2x^2+16x=0$

15 $x^2-81=0$

16 $x^2-25=0$

17 $x^2-100=0$

18 $x^2-64=0$

19 $9x^2-1=0$

20 $4x^2-81=0$

※ 다음 이차방정식을 풀어라.

21 $x^2-12x+35=0$

|해설| $(x-\square)(x-\square)=0$

$\therefore x=\square$ 또는 $x=\square$

22 $x^2+6x+5=0$

23 $x^2+9x+14=0$

24 $x^2+16x+60=0$

25 $x^2-5x+4=0$

26 $x^2+8x+15=0$

27 $x^2+14x+48=0$

28 $x^2+12x+27=0$

29 $x^2-8x+15=0$

30 $x^2+3x+2=0$

31 $x^2+10x+24=0$

32 $x^2+5x+6=0$

33 $x^2-5x+6=0$

34 $x^2+4x+3=0$

35 $x^2+14x+24=0$

36 $x^2-16x+60=0$

37 $x^2+8x+7=0$

38 $x^2-9x+8=0$

39 $2x^2-7x+6=0$

40 $2x^2-13x+20=0$

41 $2x^2+5x+3=0$

42 $2x^2-5x+2=0$

43 $4x^2+21x+5=0$

44 $3x^2-14x+8=0$

※ 다음 이차방정식을 풀어라.

45 $x^2-30x+225=0$

|해설| $(x-\square)^2=0$

$\therefore x=\square$

46 $x^2+16x+64=0$

47 $x^2+4x+4=0$

48 $x^2-10x+25=0$

49 $x^2+20x+100=0$

50 $x^2+10x+25=0$

51 $x^2-8x+16=0$

52 $x^2-2x+1=0$

53 $x^2-16x+64=0$

54 $x^2+12x+36=0$

55 $25x^2+10x+1=0$

56 $4x^2-4x+1=0$

※ 다음 이차방정식을 풀어라.

57 $x^2=7x$

58 $x^2=-2x$

59 $x^2-12=11x$

60 $x^2+10x=-21$

61 $x^2-15=2x$

62 $x^2+3x=10$

63 $x^2-2x=5x-10$

64 $x^2-3=x+3$

65 $x(x+2)=24$

66 $(x-1)(x+2)=-2$

67 $x^2-11x=-x^2-12$

68 $4x^2-5x=7x-9$

※ 다음 이차방정식의 한 근이 $x=2$일 때, 다른 한 근을 구하여라.

69 $x^2-x+a=0$

|해설| $4-2+a=\square$이므로 $a=\square$

따라서 이차방정식 $x^2-x-\square=0$에서

$(x+\square)(x-2)=0$

$\therefore x=\square$ 또는 $x=2$

따라서 다른 한 근은 $x=\square$이다.

70 $x^2+x+a=0$

71 $x^2-2x+a=0$

72 $x^2+3x+a=0$

73 $x^2+ax+6=0$

74 $x^2+ax+2=0$

75 $x^2+ax-8=0$

76 $x^2+ax-4=0$

04 이차방정식의 중근

빠른 정답 10쪽 / 친절한 해설 28쪽

이차방정식의 중근 : 이차방정식의 두 근이 중복되어 서로 같을 때, 이 근을 중근이라 고 한다.
즉, 이차방정식이 (완전제곱식)=0의 꼴로 인수분해되면 중근을 가진다.

$a(x-p)^2=0\ (a\neq 0)$
$\Leftrightarrow x=p$ (중근)

이차방정식이 중근을 가질 조건 (1)

※ 다음 등식이 성립하도록 □ 안에 알맞은 수를 써넣어라.

01 $x^2+6x+\square=(x+\square)^2$

02 $x^2+14x+\square=(x+\square)^2$

03 $x^2-6x+\square=(x-\square)^2$

04 $x^2-14x+\square=(x-\square)^2$

※ 다음 이차방정식이 중근을 갖도록 하는 상수 a의 값을 구하여라.

05 $x^2+8x+a=0$

|해설| x^2+8x+a가 완전제곱식이어야 하므로

$a=\left(\frac{\square}{2}\right)^2=\square$

06 $x^2+18x+a=0$

07 $x^2-4x+a=0$

08 $x^2-20x+a=0$

09 $x^2-12x+a+1=0$

10 $x^2+2x+2a-1=0$

11 $(x+1)(x+5)=a$

12 $x(x-8)=a$

※ 다음 이차방정식이 중근을 갖도록 하는 양수 a의 값을 구하여라.

13 $x^2+ax+36=0$

|해설| $a=\pm2\sqrt{\square}=\pm\square$

따라서 양수 a는 $\square$이다.

14 $x^2+ax+144=0$

15 $x^2+ax+4=0$

학교시험 필수예제

16 이차방정식 $x^2-6x+4a+1=0$이 중근을 가질 때, 상수 a의 값을 구하여라.

05 제곱근을 이용한 이차방정식의 풀이

빠른 정답 10쪽 / 친절한 해설 28쪽

1. 이차방정식 $x^2=q$ $(q\geq0)$의 해
   ⇨ $x=\pm\sqrt{q}$

2. 이차방정식 $(x-p)^2=q$ $(q\geq0)$의 해
   ⇨ $x-p=\pm\sqrt{q}$ $\quad\therefore x=p\pm\sqrt{q}$

제곱근을 이용한 이차방정식의 풀이

※ 제곱근을 이용하여 다음 이차방정식을 풀어라.

01 $x^2=16$

02 $x^2=49$

03 $x^2=100$

04 $x^2=225$

05 $x^2-25=0$

06 $x^2-9=0$

07 $5x^2-20=0$

08 $2x^2-5=3$

09 $x^2-5=4$

10 $x^2=50$

11 $x^2-12=0$

12 $3x^2-81=0$

※ 다음 이차방정식을 풀어라.

13 $(x+1)^2=36$

|해설| $x+1=\pm\square$ 이므로 $x=\square\pm\square$

$\therefore x=-7$ 또는 $x=\square$

14 $(x+3)^2=81$

15 $(x+2)^2=1$

16 $(x-5)^2=4$

17 $(x-7)^2=16$

18 $(x-1)^2=25$

19 $(x+1)^2=10$

20 $(x+5)^2=2$

21 $(x-4)^2=3$

22 $(x-2)^2=12$

23 $(x+10)^2=8$

24 $2(x-3)^2=36$

06 완전제곱식을 이용한 이차방정식의 풀이

빠른 정답 10쪽 / 친절한 해설 28쪽

이차방정식 $ax^2+bx+c=0$을 $(x-p)^2=q$의 꼴로 고쳐서 제곱근의 정의를 이용하여 푼다.

① 이차항의 계수 a로 양변을 나누어 이차항의 계수를 1로 만든다.

② 상수항을 우변으로 이항한다.

③ 양변에 $\left\{\dfrac{(x\text{의 계수})}{2}\right\}^2$을 더한다.

④ 좌변을 완전제곱식으로 고쳐 (완전제곱식)=(상수)의 꼴로 정리한다.

⑤ 제곱근의 정의를 이용하여 해를 구한다.

$x^2+bx+c=x^2+bx+\left(\dfrac{b}{2}\right)^2$
$=\left(x+\dfrac{b}{2}\right)^2$

$x^2+bx+\left(\dfrac{b}{2}\right)^2=0 \Rightarrow \left(x+\dfrac{b}{2}\right)^2=0$

$\therefore x=-\dfrac{b}{2}$ (중근)

완전제곱식으로의 변형

※ 다음 이차방정식을 $(x+p)^2=q$의 꼴로 나타내어라.

01 $x^2+4x-1=0$

|해설| $x^2+4x=1$

$x^2+4x+\square=1+\square$

$(x+\square)^2=\square$

02 $x^2-6x+5=0$

03 $x^2+2x-3=0$

04 $x^2-8x-4=0$

05 $x^2+18x+10=0$

06 $x^2-16x-16=0$

07 $2x^2+20x-4=0$

08 $4x^2-32x+28=0$

완전제곱식을 이용한 이차방정식의 풀이

※ 완전제곱식을 이용하여 다음 이차방정식을 풀어라.

09 $x^2+2x-4=0$

|해설| $x^2+2x+\square=4+\square$

$(x+1)^2=\square$

$x+1=\pm\sqrt{\square}$

$\therefore\ x=-1\pm\sqrt{\square}$

10 $x^2-4x-2=0$

11 $x^2+4x-8=0$

12 $x^2+6x+7=0$

13 $x^2-4x-6=0$

14 $x^2+2x-2=0$

15 $3x^2+12x-9=0$

16 $2x^2-4x-7=0$

07 이차방정식의 근의 공식

빠른 정답 10쪽 / 친절한 해설 29쪽

1. 근의 공식

이차방정식 $ax^2+bx+c=0\ (a\neq0)$의 근은

$$x=\frac{-b\pm\sqrt{b^2-4ac}}{2a}\ (\text{단, } b^2-4ac\geq0)$$

2. 일차항의 계수가 짝수일 때의 근의 공식

이차방정식 $ax^2+2b'x+c=0$의 근은

$$x=\frac{-b'\pm\sqrt{b'^2-ac}}{a}\ (\text{단, } b'^2-ac\geq0)$$

유형 082 이차방정식의 근의 공식

※ 다음은 $ax^2+bx+c=0(a\neq0)$ 꼴의 이차방정식이다. □ 안에 알맞은 수를 써넣고, 이차방정식의 근을 구하여라.

01 $x^2-5x+5=0$

(1) $a=1,\ b=-5,\ c=\square$

(2) 근 : $x=\dfrac{\square\pm\sqrt{(\square)^2-4\times1\times\square}}{2}$

$=\dfrac{\square\pm\sqrt{\square}}{2}$

02 $x^2+7x-2=0$

(1) $a=\square,\ b=\square,\ c=-2$

(2) 근

03 $x^2+3x+1=0$

(1) $a=1,\ b=\square,\ c=\square$

(2) 근

04 $3x^2+5x+1=0$

(1) $a=\square,\ b=5,\ c=\square$

(2) 근

05 $2x^2+x-4=0$

(1) $a=2,\ b=\square,\ c=\square$

(2) 근

06 $5x^2-7x+1=0$

(1) $a=\square,\ b=\square,\ c=1$

(2) 근

※ 다음은 $ax^2+2b'x+c=0(a\neq0)$ 꼴의 이차방정식이다. □ 안에 알맞은 수를 써넣고, 이차방정식의 근을 구하여라.

07 $x^2+6x+6=0$

(1) $a=1,\ b'=3,\ c=\square$

(2) 근 : $x=\dfrac{\square\pm\sqrt{\square^2-1\times\square}}{1}$

$=\square\pm\sqrt{\square}$

08 $x^2-2x-4=0$

(1) $a=1,\ b'=\square,\ c=\square$

(2) 근

09 $x^2+6x+1=0$

(1) $a=\square,\ b'=\square,\ c=1$

(2) 근

10 $9x^2-12x-8=0$

(1) $a=\square,\ b'=-6,\ c=\square$

(2) 근

11 $2x^2-4x+1=0$

(1) $a=\square,\ b'=-2,\ c=\square$

(2) 근

12 $3x^2+2x-4=0$

(1) $a=\square,\ b'=\square,\ c=-4$

(2) 근

근의 공식을 이용한 이차방정식의 풀이

※ 근의 공식을 이용하여 이차방정식을 풀어라.

13 $x^2+7x+5=0$

|해설| $x=\dfrac{\square\pm\sqrt{49-\square}}{2}$

$=\dfrac{\square\pm\sqrt{\square}}{2}$

14 $x^2+3x-2=0$

15 $x^2-5x-1=0$

16 $x^2-3x+1=0$

17 $x^2-5x+2=0$

18 $x^2+x-5=0$

19 $2x^2+3x-1=0$

20 $3x^2+7x+3=0$

21 $x^2-2x-7=0$

|해설| $x=\square\pm\sqrt{1+7}$

$=\square\pm2\sqrt{2}$

25 $x^2-4x+1=0$

22 $x^2-4x+2=0$

26 $2x^2+4x+1=0$

23 $x^2+6x+7=0$

27 $2x^2+8x-12=0$

24 $x^2-2x-2=0$

28 $5x^2-20x-10=0$

08 이차방정식의 근의 개수

빠른 정답 10쪽 / 친절한 해설 29쪽

이차방정식 $ax^2+bx+c=0(a\neq0)$의 근의 개수는 b^2-4ac의 부호에 따라 판별할 수 있다.

(1) $b^2-4ac>0$이면 **서로 다른 두 근**을 갖는다.

(2) $b^2-4ac=0$이면 **한 근(중근)**을 갖는다.

(3) $b^2-4ac<0$이면 **근이 없다.**

이차방정식 $ax^2+bx+c=0(a\neq0)$의 근의 개수 $\left(b'=\frac{b}{2}\right)$

b가 짝수일 때 ⇨ b'^2-ac의 부호에 따라 판별

(1) $b'^2-ac>0$ ⇨ 2개

(2) $b'^2-ac=0$ ⇨ 1개(중근)

(3) $b'^2-ac<0$ ⇨ 0개

유형 084 이차방정식의 근의 개수

※ 이차방정식 $ax^2+bx+c=0$에 대하여 다음을 구하여라.

01 $x^2-6x+4=0$

(1) $a=1$, $b=$ ☐, $c=4$

(2) b^2-4ac의 값

(3) 근의 개수

02 $x^2+6x+9=0$

(1) $a=1$, $b=$ ☐, $c=$ ☐

(2) b^2-4ac의 값

(3) 근의 개수

03 $x^2-2x+2=0$

(1) $a=$ ☐, $b=$ ☐, $c=2$

(2) b^2-4ac의 값

(3) 근의 개수

※ 이차방정식 $3x^2+2x+k=0$이 다음과 같은 근을 가질 때, 상수 k의 값 또는 k의 값의 범위를 구하여라.

04 서로 다른 두 근

05 중근

06 근이 없다.

※ 이차방정식 $ax^2+bx+c=0$에 대하여 b^2-4ac의 값과 근의 개수를 구하여라.

07 $x^2+7x-2=0$

08 $x^2-2x-3=0$

09 $x^2+8x+16=0$

10 $x^2+2x+2=0$

11 $x^2-7x+4=0$

12 $x^2+8x+13=0$

13 $x^2-5x+2=0$

14 $x^2+4x+5=0$

15 $x^2-3x+3=0$

16 $2x^2-x+5=0$

17 $3x^2+6x+4=0$

18 $5x^2-x-2=0$

09 이차방정식이 중근을 가질 조건

빠른 정답 10쪽 / 친절한 해설 29쪽

이차방정식 $ax^2+bx+c=0$ $(a\neq0)$이 중근을 가지려면
⇨ $b^2-4ac=0$

이차방정식
$ax^2+2b'x+c=0$ $(a\neq0)$이
중근을 가질 조건
⇨ $b'^2-ac=0$

유형 085 이차방정식이 중근을 가질 조건 (2)

※ 다음 이차방정식이 중근을 갖도록 하는 상수 m의 값을 구하여라.

01 $x^2+3x+m=0$

|해설| 이차방정식 $ax^2+bx+c=0(a\neq0)$에서 중근을 가지려면

$b^2-4ac=\square$이어야 하므로
$x^2+3x+m=0$에서
$b^2-4ac=3^2-4\times\square\times m$
$=9-4m=\square$이므로
$m=\square$

02 $2x^2+3x+m=0$

03 $x^2-2x+m=0$

04 $x^2-8x+m-1=0$

05 $4x^2+mx+1=0$

06 $x^2-mx+16=0$

07 $x^2-2mx+2m-1=0$

08 $4x^2-mx+36=0$

학교시험 필수예제

09 이차방정식 $x^2-4(m+1)x-3m+7=0$이 중근을 가질 때, 모든 상수 m의 값을 구하여라.

10 이차방정식 구하기

빠른 정답 10쪽 / 친절한 해설 30쪽

1. x^2의 계수가 a $(a\neq0)$이고 두 근이 α, β인 이차방정식
   ⇨ $a(x-\alpha)(x-\beta)=0$
2. x^2의 계수가 a $(a\neq0)$이고 중근이 α인 이차방정식
   ⇨ $a(x-\alpha)^2=0$
3. x^2의 계수가 a $(a\neq0)$이고 두 근의 합이 m, 곱이 n인 이차방정식
   ⇨ $a(x^2-mx+n)=0$

이차방정식의 두 근이 α, β
⇕
$(x-\alpha)(x-\beta)=0$

이차방정식 구하기

※ x^2의 계수가 1이고, 두 근이 다음과 같은 이차방정식을 $x^2+bx+c=0$의 꼴로 나타내어라.

01 3, -1

|해설| $(x-\square)(x+1)=0$

$\Rightarrow x^2-\square x-\square=0$

02 1, 4

03 -5, -2

04 $\frac{1}{2}$, $\frac{2}{3}$

05 -3, $-\frac{1}{6}$

06 $\frac{1}{2}$, -4

※ 다음과 같은 이차방정식을 $ax^2+bx+c=0(a\neq0)$의 꼴로 나타내어라.

07 x^2의 계수가 2이고 두 근이 -1, 2인 이차방정식

|해설| $2(x+1)(x-\square)=0$

$\Rightarrow 2(x^2-x-\square)=0$

$\Rightarrow 2x^2-2x-\square=0$

08 x^2의 계수가 -1이고 두 근이 -7, 0인 이차방정식

09 x^2의 계수가 5이고 두 근이 1, -1인 이차방정식

10 x^2의 계수가 3이고 두 근이 -3, $\frac{1}{3}$인 이차방정식

11 x^2의 계수가 6이고 두 근이 $\frac{1}{2}$, $\frac{1}{3}$인 이차방정식

12 중근이 -1이고 x^2의 계수가 2인 이차방정식

|해설| $2(x+\square)^2=0$

$\Rightarrow 2(x^2+2x+\square)=0$

$\Rightarrow 2x^2+4x+\square=0$

13 중근이 2이고 x^2의 계수가 1인 이차방정식

14 중근이 3이고 x^2의 계수가 -1인 이차방정식

15 중근이 $\frac{3}{2}$이고 x^2의 계수가 4인 이차방정식

16 중근이 -5이고 x^2의 계수가 3인 이차방정식

11 복잡한 이차방정식의 풀이

빠른 정답 11쪽 / 친절한 해설 30쪽

(1) $ax^2+bx+c=0(a\neq0)$의 꼴로 정리한다.
① 계수가 분수이면 양변에 분모의 최소공배수를 곱한다.
② 계수가 소수이면 양변에 10, 100, 1000, …을 곱한다.
③ 괄호가 있으면 전개하여 간단히 정리한다.
④ 공통인 부분이 있으면 치환한다.
(2) 인수분해 또는 근의 공식을 이용하여 해를 구한다.

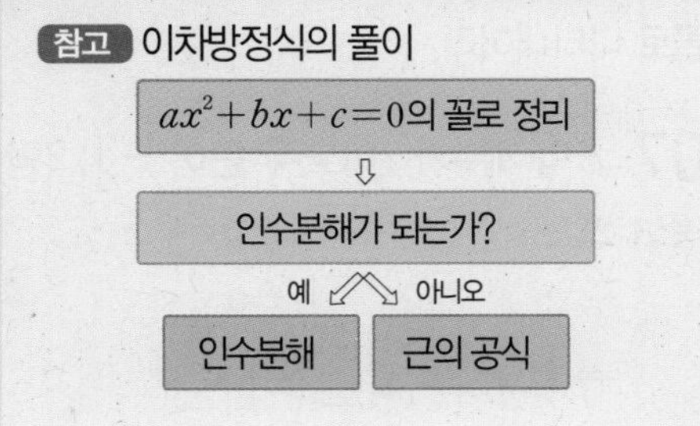

괄호가 있는 이차방정식의 풀이

※ 다음 이차방정식을 풀어라.

01 $x^2-8(x-1)=0$

|해설| 괄호를 풀면
$x^2-8x+\square=0$
근의 공식에서
$x=\square\pm\sqrt{\square-8}=\square\pm2\sqrt{2}$

02 $x(x-14)+40=0$

03 $x^2+4(2x+3)=0$

04 $x(x-3)-10=0$

05 $x^2-4(x+1)=0$

06 $2x(x+5)+3x+20=0$

07 $2(x^2+2)-x(x-4)=0$

08 $x(x+2)+4(x+1)=0$

계수가 분수인 이차방정식의 풀이

※ 다음 이차방정식을 풀어라.

09 $\frac{1}{6}x^2+\frac{3}{2}x+\frac{5}{3}=0$

|해설| 양변에 분모의 최소공배수 $\square$을 곱하면

$x^2+9x+\square=0$

근의 공식에서

$x=\frac{-9\pm\sqrt{81-\square}}{2}=\frac{-9\pm\sqrt{\square}}{2}$

10 $\frac{1}{4}x^2-3x+\frac{15}{2}=0$

11 $\frac{1}{6}x^2+x+\frac{3}{2}=0$

12 $\frac{1}{8}x^2+\frac{3}{4}x+\frac{1}{4}=0$

13 $\frac{3}{2}x^2+5x+1=0$

14 $\frac{1}{8}x^2-\frac{1}{4}x+\frac{1}{8}=0$

15 $\frac{1}{4}x^2-x+\frac{1}{2}=0$

16 $\frac{1}{9}x^2-\frac{5}{6}x+\frac{3}{2}=0$

계수가 소수인 이차방정식의 풀이

※ 다음 이차방정식을 풀어라.

17 $0.2x^2-3x+5=0$

|해설| 양변에 10을 곱하면

$2x^2-30x+\boxed{}=0$

양변을 $\boxed{}$로 나누면

$x^2-15x+\boxed{}=0$

$\therefore x=\dfrac{15\pm\sqrt{225-\boxed{}}}{2}=\dfrac{15\pm5\sqrt{\boxed{}}}{2}$

18 $0.03x^2-3=0$

19 $0.1x^2+0.3x-1=0$

20 $0.2x^2-2x+5=0$

21 $0.7x^2-0.7x-1.4=0$

22 $0.01x^2-0.2x+1=0$

23 $0.5x^2+5x+6=0$

24 $x^2-3.5x+3=0$

치환을 이용한 이차방정식의 풀이

※ 다음 이차방정식을 풀어라.

25 $(x+4)^2+(x+4)-2=0$

|해설| $x+4=A$로 치환하면
$A^2+A-2=0$
$(A+2)(A-\square)=0$
$A=-2$ 또는 $A=\square$
$x+4=-2$ 또는 $x+4=\square$
$\therefore x=\square$ 또는 $x=\square$

26 $(x-5)^2=4(x-5)$

27 $(x-3)^2-2(x-3)-3=0$

28 $(x-1)^2+12(x-1)+36=0$

29 $3(x-3)^2+5(x-3)+2=0$

30 $(2x-1)^2-10(2x-1)+9=0$

31 $(x+3)^2+6=5(x+3)$

32 $\frac{1}{4}(x+2)^2+1=x+2$

12 이차방정식의 활용

빠른 정답 11쪽

이차방정식의 활용 문제 푸는 순서

① 문제의 뜻을 파악하고 구하려고 하는 값을 미지수 x로 놓는다.
② 수량 사이의 관계를 이용하여 이차방정식을 세운다.
③ 이차방정식을 풀어 미지수 x의 값을 구한다.
④ 구한 해 중에서 문제의 뜻에 맞는 것만을 답으로 한다.

미지수 정하기 → 방정식 세우기 → 방정식 풀기 → 확인하기

유형 091 연속하는 자연수에 관한 문제

※ 다음을 읽고 물음에 답하여라.

연속하는 두 자연수의 곱이 두 자연수의 제곱의 합보다 21만큼 작을 때, 이 두 수 중에서 작은 수를 구하려고 한다.

01 연속하는 두 자연수 중 작은 수를 x라고 할 때, 다른 자연수를 x를 사용하여 나타내어라.

02 두 자연수의 곱이 두 자연수의 제곱의 합보다 21만큼 작음을 이용하여 x에 대한 방정식을 세워라.

|해설| $x(\square)=x^2+(\square)^2-21$에서
$x^2+x-\square=0$

03 세운 방정식을 풀어라.

|해설| $x^2+x-\square=0$
$(x+5)(x-\square)=0$
$\therefore x=-5$ 또는 $x=\square$

04 두 수 중에서 작은 수를 구하여라.

|해설| x는 자연수이므로 $x=\square$이다.

※ 다음을 읽고 물음에 답하여라.

연속하는 세 자연수 중 가장 큰 수의 제곱이 다른 두 수의 곱의 2배보다 4만큼 작다고 할 때, 가장 큰 수를 구하려고 한다.

05 연속하는 세 자연수 중 가운데의 수를 x라고 할 때, 세 자연수를 크기 순으로 x를 사용하여 나타내어라.

06 가장 큰 수의 제곱이 다른 두 수의 곱의 2배보다 4만큼 작음을 이용하여 x에 대한 방정식을 세워라.

|해설| $(\square)^2=2x(x-1)-4$에서
$x^2-4x-\square=0$

07 세운 방정식을 풀어라.

|해설| $x^2-4x-\square=0$
$(x+1)(x-\square)=0$
$\therefore x=-1$ 또는 $x=\square$

08 가장 큰 수를 구하여라.

|해설| x는 자연수이므로 $x=\square$이고
구하는 가장 큰 수는 $\square$이다.

※ 다음을 읽고 물음에 답하여라.

어떤 책을 펼쳤더니 두 면의 쪽수의 곱이 156이었다. 이때, 이 두 면의 쪽수를 구하려고 한다.

09 펼친 면의 왼쪽 면의 쪽수를 x라고 할 때, 오른쪽 면의 쪽수를 x를 사용하여 나타내어라.

10 두 면의 쪽수의 곱이 156임을 이용하여 x에 대한 방정식을 세워라.

|해설| $x(\square)=156$에서

$x^2+\square-156=0$

11 세운 방정식을 풀어라.

|해설| $x^2+\square-156=0$

$(x+13)(x-\square)=0$

$\therefore x=-13$ 또는 $x=\square$

12 두 면의 쪽수를 구하여라.

쏘아올린 공에 관한 문제

※ 다음을 읽고 물음에 답하여라.

지면으로부터 30 m 높이의 건물 옥상에서 초속 25 m로 똑바로 위로 던진 공의 t초 후의 지면으로부터의 높이는 $(-5t^2+25t+30)$ m라고 한다. 이 공이 다시 땅에 떨어지는 것은 몇 초 후인지 구하려고 한다.

13 공이 땅에 떨어질 때의 높이는 얼마인가?

14 t초 후에 공이 땅에 떨어진다고 할 때, t에 대한 방정식을 세워라.

|해설| $-5t^2+25t+30=\square$

15 세운 방정식을 풀어라.

|해설| $-5t^2+25t+30=\square$

$t^2-5t-\square=0$

$(t+1)(t-\square)=0$

$\therefore t=-1$ 또는 $t=\square$

16 공이 땅에 떨어지는 것은 몇 초 후인지 구하여라.

도형에 관한 문제

※ 다음을 읽고 물음에 답하여라.

세로의 길이가 가로의 길이보다 3 cm만큼 짧고 넓이가 108 cm^2인 직사각형 모양의 종이가 있다. 이 종이의 세로의 길이를 구하려고 한다.

17 종이의 가로의 길이를 x cm라고 할 때, 세로의 길이를 x를 사용하여 나타내어라.

18 종이의 넓이가 108 cm^2임을 이용하여 x에 대한 방정식을 세워라.

|해설| $x(\square)=108$에서

$x^2-\square-108=0$

19 세운 방정식을 풀어라.

|해설| $x^2-\square-108=0$

$(x+9)(x-\square)=0$

$\therefore x=-9$ 또는 $x=\square$

20 세로의 길이를 구하여라.

|해설| 가로의 길이가 $\square$ cm이므로

세로의 길이는 $\square$ cm이다.

※ 다음을 읽고 물음에 답하여라.

어떤 원의 반지름의 길이를 4 cm만큼 늘였더니, 원의 넓이가 처음 원의 넓이의 9배가 되었다. 이때, 처음 원의 반지름의 길이를 구하려고 한다.

21 처음 원의 반지름의 길이를 x cm라고 할 때, 반지름의 길이를 4 cm만큼 늘인 원의 반지름의 길이를 x를 사용하여 나타내어라.

22 원의 반지름의 길이를 4 cm만큼 늘인 원의 넓이가 처음 원의 넓이의 9배임을 이용하여 x에 대한 방정식을 세워라.

|해설| $\pi(\square)^2=9\pi x^2$에서

$(\square)^2=9x^2$

$8x^2-8x-\square=0$

$x^2-x-\square=0$

23 세운 방정식을 풀어라.

|해설| $x^2-x-\square=0$

$(x+1)(x-\square)=0$

$\therefore x=-1$ 또는 $x=\square$

24 처음 원의 반지름의 길이를 구하여라.

Ⅲ. 이차방정식

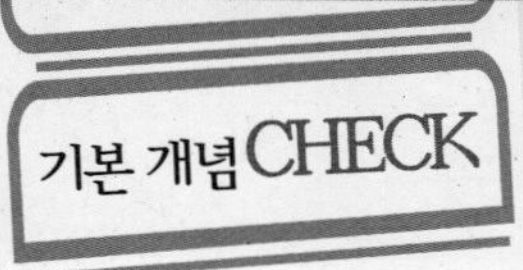

개념 window

1. 이차방정식

(1) 미지수가 x인 방정식의 우변의 모든 항을 좌변으로 이항하여 정리한 식이 (x에 대한 이차식)$=$ ❶ ☐ 의 꼴로 변형되는 방정식

(2) 이차방정식 $ax^2+bx+c=0(a\neq0)$을 참이 되게 하는 x의 값을 이차방정식의 ❷ ☐ 또는 근이라고 한다.

(3) '$AB=0$이면 $A=0$ 또는 ❸ ☐ '임을 이용하여 해를 구한다.

$AB=0 \Longleftrightarrow A=0$ 또는 $B=0$

2. 이차방정식의 근의 공식과 근의 개수

(1) 이차방정식 $ax^2+bx+c=0\ (a\neq0)$의 근은

$x=$ ❹ ☐ (단, $b^2-4ac\geq0$)

(2) 이차방정식의 근의 개수

① $b^2-4ac>0$이면 서로 다른 두 근을 갖는다.

② b^2-4ac ❺ ☐ 0이면 한 근(중근)을 갖는다.

③ $b^2-4ac<0$이면 근이 없다.

- 일차항의 계수가 짝수일 때의 근의 공식
  이차방정식 $ax^2+2b'x+c=0$의 근은
  $x=\dfrac{-b'\pm\sqrt{b'^2-ac}}{a}$
  (단, $b'^2-ac\geq0$)
- 이차방정식의 근의 개수
  (1) $b^2-4ac>0$ ⇨ 2개
  (2) $b^2-4ac=0$ ⇨ 1개
  (3) $b^2-4ac<0$ ⇨ 0개

3. 복잡한 이차방정식의 풀이

(1) 계수가 분수이면 양변에 분모의 ❻ ☐ 를 곱하여 계수를 정수로 만든 다음 푼다.

(2) 계수가 소수이면 양변에 10의 거듭제곱을 곱하여 계수를 정수로 만든 다음 푼다.

(3) 괄호가 있으면 전개한 후 $ax^2+bx+c=0(a\neq0)$의 꼴로 고쳐서 푼다.

(4) 공통인 식이 있으면 치환하여 푼다.

4. 이차방정식의 활용 문제를 푸는 순서

(1) 미지수 정하기 : 문제의 뜻을 파악하고 구하려고 하는 값을 미지수 x로 놓는다.

(2) 방정식 세우기 : 수량 사이의 관계를 이용하여 이차방정식을 세운다.

(3) 방정식 풀기 : 이차방정식을 풀어 미지수 x의 값을 구한다.

(4) 답 정하기 : 구한 해 중에서 문제의 뜻에 맞는 것을 답으로 정한다.

미지수 정하기 → 방정식 세우기 → 방정식 풀기 → 확인하기

❶ 0 ❷ 해 ❸ $B=0$ ❹ $\dfrac{-b\pm\sqrt{b^2-4ac}}{2a}$ ❺ $=$ ❻ 최소공배수

울산대교
2015년에 완공된 현수교

번지 점프
번지 점프를 할 때 떨어지는 거리는 시간의 제곱에 비례하여 이차함수로 나타난다.

파크스 천문대의 전파 망원경
광학 망원경보다 훨씬 큰 구경의 포물면 형태를 갖는 안테나를 사용

왜?

위성 안테나의 단면은 포물선인가?
그 답은 바로

넓은 범위에서 들어오는 전파를 받을 수 있기 때문

위성 안테나를 설치하면 위성 TV를 시청할 수 있다. 이때, 움푹한 접시 모양의 위성 안테나로 미약한 전파도 잘 수신할 수 있다. 이 위성 안테나를 '파라볼라 안테나'라고도 하는 데 '파라볼라(parabola)'는 수학에서 '포물선'을 의미한다. 위성 안테나가 포물선 모양인 이유는 전파가 포물선의 초점에 모이게 하여 인공위성에서 날아온 약한 전파라 하더라도 또렷하게 수신되도록 하기 위한 것이다.

IV. 이차함수와 그래프

학습 목표

1. 이차함수의 의미를 이해하고, 그 그래프를 그릴 수 있다.
2. 이차함수의 그래프의 성질을 이해한다.

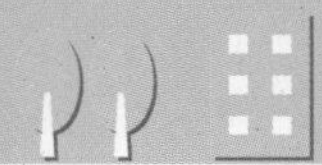

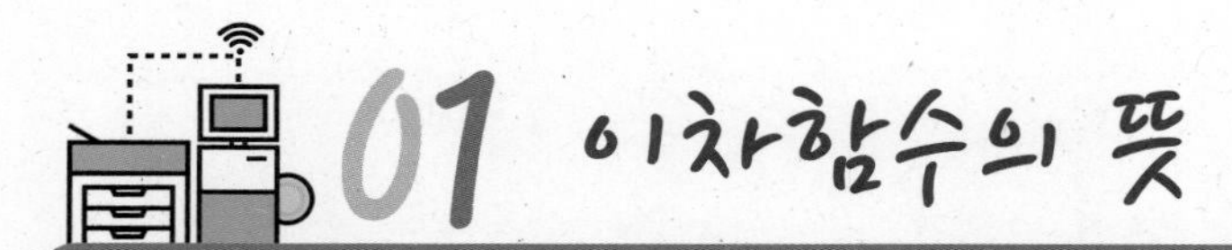

01 이차함수의 뜻

빠른 정답 11쪽 / 친절한 해설 31쪽

1. **이차함수** : $y=f(x)$에서 y가 x에 대한 이차식 $y=ax^2+bx+c$ ($a\neq0$, a, b, c는 상수)의 꼴로 나타내어질 때, y를 x에 대한 이차함수라고 한다.
2. **함수** : 변화하는 두 양 x, y에 대하여 x의 값이 하나로 정해지면 그에 따라 y의 값이 오직 하나로 정해질 때, 이 관계를 y는 x의 함수라고 하며 이것을 기호로 $y=f(x)$와 같이 나타낸다.
3. **함숫값** : 함수 $y=f(x)$에서 변수 x에 상수 a를 대입하여 얻은 값 $f(a)$를 $x=a$에서의 함숫값이라고 한다.

$a\neq0$일 때
① x에 대한 이차식 ⇨ ax^2+bx+c
② x에 대한 이차방정식 ⇨ $ax^2+bx+c=0$
③ x에 대한 이차함수 ⇨ $y=ax^2+bx+c$

유형 094 이차함수 찾기

※ 다음 중 x에 대한 이차함수인 것에는 ○표, 아닌 것에는 ×표를 하여라.

01 $y=x(x-2)+1$ ( )

|해설| $y=x(x-2)+1=x^2-2x+1$에서 x^2-2x+1은 x에 대한 이차식이므로 [ ] 함수이다.

02 $y=\frac{1}{2}x+4$ ( )

03 $y=\frac{1}{5}x^2-1$ ( )

04 $3x^2-x+1=0$ ( )

05 $y=(3x+1)^2-9x^2$ ( )

06 $y=x^2+\frac{1}{2}x$ ( )

유형 095 관계식을 구하고, 이차함수 찾기

※ 다음에서 x와 y 사이의 관계식을 구하고, y가 x에 대한 이차함수인 것을 모두 찾아라.

07 시속 x km로 걸어서 $7x$시간 동안 간 거리는 y km이다.

08 반지름의 길이가 x cm인 원의 넓이는 y cm^2이다.

09 가로의 길이가 $(x+2)$cm, 세로의 길이가 x cm인 직사각형의 넓이는 y cm^2이다.

10 꼭짓점의 개수가 x개인 다각형의 내각의 크기의 합은 $y°$이다.

11 한 줄에 2500원인 김밥을 x줄 샀을 때의 가격은 y 원이다.

이차함수의 함숫값

※ 주어진 이차함수에 대하여 다음을 구하여라.

12 $f(x)=x^2+2x-6$

(1) $f(0)$

(2) $f(1)$

(3) $f(-1)$

(4) $f\left(\frac{1}{2}\right)$

13 $f(x)=x^2-3x+1$

(1) $f(0)$

(2) $f(1)$

(3) $f(-2)$

(4) $f\left(\frac{1}{3}\right)$

14 $f(x)=-x^2+5$

(1) $f(-1)$

(2) $f(1)$

(3) $f(2)$

(4) $f\left(-\frac{1}{2}\right)$

15 $f(x)=(x+1)^2$

(1) $f(-1)$

(2) $f(0)$

(3) $f(4)$

(4) $f(-2)$

학교시험 필수예제

16 이차함수 $f(x)=-2x^2+3x-5$에 대하여 $f(2)-f(-1)$의 값을 구하여라.

02 이차함수 $y=x^2$의 그래프

빠른 정답 11쪽

(1) 원점을 지나고 아래로 볼록한 곡선이다. ⇨ 꼭짓점 : $(0, 0)$
(2) y축에 대칭이다. ⇨ 축의 방정식 : $x=0$
(3) $x<0$일 때, x의 값이 증가하면 y의 값은 감소한다.
$x>0$일 때, x의 값이 증가하면 y의 값은 증가한다.

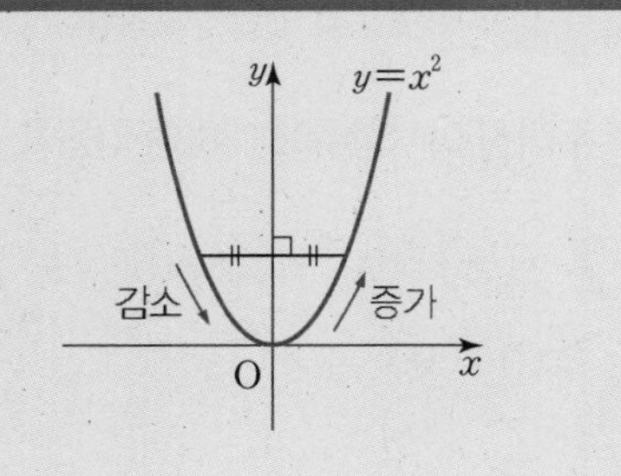

유형 097 이차함수 $y=x^2$의 그래프의 성질

※ 이차함수 $y=x^2$의 그래프에 대하여 다음 물음에 답하여라.

01 빈칸을 채워라.

x	-3	-2	-1	0	1	2	3
y	9			0			9

02 **01**의 표에서 구한 순서쌍 (x, y)를 좌표로 하는 점을 다음 좌표평면 위에 나타내어라.

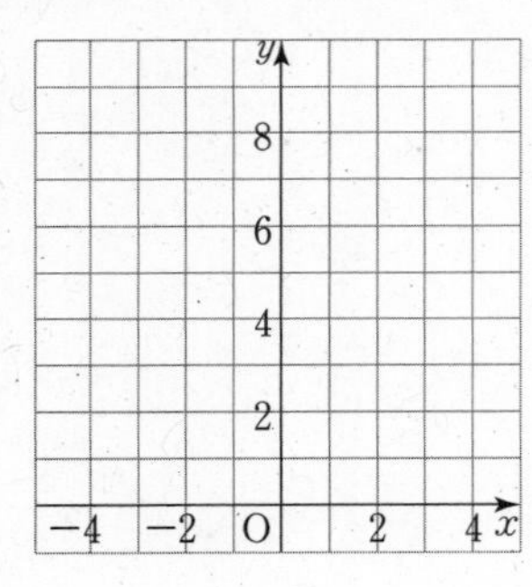

03 x의 값의 범위가 실수 전체일 때, 이차함수 $y=x^2$의 그래프를 그려라.

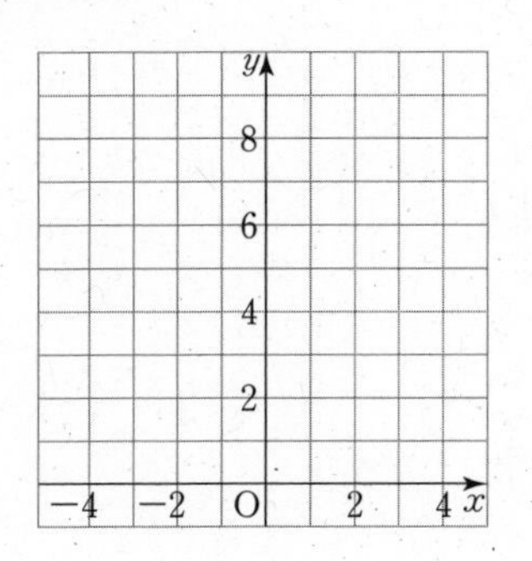

04 꼭짓점의 좌표를 구하여라.

05 축의 방정식을 구하여라.

06 x의 값이 증가할 때, y의 값이 증가하는 구간을 구하여라.

07 x의 값이 증가할 때, y의 값이 감소하는 구간을 구하여라.

03 이차함수 $y=-x^2$의 그래프

빠른 정답 11쪽

(1) 원점을 지나고 위로 볼록한 곡선이다. ⇨ 꼭짓점 : $(0, 0)$
(2) y축에 대칭이다. ⇨ 축의 방정식 : $x=0$
(3) $x<0$일 때, x의 값이 증가하면 y의 값은 증가한다.
$x>0$일 때, x의 값이 증가하면 y의 값은 감소한다.
(4) $y=x^2$의 그래프와 x축에 대칭이다.

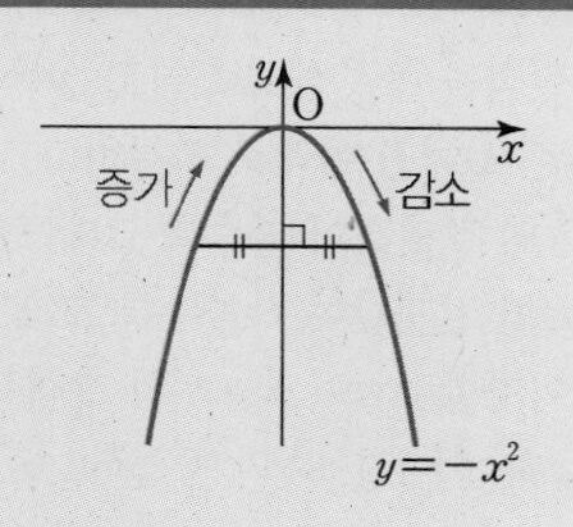

이차함수 $y=-x^2$의 그래프의 성질

※ 이차함수 $y=-x^2$의 그래프에 대하여 다음 물음에 답하여라.

01 빈칸을 채워라.

x	-3	-2	-1	0	1	2	3
y		-4		0			-9

02 **01**의 표에서 구한 순서쌍 (x, y)를 좌표로 하는 점을 다음 좌표평면 위에 나타내어라.

03 x의 값의 범위가 실수 전체일 때, 이차함수 $y=-x^2$의 그래프를 그려라.

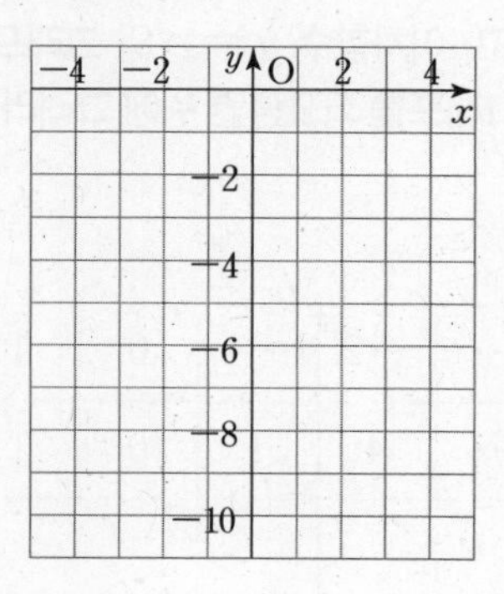

04 꼭짓점의 좌표를 구하여라.

05 축의 방정식을 구하여라.

06 x의 값이 증가할 때, y의 값이 증가하는 구간을 구하여라.

07 x의 값이 증가할 때, y의 값이 감소하는 구간을 구하여라.

04 이차함수 $y=ax^2$의 그래프

빠른 정답 11쪽 / 친절한 해설 31쪽

(1) 원점을 꼭짓점으로 하고, y축을 축으로 하는 포물선이다.
(2) $a>0$이면 아래로 볼록하고, $a<0$이면 위로 볼록하다.
(3) a의 절댓값이 클수록 그래프의 폭이 좁아진다.
a의 절댓값이 작을수록 그래프의 폭의 넓어진다.
(4) 이차함수 $y=-ax^2$의 그래프와 x축에 서로 대칭이다.
(5) y축에 대칭, 축의 방정식 : $x=0$, 꼭짓점 : $(0, 0)$

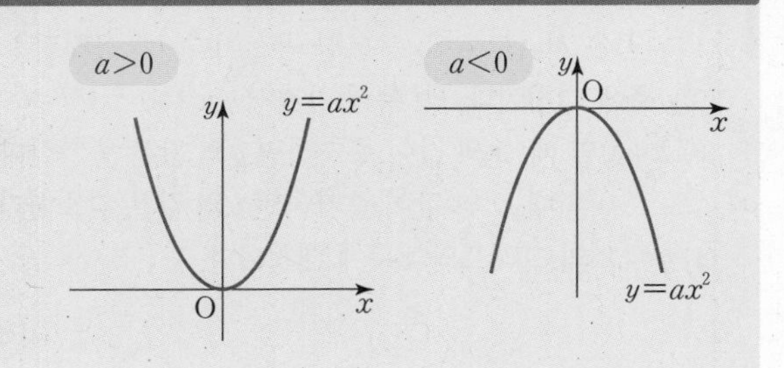

유형 099 이차함수 $y=ax^2\ (a>0)$의 그래프 그리기

※ 표를 완성하고, 이차함수 $y=x^2$의 그래프를 이용하여 다음 이차함수의 그래프를 좌표평면 위에 그려라.

01 $y=2x^2$

x	…	-2	-1	0	1	2	…
x^2	…	4	1	0	1	4	…
$2x^2$	…						…

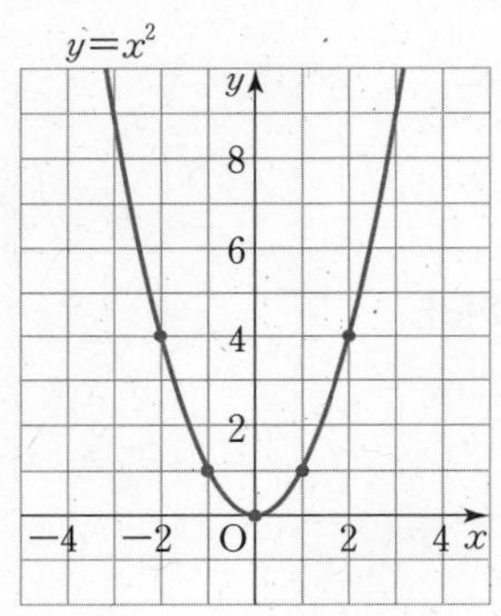

|해설| $y=x^2$의 그래프 위의 각 점에 대하여 $y=2x^2$은 y좌표를 ☐배로 하는 점이다.

02 $y=\frac{1}{2}x^2$

x	…	-2	-1	0	1	2	…
x^2	…						…
$\frac{1}{2}x^2$	…						…

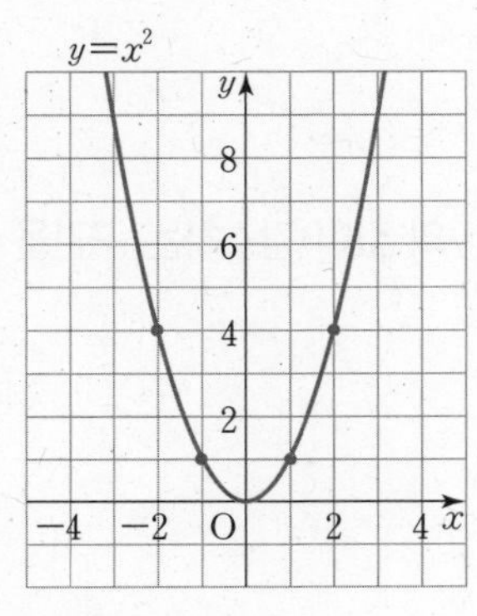

|해설| $y=x^2$의 그래프 위의 각 점에 대하여 $y=\frac{1}{2}x^2$은 y좌표를 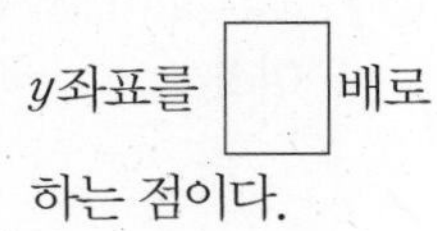 배로 하는 점이다.

03 $y=3x^2$

x	…	-2	-1	0	1	2	…
x^2	…	4	1	0	1	4	…
$3x^2$	…						…

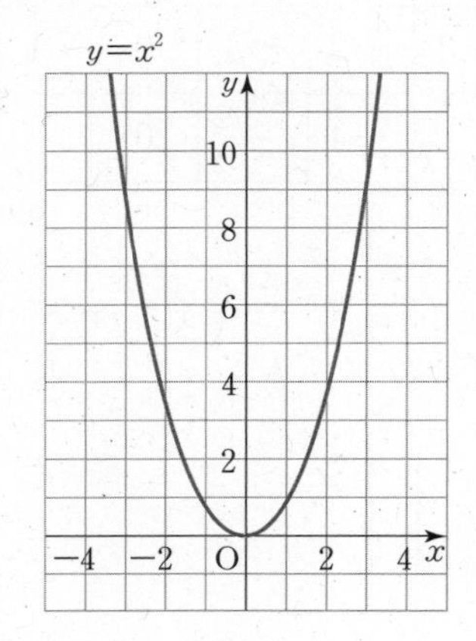

04 $y=\frac{1}{3}x^2$

x	…	-3	-1	0	1	3	…
x^2	…	9	1	0	1	9	…
$\frac{1}{3}x^2$	…						…

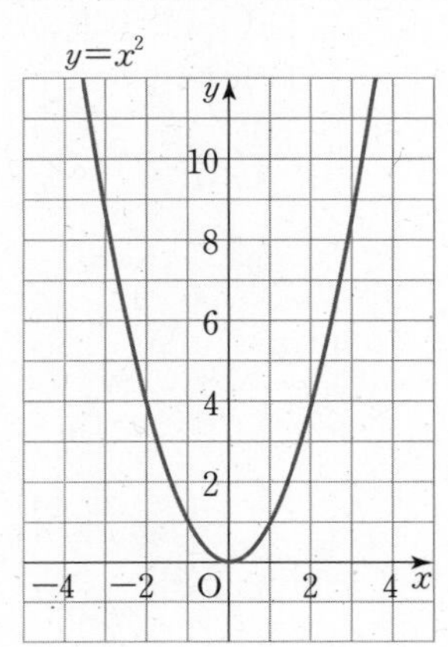

이차함수 $y=ax^2\,(a<0)$의 그래프 그리기

※ 표를 완성하고, 이차함수 $y=-x^2$의 그래프를 이용하여 다음 이차함수의 그래프를 좌표평면 위에 그려라.

05 $y=-2x^2$

x	$\cdots$	-2	-1	0	1	2	$\cdots$
x^2	$\cdots$	-4	-1	0	-1	-4	$\cdots$
$-2x^2$	$\cdots$						$\cdots$

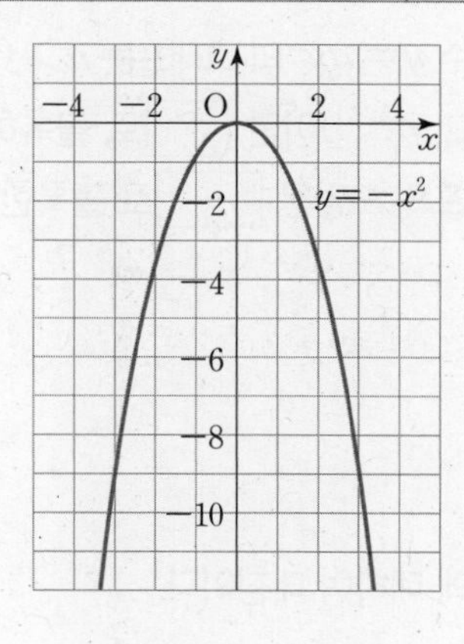

06 $y=-\frac{1}{2}x^2$

x	$\cdots$	-2	-1	0	1	2	$\cdots$
$-x^2$	$\cdots$	-4	-1	0	-1	-4	$\cdots$
$-\frac{1}{2}x^2$	$\cdots$						$\cdots$

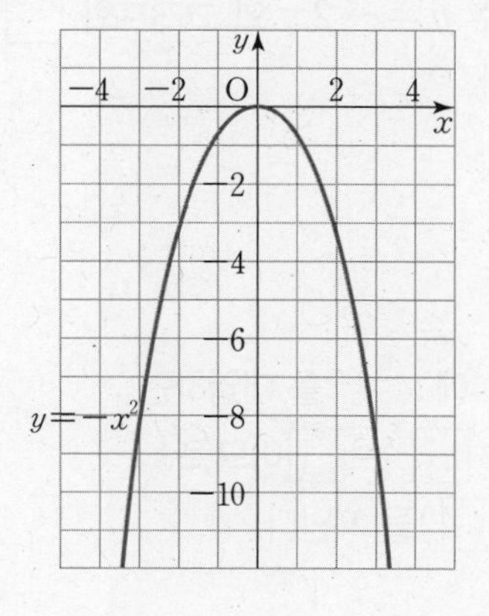

07 $y=-3x^2$

x	$\cdots$	-2	-1	0	1	2	$\cdots$
$-x^2$	$\cdots$	-4	-1	0	-1	-4	$\cdots$
$-3x^2$	$\cdots$						$\cdots$

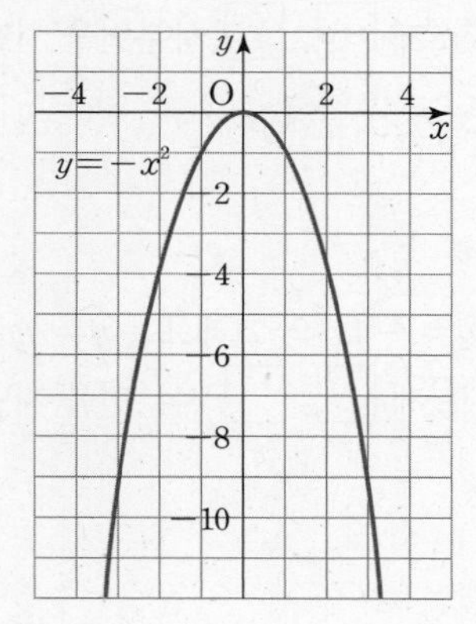

08 $y=-\frac{1}{3}x^2$

x	$\cdots$	-3	-1	0	1	3	$\cdots$
$-x^2$	$\cdots$	-9	-1	0	-1	-9	$\cdots$
$-\frac{1}{3}x^2$	$\cdots$						$\cdots$

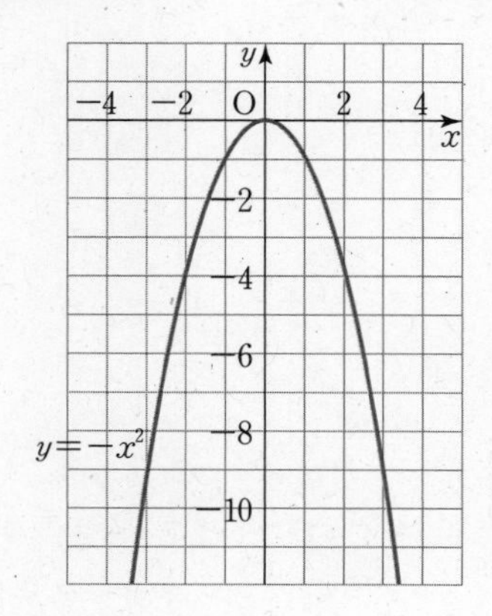

이차함수 $y=ax^2$의 그래프가 지나는 사분면

※ 다음 이차함수의 그래프가 지나는 사분면을 모두 써라.

09 $y=2x^2$

|해설| 이차함수 $y=2x^2$의 그래프는 $y=ax^2$에서 $a>0$이므로 제 □, □ 사분면을 지난다.

10 $y=-4x^2$

|해설| 이차함수 $y=-4x^2$의 그래프는 $y=ax^2$에서 $a<0$이므로 제 □, □ 사분면을 지난다.

11 $y=6x^2$

12 $y=\frac{1}{3}x^2$

13 $y=-\frac{4}{5}x^2$

14 $y=0.1x^2$

15 $y=-\frac{5}{3}x^2$

이차함수 $y=ax^2$의 그래프의 성질

※ 주어진 이차함수의 그래프에 대하여 다음 □ 안에 알맞은 것을 써넣어라.

16 $y=2x^2$

(1) 꼭짓점의 좌표는 (□, □)이다.

(2) 이차함수 $y=ax^2$의 그래프는 $a>0$이면 □로 볼록하고, $a<0$이면 □로 볼록하므로 $y=2x^2$의 그래프의 모양은 □로 볼록한 포물선이다.

(3) □축에 대하여 대칭이다.

(4) $x>0$일 때, x의 값이 증가하면 y의 값은 □한다.

(5) 이차함수 $y=-2x^2$의 그래프와 □축에 대하여 대칭이다.

(6) $y=2x^2$에 $x=2$를 대입하면 $y=2\times□^2=□$이므로 점 (2, □)을 지난다.

17 $y=-\frac{1}{2}x^2$

(1) 꼭짓점의 좌표는 ($\square$, $\square$)이다.

(2) 그래프의 모양은 $\square$로 볼록한 포물선이다.

(3) $\square$축에 대하여 대칭이다.

(4) $x<0$일 때, x의 값이 증가하면 y의 값은 $\square$한다.

(5) 이차함수 $y=\square$의 그래프와 x축에 대하여 대칭이다.

(6) $y=-\frac{1}{2}x^2$에 $x=-2$를 대입하면
$y=-\frac{1}{2}\times(\square)^2=\square$이므로
점 $(-2, \square)$를 지난다.

※ 다음 이차함수의 그래프에 대하여 물음에 답하여라.

18

㉠ $y=\frac{1}{5}x^2$	㉡ $y=5x^2$
㉢ $y=-\frac{1}{3}x^2$	㉣ $y=-4x^2$

(1) 위로 볼록한 그래프를 모두 찾아라.
|해설| x^2의 계수가 음수인 것은 $\square$, $\square$이다.

(2) 그래프의 폭이 가장 좁은 것을 찾아라.
|해설| x^2의 계수의 절댓값이 가장 큰 것은 $\square$이다.

(3) 그래프의 폭이 가장 넓은 것을 찾아라.
|해설| x^2의 계수의 절댓값이 가장 작은 것은 $\square$이다.

19

㉠ $y=x^2$	㉡ $y=-x^2$
㉢ $y=2x^2$	㉣ $y=4x^2$
㉤ $y=-\frac{1}{2}x^2$	㉥ $y=-\frac{1}{3}x^2$

(1) 아래로 볼록한 그래프를 모두 찾아라.

(2) 그래프의 폭이 가장 좁은 것을 찾아라.

(3) 그래프의 폭이 가장 넓은 것을 찾아라.

20

㉠ $y=2x^2$	㉡ $y=-6x^2$
㉢ $y=4x^2$	㉣ $y=-3x^2$
㉤ $y=-\frac{2}{3}x^2$	㉥ $y=\frac{1}{4}x^2$
㉦ $y=-5x^2$	㉧ $y=\frac{3}{4}x^2$

(1) 위로 볼록한 그래프를 모두 찾아라.

(2) 그래프의 폭이 $y=x^2$의 그래프보다 좁은 것을 모두 찾아라.

(3) 그래프의 폭이 $y=\frac{1}{2}x^2$의 그래프보다 넓은 것을 찾아라.

(4) 그래프의 폭이 좁은 것부터 순서대로 나열하여라.

학교시험 필수예제

21 다음 이차함수의 그래프 중에서 그래프의 폭이 가장 좁은 것은?

① $y=x^2$ ② $y=-2x^2$ ③ $y=\frac{1}{3}x^2$

④ $y=-\frac{1}{6}x^2$ ⑤ $y=\frac{1}{2}x^2$

※ 이차함수 $y=ax^2$의 그래프가 다음 점을 지날 때, 상수 a의 값을 구하여라.

22 $(4, 9)$

|해설| $y=ax^2$의 그래프가 점 $(4, 9)$를 지나므로 $y=ax^2$에 $x=$□, $y=$□를 대입하면

$9=$□a이므로 $a=$□

23 $(6, -2)$

24 $(-3, 27)$

25 $(-6, -6)$

학교시험 필수예제

26 다음 중 이차함수 $y=-2x^2$의 그래프가 지나는 점의 좌표가 아닌 것은?

① $(-1, -2)$ ② $(0, 0)$ ③ $\left(\frac{1}{2}, -\frac{1}{2}\right)$

④ $(3, -18)$ ⑤ $\left(\frac{1}{9}, -\frac{2}{3}\right)$

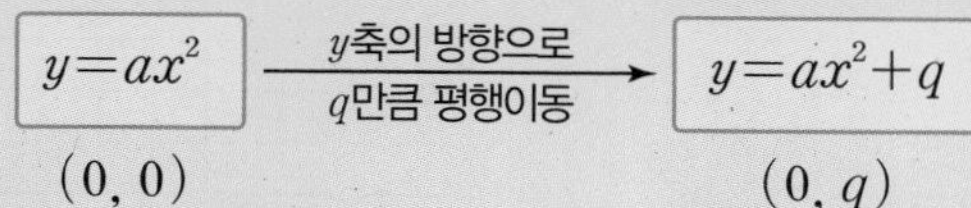

05 이차함수 $y=ax^2+q$의 그래프

빠른 정답 12쪽 / 친절한 해설 31쪽

$y=ax^2$ —(y축의 방향으로 q만큼 평행이동)→ $y=ax^2+q$

(1) 꼭짓점의 좌표 : $(0,\ 0)$ → $(0,\ q)$

(2) 축의 방정식 : $x=0$ (y축) → $x=0$ (y축)

(3) 그래프 :

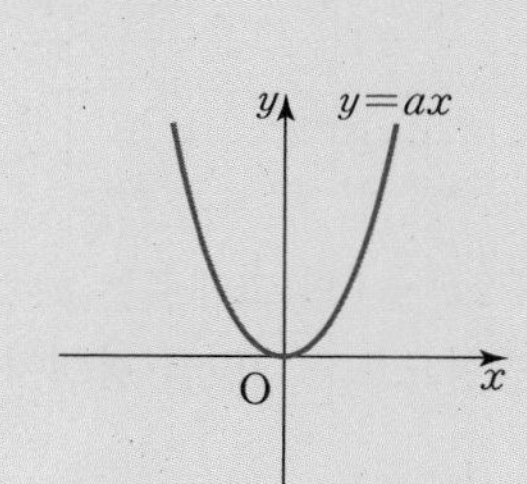

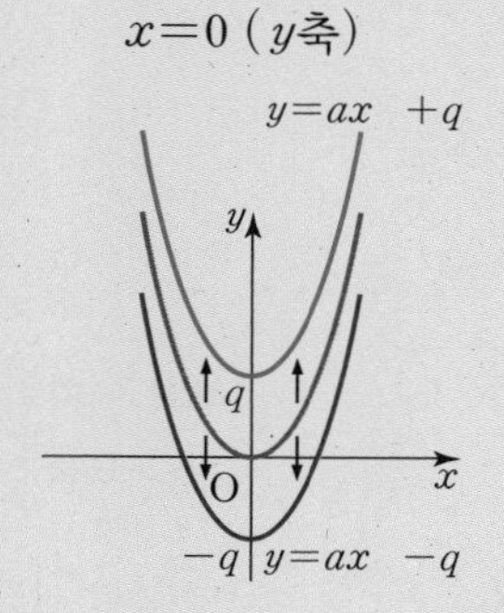

이차함수	$y=x^2-5$
그래프의 평행 이동	$y=x^2$의 그래프를 y축의 방향으로 -5만큼 평행이동
꼭짓점의 좌표	$(0,\ -5)$
축의 방정식	$x=0$ (y축)

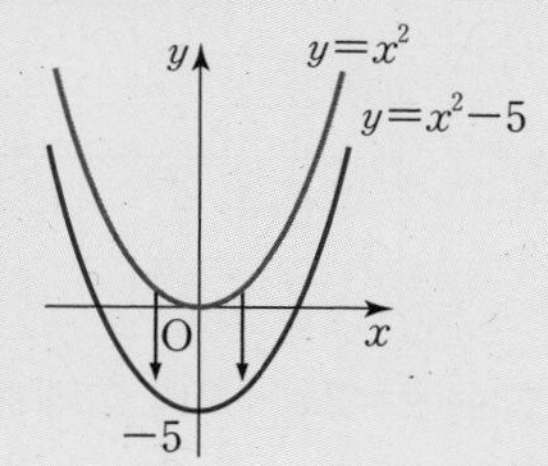

유형 103 y축의 방향으로 평행이동한 그래프의 식

※ 다음 이차함수의 그래프를 y축의 방향으로 [ ] 안의 수만큼 평행이동한 그래프가 나타내는 이차함수의 식을 구하여라.

01 $y=x^2$ [5]

|해설| 이차함수 $y=ax^2$의 그래프를 y축의 방향으로 q만큼 평행이동한 그래프의 식은 $y=ax^2+$□이다.
따라서 $y=x^2$의 그래프를 y축의 방향으로 5만큼 평행이동하면 $y=x^2+$□

02 $y=4x^2$ [1]

03 $y=-3x^2$ [-2]

04 $y=-6x^2$ [3]

※ 다음 이차함수의 그래프는 [ ] 안의 그래프를 평행이동한 것이다. □ 안에 알맞은 것을 써넣어라.

05 $y=x^2+2$ [$y=x^2$]

|해설| $y=x^2+2$는 $y=x^2$의 그래프를 □축의 방향으로 □만큼 평행이동한 것이다.

06 $y=-x^2-\frac{1}{2}$ [$y=-x^2$]

|해설| $y=-x^2-\frac{1}{2}$은 $y=-x^2$의 그래프를 □축의 방향으로 □만큼 평행이동한 것이다.

07 $y=2x^2+3$ [$y=2x^2$]

|해설| $y=2x^2+3$은 $y=2x^2$의 그래프를 □축의 방향으로 □만큼 평행이동한 것이다.

08 $y=4x^2-5$ [$y=4x^2$]

|해설| $y=4x^2-5$는 $y=4x^2$의 그래프를 □축의 방향으로 □만큼 평행이동한 것이다.

이차함수 $y=ax^2+q$의 그래프 그리기

※ 다음 이차함수의 그래프를 그려라.

09 $y=2x^2+2$

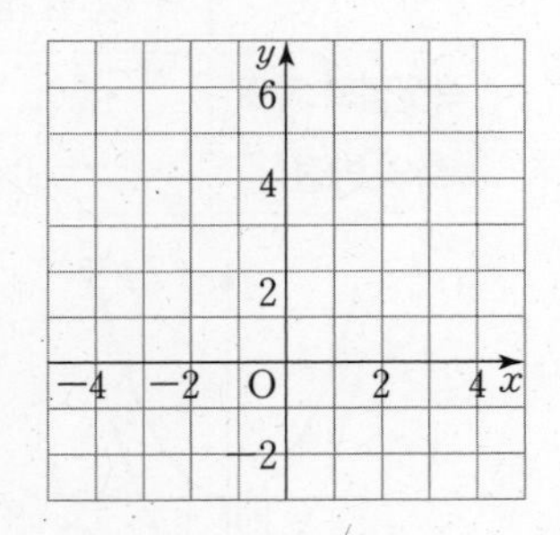

|해설| 이차함수 $y=2x^2+2$의 그래프는 $y=2x^2$의 그래프를 ☐축의 방향으로 ☐만큼 평행이동한 것이다.

10 $y=x^2-1$

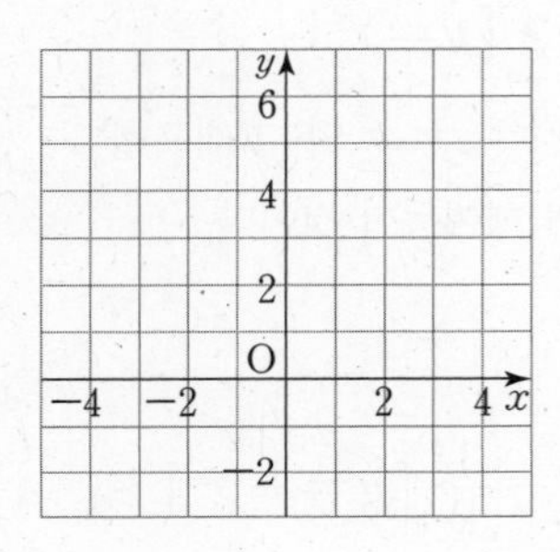

11 $y=\frac{1}{2}x^2-2$

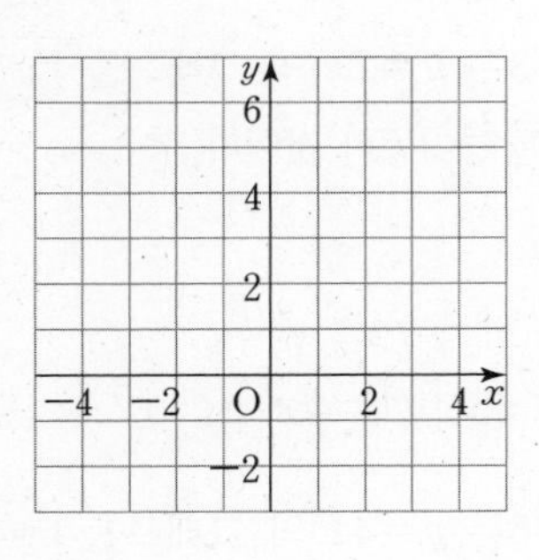

12 $y=-2x^2+1$

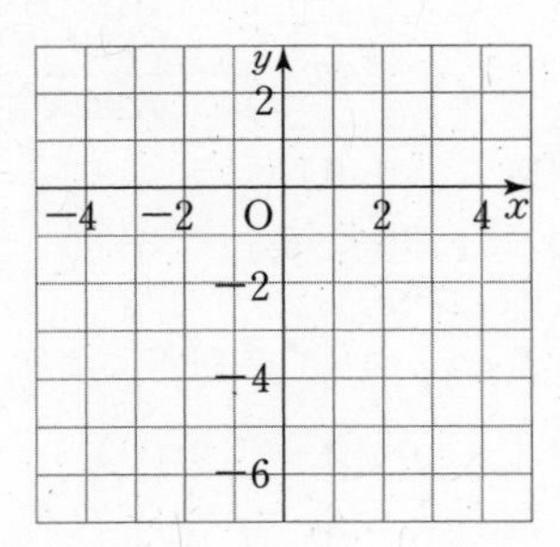

|해설| 이차함수 $y=-2x^2+1$의 그래프는 $y=-2x^2$의 그래프를 ☐축의 방향으로 ☐만큼 평행이동한 것이다.

13 $y=-3x^2+2$

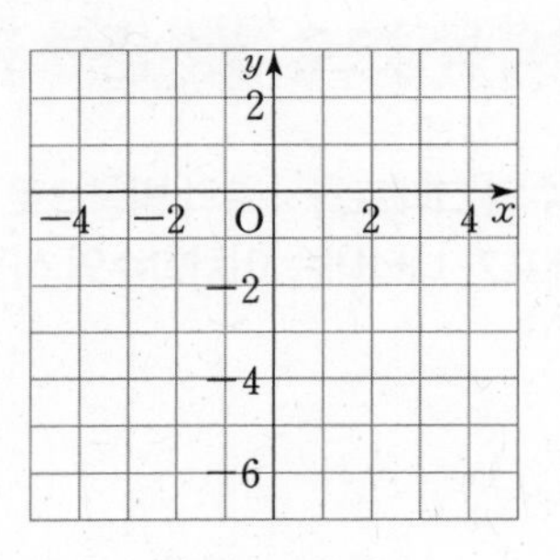

14 $y=-\frac{1}{3}x^2-1$

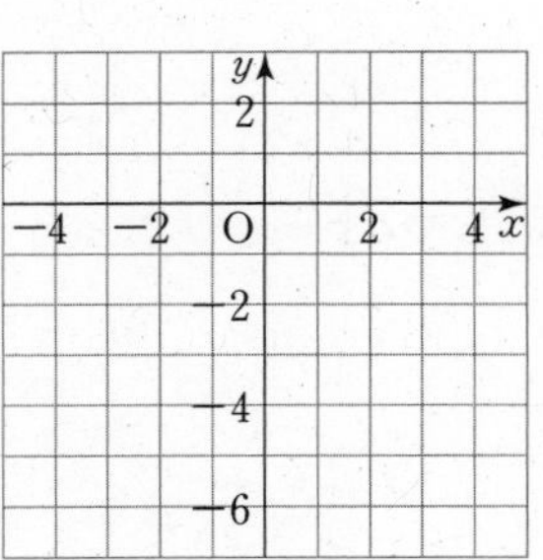

이차함수 $y=ax^2+q$의 축의 방정식

※ 다음 이차함수의 그래프의 축의 방정식을 구하여라.

15 $y=2x^2+2$

|해설| 이차함수 $y=ax^2+q$의 그래프는 y축, 즉 직선 $\square$을 축으로 한다.

16 $y=4x^2-2$

17 $y=\frac{2}{3}x^2+5$

18 $y=\frac{1}{2}x^2-4$

19 $y=-\frac{1}{2}x^2+4$

20 $y=-2x^2-3$

21 $y=-\frac{4}{5}x^2+\frac{1}{3}$

이차함수 $y=ax^2+q$의 꼭짓점의 좌표

※ 다음 이차함수의 그래프의 꼭짓점의 좌표를 구하여라.

22 $y=2x^2+2$

|해설| 이차함수 $y=ax^2+q$의 그래프의 꼭짓점의 좌표는 $(0, \square)$이다. 따라서 이차함수 $y=2x^2+2$의 꼭짓점의 좌표는 $(0, \square)$이다.

23 $y=-2x^2-\frac{1}{3}$

24 $y=\frac{2}{3}x^2+4$

25 $y=-x^2-\frac{1}{2}$

26 $y=-\frac{1}{2}x^2+7$

27 $y=4x^2-6$

28 $y=\frac{5}{2}x^2+5$

107 이차함수 $y=ax^2+q$의 그래프의 성질

※ 주어진 이차함수의 그래프를 y축의 방향으로 k만큼 평행이동하면 점 P를 지난다고 한다. 이때, k의 값을 구하여라.

29 $y=\frac{1}{2}x^2$, $P(2, 6)$

|해설| $y=\frac{1}{2}x^2$의 그래프를 y축의 방향으로 k만큼 평행이동하면 $y=\frac{1}{2}x^2+\square$이다.
이 그래프가 점 $P(2, 6)$을 지나므로
$x=\square$, $y=\square$을 대입하면
$\square=\frac{1}{2}\times\square^2+k$, $k=\square$

30 $y=-\frac{1}{2}x^2$, $P(4, 2)$

31 $y=\frac{1}{5}x^2$, $P(5, 2)$

32 $y=-\frac{1}{5}x^2$, $P(10, -2)$

※ 주어진 이차함수의 그래프에 대한 설명이다. 옳은 것에는 ○표, 옳지 않은 것에는 ×표를 하여라.

33 $y=3x^2-3$

(1) $y=x^2$의 그래프를 평행이동한 그래프이다. (　　)

(2) y축에 대칭인 그래프이다. (　　)

(3) 꼭짓점의 좌표는 $(0, 1)$이다. (　　)

(4) 축의 방정식은 $x=0$이다. (　　)

(5) $y=x^2-3$의 그래프와 폭이 같다. (　　)

34 $y=-2x^2+3$

(1) $y=2x^2$의 그래프를 평행이동한 그래프이다. (　　)

(2) y축에 대칭인 그래프이다. (　　)

(3) 꼭짓점의 좌표는 $(0, 3)$이다. (　　)

(4) 축의 방정식은 $y=0$이다. (　　)

(5) $y=-2x^2$의 그래프와 폭이 같다. (　　)

06 이차함수 $y=a(x-p)^2$의 그래프

빠른 정답 12쪽 / 친절한 해설 31쪽

$y=ax^2$ —(x축의 방향으로 p만큼 평행이동)→ $y=a(x-p)^2$

(1) 꼭짓점의 좌표 : $(0, 0)$ → $(p, 0)$

(2) 축의 방정식 : $x=0$ (y축) → $x=p$ (꼭짓점의 x좌표)

(3) 그래프 :

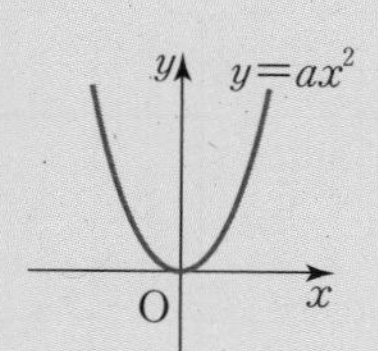

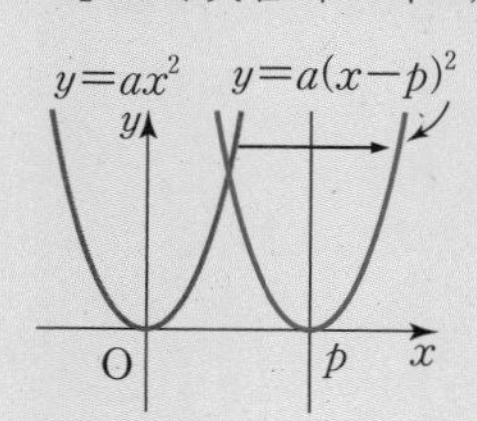

이차함수	$y=2(x+1)^2$
그래프의 평행이동	$y=2x^2$의 그래프를 x축의 방향으로 -1만큼 평행이동
꼭짓점의 좌표	$(-1, 0)$
축의 방정식	$x=-1$

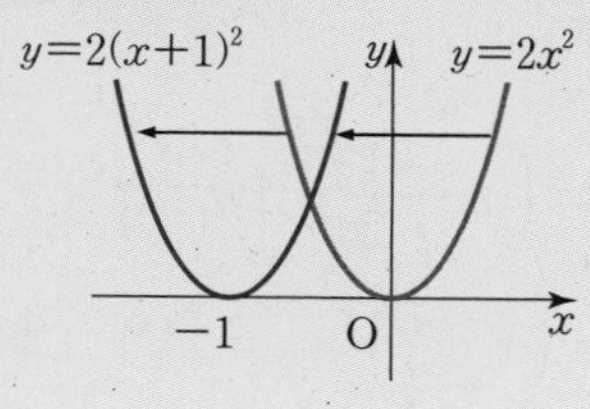

유형 108 x축의 방향으로 평행이동한 그래프의 식

※ 다음 이차함수의 그래프를 x축의 방향으로 [ ] 안의 수만큼 평행이동한 그래프가 나타내는 이차함수의 식을 구하여라.

01 $y=x^2$ $[1]$

|해설| 이차함수 $y=ax^2$의 그래프를 x축의 방향으로 p만큼 평행이동하면 $y=a(x-\square)^2$이다. 따라서 $y=x^2$의 그래프를 x축의 방향으로 1만큼 평행이동하면 $y=(x-\square)^2$이다.

02 $y=4x^2$ $[2]$

03 $y=-3x^2$ $[4]$

04 $y=-6x^2$ $[1]$

05 $y=-x^2$ $[-2]$

06 $y=\frac{1}{2}x^2$ $[-3]$

07 $y=3x^2$ $\left[-\frac{2}{5}\right]$

08 $y=-\frac{1}{7}x^2$ $\left[-\frac{1}{2}\right]$

※ 다음 이차함수의 그래프는 [ ] 안의 그래프를 평행이동한 것이다. □ 안에 알맞은 것을 써넣어라.

09 $y=3(x-2)^2$ $[y=3x^2]$

|해설| $y=3(x-2)^2$은 $y=3x^2$의 그래프를 □축의 방향으로 □만큼 평행이동한 그래프이다.

10 $y=\left(x-\frac{1}{2}\right)^2$ $[y=x^2]$

|해설| $y=\left(x-\frac{1}{2}\right)^2$은 $y=x^2$의 그래프를 □축의 방향으로 □만큼 평행이동한 그래프이다.

11 $y=2(x+1)^2$ $[y=2x^2]$

|해설| $y=2(x+1)^2$은 $y=2x^2$의 그래프를 □축의 방향으로 □만큼 평행이동한 그래프이다.

12 $y=2(x-1)^2$ $[y=2x^2]$

|해설| $y=2(x-1)^2$은 $y=2x^2$의 그래프를 □축의 방향으로 □만큼 평행이동한 그래프이다.

13 $y=-4(x-5)^2$ $[y=-4x^2]$

|해설| $y=-4(x-5)^2$은 $y=-4x^2$의 그래프를 □축의 방향으로 □만큼 평행이동한 그래프이다.

14 $y=4(x+1)^2$ $[y=4x^2]$

|해설| $y=4(x+1)^2$은 $y=4x^2$의 그래프를 □축의 방향으로 □만큼 평행이동한 그래프이다.

유형 109 이차함수 $y=a(x-p)^2$의 그래프 그리기

※ 다음 이차함수의 그래프를 그려라.

15 $y=2(x-1)^2$

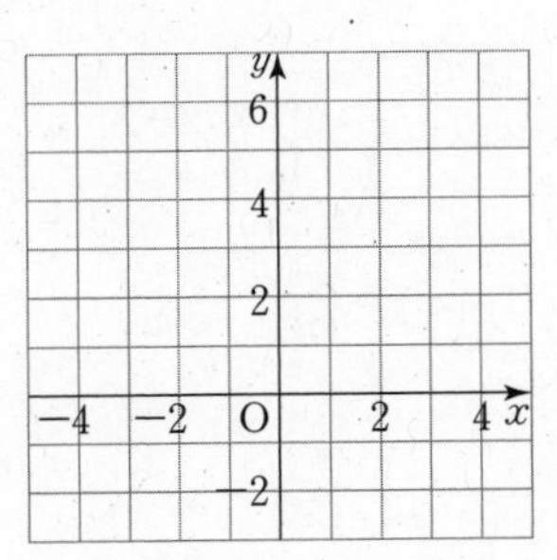

|해설| 이차함수 $y=2x^2$의 그래프를 □축의 방향으로 □만큼 평행이동한 그래프이다.

16 $y=3(x+1)^2$

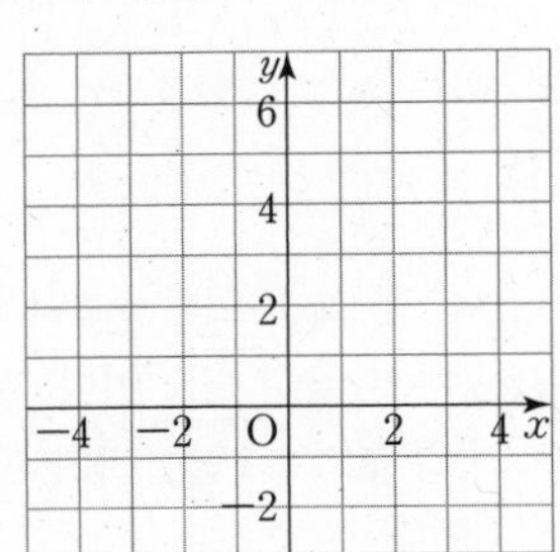

17 $y=\frac{1}{4}(x+2)^2$

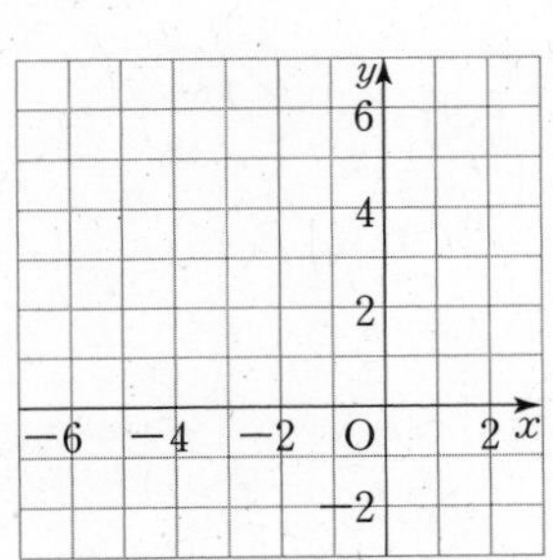

18 $y=-2(x+2)^2$

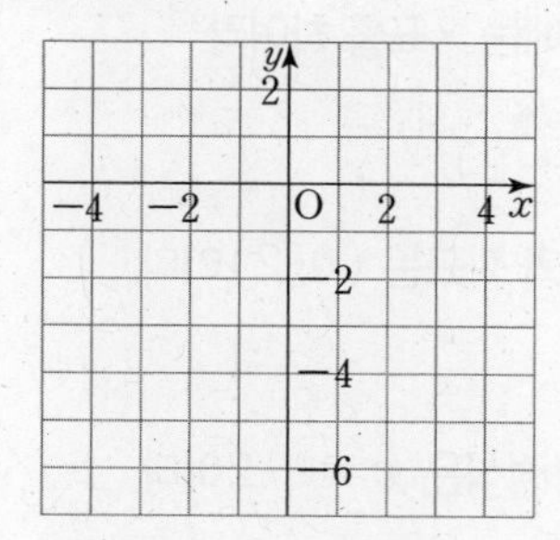

|해설| 이차함수 $y=-2x^2$의 그래프를 ☐축의 방향으로 ☐만큼 평행이동한 그래프이다.

19 $y=-(x+3)^2$

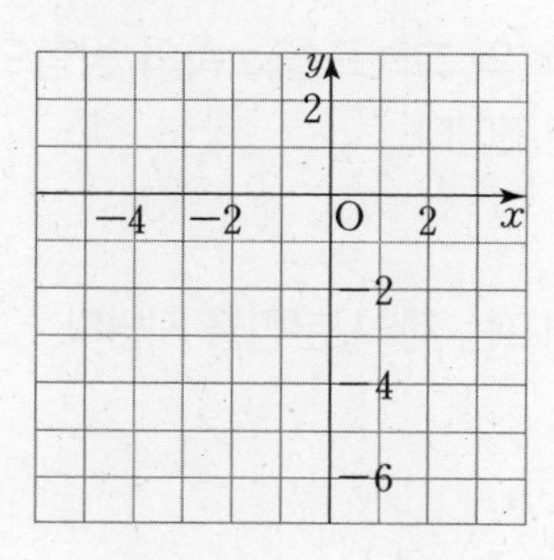

20 $y=-\frac{1}{2}(x-1)^2$

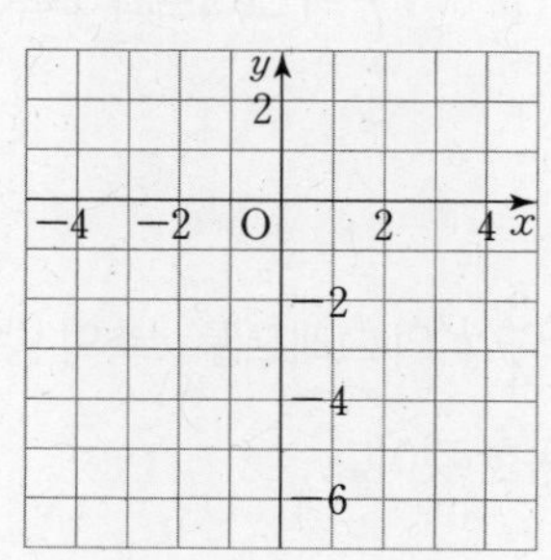

유형 110 이차함수 $y=a(x-p)^2$의 축의 방정식

※ 다음 이차함수의 그래프의 축의 방정식을 구하여라.

21 $y=3(x-1)^2$

|해설| 이차함수 $y=a(x-p)^2$의 그래프의 축의 방정식은 $x=$☐이다. 따라서 $y=3(x-1)^2$의 축의 방정식은 ☐이다.

22 $y=-2(x+2)^2$

23 $y=4(x+3)^2$

24 $y=-4\left(x+\frac{1}{6}\right)^2$

25 $y=-\frac{1}{2}(x-5)^2$

26 $y=-\frac{3}{5}\left(x-\frac{1}{2}\right)^2$

27 $y=-\frac{1}{3}(x+1)^2$

28 $y=-\frac{4}{5}\left(x-\frac{1}{5}\right)^2$

이차함수 $y=a(x-p)^2$의 꼭짓점의 좌표

※ 다음 이차함수의 그래프의 꼭짓점의 좌표를 구하여라.

29 $y=2(x-2)^2$

|해설| 이차함수 $y=a(x-p)^2$의 그래프의 꼭짓점의 좌표는 $(\square, 0)$이다. 따라서 $y=2(x-2)^2$의 꼭짓점의 좌표는 $(\square, 0)$이다.

30 $y=-2(x-1)^2$

31 $y=4(x-3)^2$

32 $y=2(x-7)^2$

33 $y=-5\left(x+\frac{3}{2}\right)^2$

|해설| $y=-5\left(x+\frac{3}{2}\right)^2=-5\left\{x-\left(-\frac{3}{2}\right)\right\}^2$

이므로 꼭짓점의 좌표는 $\left(\square, 0\right)$이다.

34 $y=\frac{1}{3}(x+2)^2$

35 $y=-3(x+1)^2$

36 $y=-\frac{4}{3}\left(x+\frac{1}{2}\right)^2$

※ 주어진 이차함수의 그래프에 대한 설명이다. 옳은 것에는 ○표, 옳지 않은 것에는 ×표를 하여라.

37 $y=3(x-2)^2$

(1) 꼭짓점의 좌표는 $(0, 2)$이다. ( )

(2) 축의 방정식은 $x=-2$이다. ( )

(3) 점 $(1, -3)$을 지난다. ( )

(4) $x<2$일 때, x의 값이 증가하면 y의 값도 증가한다. ( )

(5) $y=3x^2$의 그래프를 x축의 방향으로 2만큼 평행이동한 것이다. ( )

(6) 이 그래프는 제3사분면을 지난다. ( )

38 $y=-\frac{3}{4}(x+1)^2$

(1) 축의 방정식은 $x=-1$이다. ( )

(2) 꼭짓점의 좌표는 $(-1, 0)$이다. ( )

(3) $y=\frac{3}{4}(x+1)^2$의 그래프와 x축에 대칭이다. ( )

(4) $y=-\frac{3}{4}x^2$의 그래프를 x축의 방향으로 1만큼 평행이동한 것이다. ( )

(5) x의 값이 증가할 때 y의 값도 증가하는 x의 값의 범위는 $x>-1$이다. ( )

(6) 이 그래프는 제3사분면을 지난다. ( )

07 이차함수 $y=a(x-p)^2+q$의 그래프

빠른 정답 13쪽 / 친절한 해설 31쪽

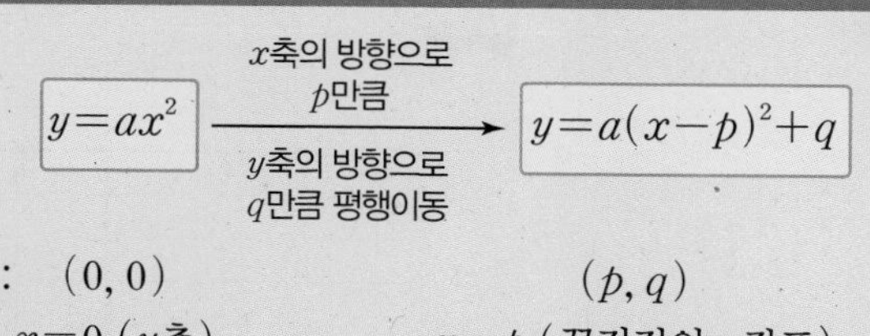

(1) 꼭짓점의 좌표 : $(0, 0)$ (p, q)

(2) 축의 방정식 : $x=0$ (y축) $x=p$ (꼭짓점의 x좌표)

(3) 그래프 :

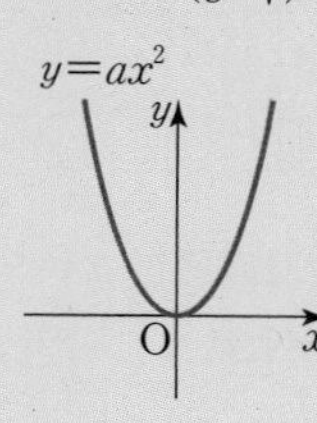

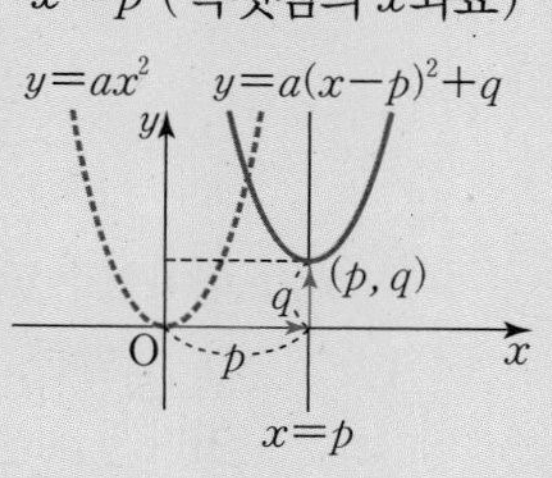

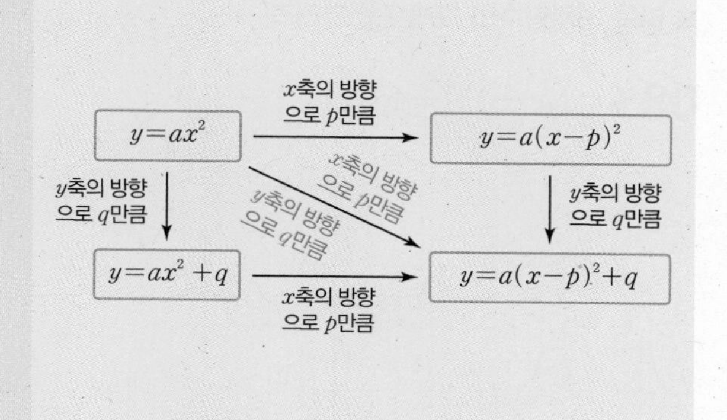

x축, y축의 방향으로 평행이동한 그래프의 식

※ 다음 이차함수의 그래프를 x축과 y축의 방향으로 각각 [ ] 안의 수만큼 평행이동한 그래프가 나타내는 이차함수의 식을 구하여라.

01 $y=x^2$ [1, 2]

|해설| 이차함수 $y=ax^2$의 그래프를 x축, y축의 방향으로 p, q만큼 평행이동하면 $y=a(x-\square)^2+\square$이다. 따라서 $y=x^2$의 그래프를 x축, y축의 방향으로 각각 1, 2만큼 평행이동하면 $y=(x-\square)^2+\square$이다.

02 $y=2x^2$ [3, 8]

03 $y=-3x^2$ [1, −3]

04 $y=\frac{1}{2}x^2$ [−3, 4]

05 $y=\frac{2}{3}x^2$ [−1, −2]

06 $y=\frac{1}{2}x^2$ [2, −1]

07 $y=-x^2$ [−1, −5]

이차함수 $y=a(x-p)^2+q$의 그래프 그리기

※ 다음 이차함수의 그래프를 그려라.

08 $y=(x-1)^2+1$

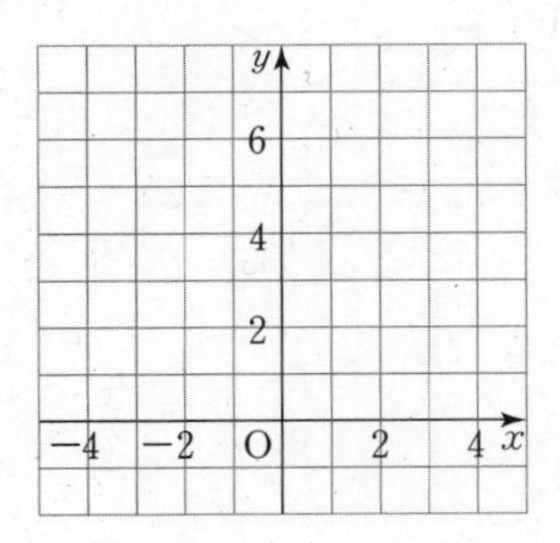

|해설| 이차함수 $y=x^2$의 그래프를 x축의 방향으로 ☐만큼, y축의 방향으로 ☐만큼 평행이동한 것이다.

09 $y=2(x+2)^2-2$

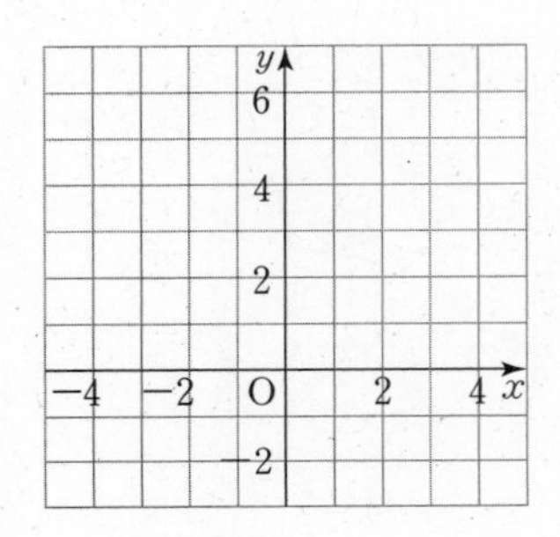

10 $y=\frac{1}{2}(x+1)^2-1$

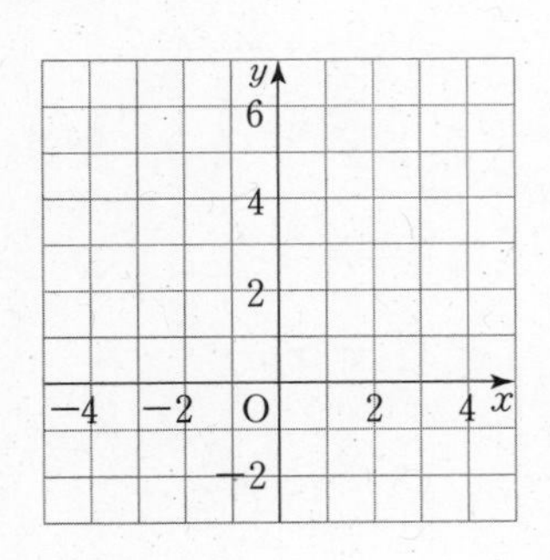

11 $y=-2(x+1)^2-2$

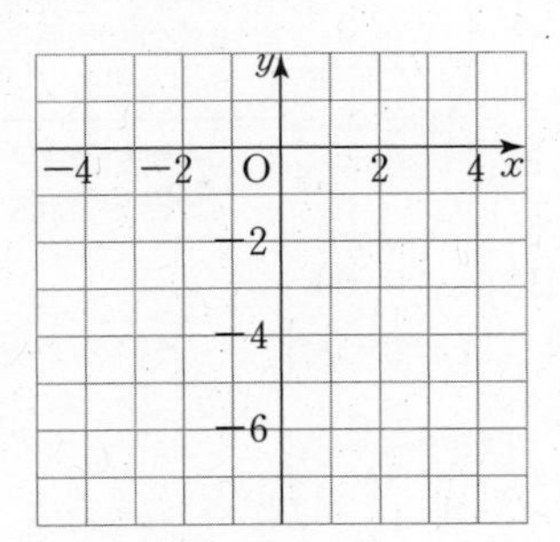

|해설| 이차함수 $y=-2x^2$의 그래프를 x축의 방향으로 ☐만큼, y축의 방향으로 ☐만큼 평행이동한 것이다.

12 $y=-3(x+2)^2+1$

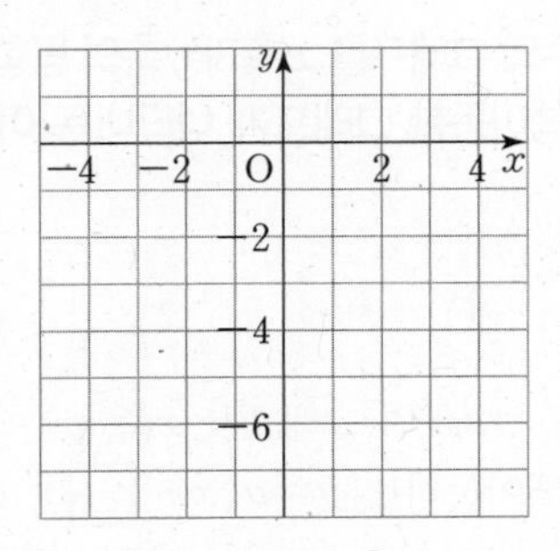

13 $y=-\frac{1}{2}(x-1)^2+2$

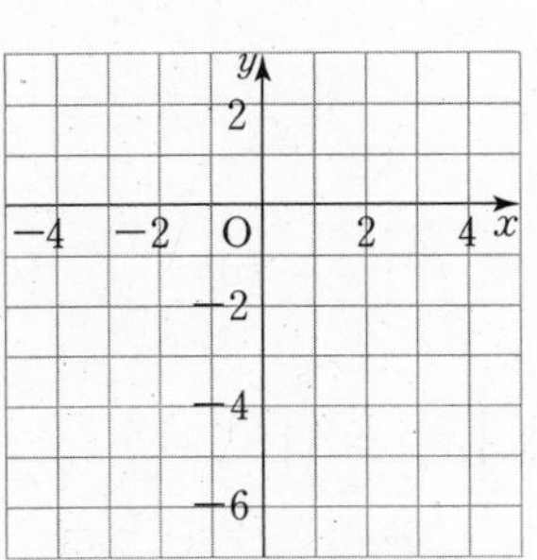

이차함수 $y=a(x-p)^2+q$의 축의 방정식

※ 다음 이차함수의 그래프의 축의 방정식을 구하여라.

14 $y=2(x-1)^2+8$

|해설| 이차함수 $y=a(x-p)^2+q$의 그래프는 직선 $x=\square$를 축으로 한다. 따라서 $y=2(x-1)^2+8$의 축의 방정식은 $\square$이다.

15 $y=(x-2)^2+4$

16 $y=-(x-4)^2-5$

17 $y=4(x-2)^2-1$

18 $y=-2(x+1)^2+2$

19 $y=-3(x+1)^2+3$

20 $y=-(x+4)^2-5$

21 $y=-3(x+2)^2-6$

이차함수 $y=a(x-p)^2+q$의 꼭짓점의 좌표

※ 다음 이차함수의 그래프의 꼭짓점의 좌표를 구하여라.

22 $y=2(x-2)^2+1$

|해설| 이차함수 $y=a(x-p)^2+q$의 그래프의 꼭짓점의 좌표는 $(\square, \square)$이다. 따라서 $y=2(x-2)^2+1$의 꼭짓점의 좌표는 $(\square, \square)$이다.

23 $y=(x-1)^2+3$

24 $y=(x-2)^2-4$

25 $y=5(x-2)^2-1$

26 $y=-2(x+1)^2+5$

27 $y=-3(x+2)^2+7$

28 $y=-(x+4)^2-6$

29 $y=-3\left(x-\frac{1}{2}\right)^2-1$

이차함수 $y=a(x-p)^2+q$의 그래프의 성질

※ 다음 이차함수의 그래프는 [ ] 안의 이차함수의 그래프를 x축과 y축의 방향으로 평행이동한 것이다. □ 안에 알맞은 것을 써넣어라.

30 $y=2(x-1)^2+3$ [$y=2x^2$]

|해설| $y=2(x-1)^2+3$은 $y=2x^2$의 그래프를 x축의 방향으로 □만큼, y축의 방향으로 □만큼 평행이동한 것이다.

31 $y=2(x+3)^2+1$ [$y=2x^2$]

|해설| $y=2(x+3)^2+1$은 $y=2x^2$의 그래프를 x축의 방향으로 □만큼, y축의 방향으로 □만큼 평행이동한 그래프이다.

32 $y=-3(x+4)^2-1$ [$y=-3x^2$]

|해설| $y=-3(x+4)^2-1$은 $y=-3x^2$의 그래프를 x축의 방향으로 □만큼, y축의 방향으로 □만큼 평행이동한 것이다.

33 $y=-3(x-4)^2-5$ [$y=-3x^2$]

|해설| $y=-3(x-4)^2-5$는 $y=-3x^2$의 그래프를 x축의 방향으로 □만큼, y축의 방향으로 □만큼 평행이동한 것이다.

학교시험 필수예제

34 이차함수 $y=-2x^2$의 그래프를 x축의 방향으로 -1 만큼, y축의 방향으로 3만큼 평행이동하면 점 $(-3,\ k)$를 지난다. 이때 k의 값을 구하여라.

※ 주어진 이차함수의 그래프에 대한 설명이다. 옳은 것에는 ○표, 옳지 않은 것에는 ×표를 하여라.

35 $y=\frac{1}{3}(x+2)^2-1$

(1) 축의 방정식은 $x=2$이다. ( )

(2) $y=-\frac{1}{2}x^2$의 그래프보다 폭이 좁다. ( )

(3) 꼭짓점의 좌표는 $(2,\ -1)$이다. ( )

(4) $y=\frac{1}{3}x^2$의 그래프를 x축의 방향으로 -2만큼, y축의 방향으로 1만큼 평행이동한 것이다. ( )

(5) $x>-2$일 때, x의 값이 증가하면 y의 값도 증가한다. ( )

(6) 이 그래프가 지나지 않는 사분면은 제4사분면이다. ( )

36 $y=-2(x+1)^2-5$

(1) $y=3x^2$의 그래프보다 폭이 넓다. ( )

(2) 꼭짓점의 좌표는 $(-1,\ -5)$이다. ( )

(3) 그래프는 제 2, 3, 4 사분면을 지난다. ( )

(4) $x<-1$일 때, x의 값이 증가하면 y의 값은 감소한다. ( )

(5) $y=-2x^2$의 그래프를 x축의 방향으로 -1만큼, y축의 방향으로 -5만큼 평행이동한 그래프이다. ( )

08 이차함수 $y=a(x-p)^2+q(a\neq0)$의 그래프의 대칭이동

빠른 정답 13쪽 / 친절한 해설 32쪽

1. 이차함수 $y=a(x-p)^2+q$를 x축의 방향으로 m만큼, y축의 방향으로 n만큼 평행이동하면
   ⇨ $y-n=a(x-m-p)^2+q$
   ⇨ $y=a(x-m-p)^2+q+n$

2. 이차함수 $y=a(x-p)^2+q$의 그래프를
   (1) x축에 대하여 대칭이동하려면 y대신 $-y$를 대입한다.
   ⇨ $-y=a(x-p)^2+q$
   ⇨ $y=-a(x-p)^2-q$
   (2) y축에 대하여 대칭이동하려면 x대신 $-x$를 대입한다.
   ⇨ $y=a(-x-p)^2+q$
   ⇨ $y=a(x+p)^2+q$

유형 117 이차함수 $y=a(x-p)^2+q$의 그래프의 평행이동

※ 이차함수 $y=2(x+5)^2-4$의 그래프를 다음과 같이 평행이동할 때, 평행이동한 그래프의 꼭짓점의 좌표와 축의 방정식을 구하여라.

01 x축의 방향으로 2만큼, y축의 방향으로 1만큼

|해설| $y-\square=2(x-\square+5)^2-4$

⇨ $y=2(x+\square)^2-\square$

꼭짓점의 좌표: $(\square, \square)$, 축의 방정식: $x=\square$

02 x축의 방향으로 -3만큼, y축의 방향으로 -2만큼

03 x축의 방향으로 7만큼, y축의 방향으로 7만큼

학교시험 필수예제

04 이차함수 $y=2(x-3)^2+1$의 그래프를 x축의 방향으로 m만큼, y축의 방향으로 n만큼 평행이동하면 꼭짓점이 원점이 된다. 이때, mn의 값을 구하여라.

유형 118 이차함수 $y=a(x-p)^2+q$의 그래프의 대칭이동

※ 이차함수 $y=5(x-1)^2+2$의 그래프를 다음과 같이 대칭이동 할 때, 대칭이동한 그래프의 꼭짓점의 좌표와 축의 방정식을 구하여라.

05 x축에 대하여 대칭이동

06 y축에 대하여 대칭이동

학교시험 필수예제

07 이차함수 $y=-(x+2)^2+6$의 그래프를 y축에 대하여 대칭이동한 그래프의 식은?

① $y=(x-2)^2-6$
② $y=(-x+2)^2-6$
③ $y=(x-2)^2+6$
④ $y=(-x-2)^2+6$
⑤ $y=-(x-2)^2+6$

09 이차함수 $y=ax^2+bx+c$의 그래프

빠른 정답 13쪽 / 친절한 해설 32쪽

이차함수 $y=ax^2+bx+c$의 그래프를 $y=a(x-p)^2+q$의 꼴로 고치기

$$\begin{aligned} y&=ax^2+bx+c \\ &=a\left(x^2+\frac{b}{a}x\right)+c \\ &=a\left\{x^2+\frac{b}{a}x+\left(\frac{b}{2a}\right)^2-\left(\frac{b}{2a}\right)^2\right\}+c \\ &=a\left\{x^2+\frac{b}{a}x+\left(\frac{b}{2a}\right)^2\right\}-\frac{b^2}{4a}+c \\ &=a\left(x+\frac{b}{2a}\right)^2-\frac{b^2-4ac}{4a} \end{aligned}$$

($-\frac{b^2}{4a}$ ← $a\times\frac{-b^2}{4a^2}$)

예 $y=2x^2-4x-1$
$=2(x^2-2x)-1$
$=2(x^2-2x+1-1)-1$
$=2(x^2-2x+1)-2-1$
$=2(x-1)^2-3$

⇨ 꼭짓점의 좌표 : $(1,\ -3)$

⇨ 축의 방정식 : $x=1$

유형 119 $y=a(x-p)^2+q$의 꼴로 고치기

※ 다음 이차함수를 $y=a(x-p)^2+q$의 꼴로 고쳐라.

01 $y=x^2-4x+7$

|해설| $y=x^2-4x+7$
$=(x^2-4x+4)-4+7$
$=(x-\square)^2+\square$

02 $y=x^2-6x+6$

03 $y=-x^2+4x-2$

04 $y=2x^2-4x+4$

05 $y=-2x^2+4x+1$

06 $y=-x^2+8x+1$

07 $y=3x^2-6x+5$

08 $y=-x^2-6x+1$

09 $y=\frac{1}{2}x^2-4x+1$

10 $y=-2x^2+8x-5$

10 이차함수 $y=ax^2+bx+c$의 그래프의 성질

빠른 정답 14쪽 / 친절한 해설 32쪽

(1) **그래프 그리기** : $y=a(x-p)^2+q$의 꼴로 고쳐서 그린다.

$$y=ax^2+bx+c \Rightarrow y=a\left(x+\frac{b}{2a}\right)^2-\frac{b^2-4ac}{4a}$$

(2) **꼭짓점의 좌표** : $\left(-\frac{b}{2a}, -\frac{b^2-4ac}{4a}\right)$

(3) **축의 방정식** : $x=-\frac{b}{2a}$

(4) **y축과의 교점의 좌표** : $(0, c)$

이차함수 $y=ax^2+bx+c$의 그래프를 그리는 순서

① $y=a(x-p)^2+q$의 꼴로 고치기 ⇨ 꼭짓점 (p, q) 잡기

② a의 부호 ⇨ 위로 볼록 또는($a>0$) 아래로 볼록($a<0$)한지 결정

③ y절편 ⇨ y축과의 교점 $(0, c)$를 지나기 포물선 그리기

이차함수 $y=ax^2+bx+c$의 그래프의 성질(1)

※ 주어진 이차함수의 꼭짓점의 좌표, x축의 방정식, y축과 만나는 점의 좌표를 각각 구하고, 그 그래프를 그려라.

01 $y=x^2+4x+1$

|해설| $y=x^2+4x+1$

$=(x^2+4x+\square)-\square+1$

$=(x+2)^2-\square$

(1) 꼭짓점의 좌표

(2) 축의 방정식

(3) y축과 만나는 점의 좌표

(4) 그래프

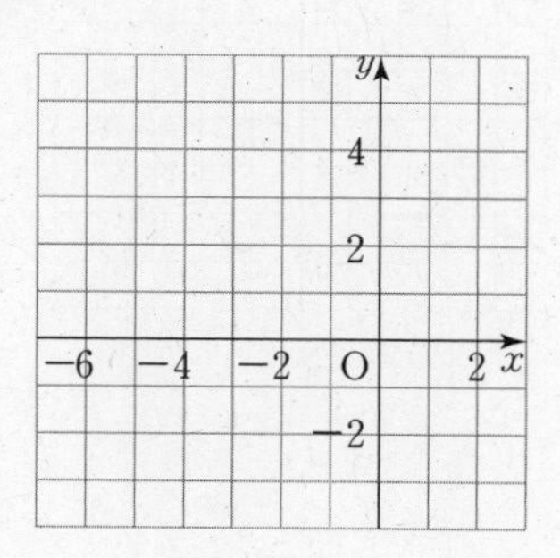

02 $y=-x^2+6x-4$

|해설| $y=-x^2+6x-4$

$=-(x^2-6x+\square)+9-4$

$=-(x-\square)^2+\square$

(1) 꼭짓점의 좌표

(2) 축의 방정식

(3) y축과 만나는 점의 좌표

(4) 그래프

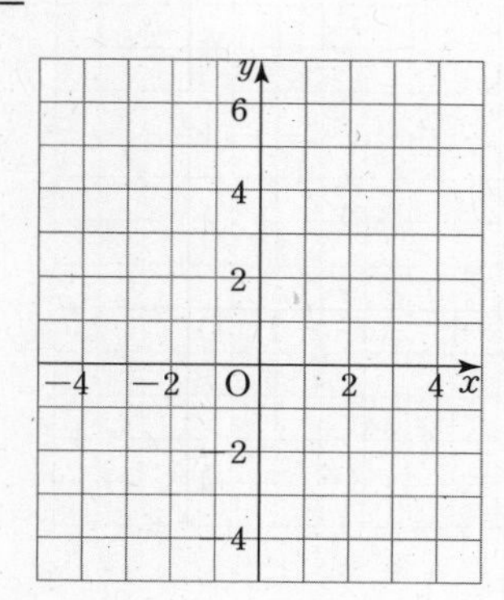

03 $y=x^2+6x+5$

(1) 꼭짓점의 좌표

(2) 축의 방정식

(3) y축과 만나는 점의 좌표

(4) 그래프

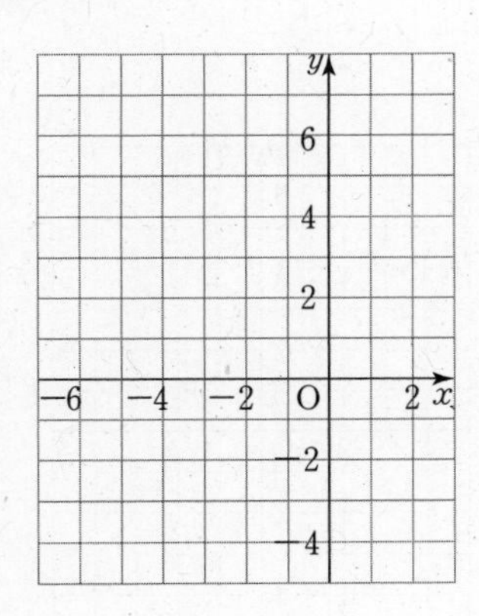

04 $y=-x^2+4x-3$

(1) 꼭짓점의 좌표

(2) 축의 방정식

(3) y축과 만나는 점의 좌표

(4) 그래프

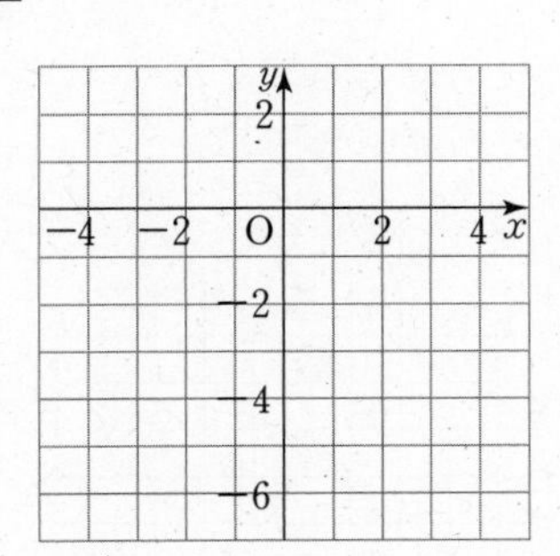

05 $y=3x^2+6x+1$

(1) 꼭짓점의 좌표

(2) 축의 방정식

(3) y축과 만나는 점의 좌표

(4) 그래프

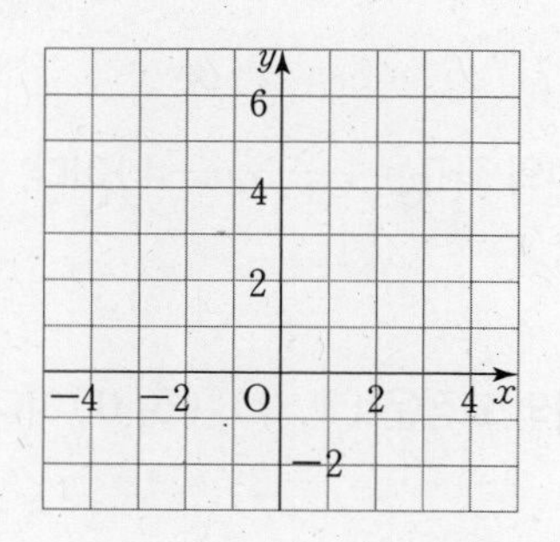

06 $y=-2x^2+8x-5$

(1) 꼭짓점의 좌표

(2) 축의 방정식

(3) y축과 만나는 점의 좌표

(4) 그래프

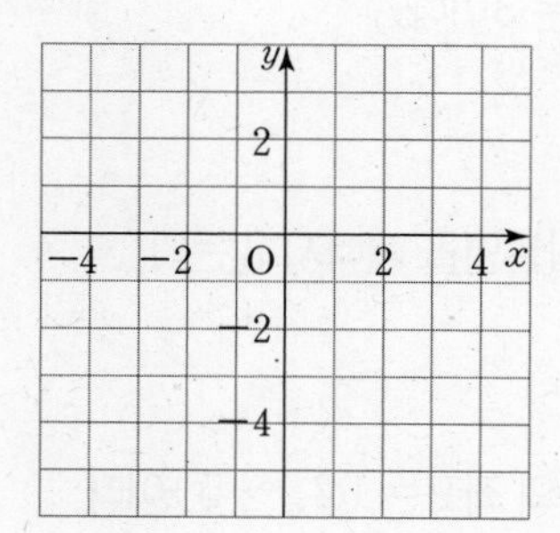

유형 121 이차함수 $y=ax^2+bx+c$의 그래프의 성질 (2)

※ 주어진 이차함수의 그래프에 대한 설명이다. 옳은 것에는 ○표, 옳지 않은 것에는 ×표를 하여라.

07 $y=-x^2+2x-3$

(1) 아래로 볼록하다. ( )

(2) 제 1, 2, 4 사분면을 지난다. ( )

(3) 꼭짓점의 좌표는 $(1, -2)$이다. ( )

(4) 직선 $x=-1$을 대칭축으로 한다. ( )

(5) $y=-x^2$의 그래프를 x축의 방향으로 1만큼, y축의 방향으로 2만큼 평행이동한 것이다. ( )

08 $y=2x^2-8x+3$

(1) 위로 볼록하다. ( )

(2) y절편은 3이다. ( )

(3) 제 3 사분면을 지나지 않는다. ( )

(4) 꼭짓점의 좌표는 $(2, -5)$이다. ( )

(5) $x>2$일 때, x의 값이 증가하면 y의 값은 감소한다. ( )

09 $y=x^2+6x+8$

(1) 아래로 볼록한 포물선이다. ( )

(2) 제 1 사분면을 지나지 않는다. ( )

(3) 축의 방정식은 $x=-3$이다. ( )

(4) $x<-3$일 때, x의 값이 증가하면 y의 값은 감소한다. ( )

(5) $y=x^2$의 그래프를 x축의 방향으로 -3만큼, y축의 방향으로 -1만큼 평행이동한 것이다. ( )

10 $y=x^2+6x+5$

(1) 아래로 볼록한 포물선이다. ( )

(2) 축의 방정식은 $x=-4$이다. ( )

(3) y축과 만나는 점은 $(5, 0)$이다. ( )

(4) 꼭짓점의 좌표는 $(-3, -4)$이다. ( )

(5) x축과의 교점은 $(1, 0)$, $(5, 0)$이다. ( )

Tip

x축과 만나는 점의 x좌표

y에 0을 대입 ⇒ 이차방정식의 해가 x좌표

11 이차함수 $y=ax^2+bx+c$의 그래프에서 a, b, c의 부호

빠른 정답 14쪽 / 친절한 해설 32쪽

(1) **a의 부호** : 그래프의 모양에 따라 결정

① 아래로 볼록 ⇨ $a>0$

② 위로 볼록 ⇨ $a<0$

(2) **b의 부호** : 축의 위치에 따라 결정

① 축이 y축의 왼쪽에 위치 ⇨ a, b는 같은 부호$(ab>0)$

② 축이 y축과 일치 ⇨ $b=0$

③ 축이 y축의 오른쪽에 위치 ⇨ a, b는 다른 부호$(ab<0)$

(3) **c의 부호** : y축의 위치에 따라 결정

① y축과의 교점이 원점의 위쪽에 위치 ⇨ $c>0$

② y축과의 교점이 원점에 위치 ⇨ $c=0$

③ y축과의 교점이 원점의 아래쪽에 위치 ⇨ $c<0$

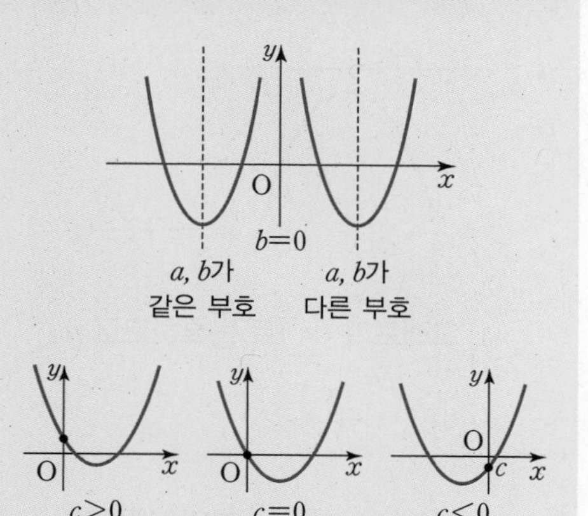

유형 122 그래프가 주어질 때 a, b, c의 부호 정하기

※ 이차함수 $y=ax^2+bx+c$의 그래프가 다음과 같을 때, □ 안에 알맞은 것을 쓰고, ○ 안에는 알맞은 부등호를 써넣어라.

01

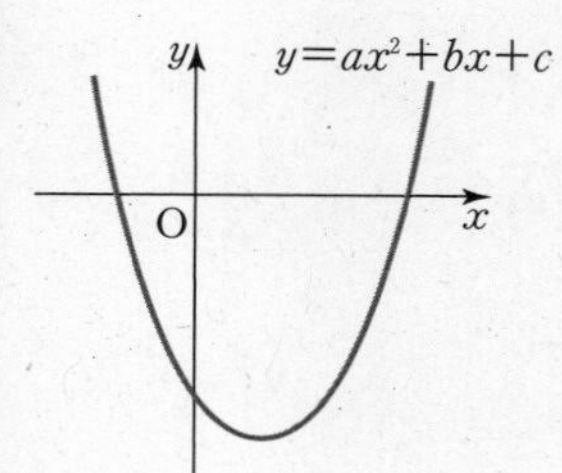

(1) 그래프가 아래로 볼록하므로 a ○ 0이다.

(2) 그래프의 축이 y축의 오른쪽에 있으므로 a, b는 서로 다른 부호이다. 즉, b ○ 0이다.

(3) y축과의 교점이 x축보다 아래쪽에 있으므로 c ○ 0이다.

02

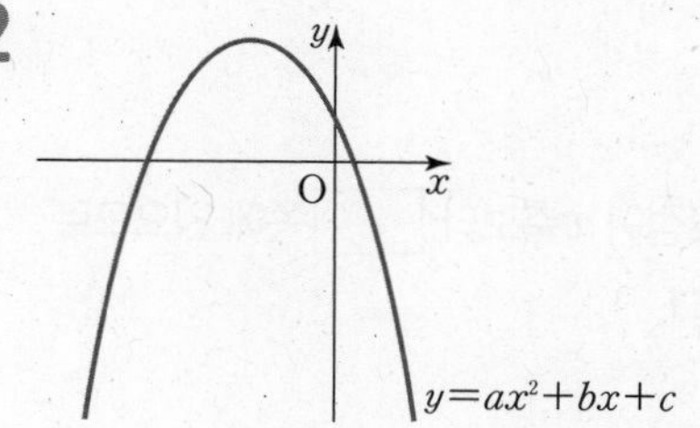

(1) 그래프가 위로 볼록하므로 a ○ 0이다.

(2) 그래프의 축이 y축의 왼쪽에 있으므로 a, b는 서로 같은 부호이다. 즉, b ○ 0이다.

(3) y축과의 교점이 x축보다 위쪽에 있으므로 c ○ 0이다.

03

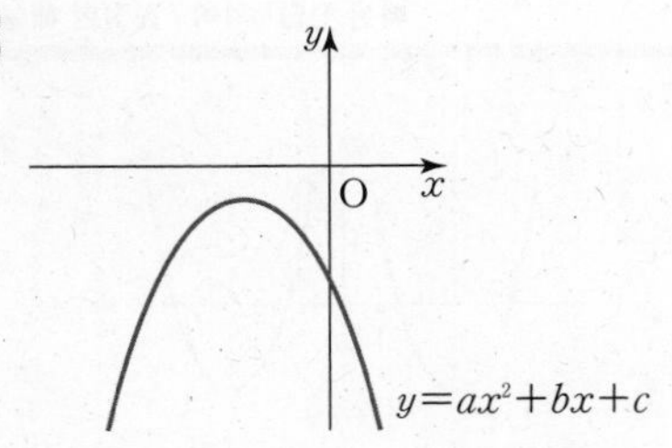

(1) 그래프가 □로 볼록하므로 a ○ 0이다.

(2) 그래프의 축이 y축의 왼쪽에 있으므로 a, b는 서로 □ 부호이다. 즉, b ○ 0이다.

(3) y축과의 교점이 x축보다 □쪽에 있으므로 c ○ 0이다.

04

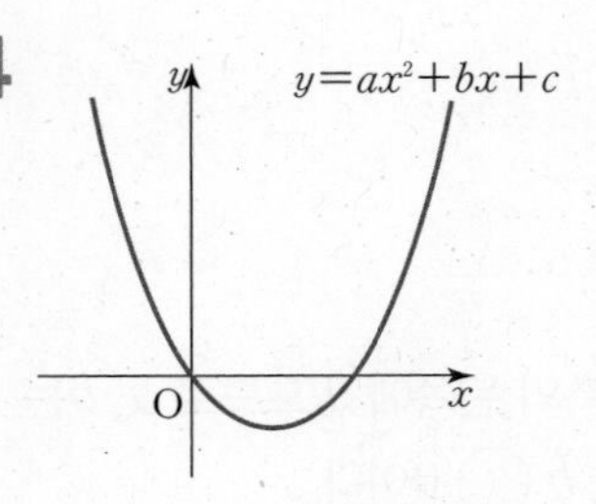

(1) 그래프가 □로 볼록하므로 a ○ 0이다.

(2) 그래프의 축이 y축의 오른쪽에 있으므로 a, b는 서로 □ 부호이다. 즉, b ○ 0이다.

(3) y절편이 □이므로 c ○ 0이다.

※ 이차함수 $y=ax^2+bx+c$의 그래프가 다음과 같을 때, 상수 a, b, c의 부호를 정하여라.

05

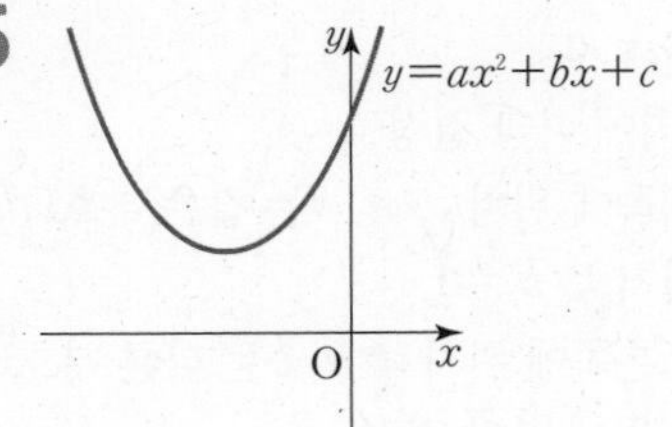

|해설| 그래프가 아래로 볼록하므로 a ○ 0이다. 그래프의 축이 y축의 왼쪽에 있으므로 a, b는 서로 □ 부호이다. 즉 $b>0$이다. y축과의 교점이 x축보다 위쪽에 있으므로 c ○ 0이다.

06

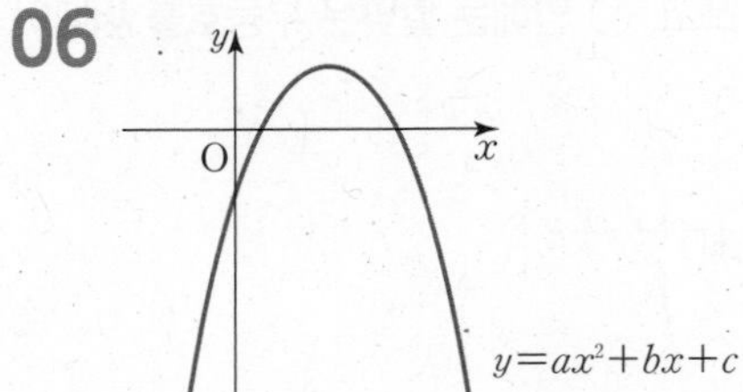

07

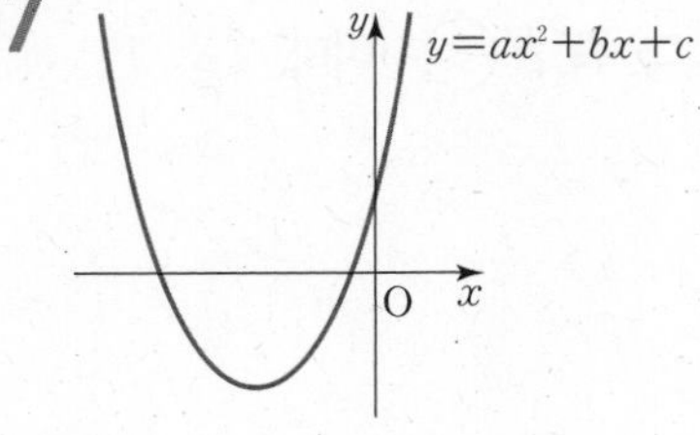

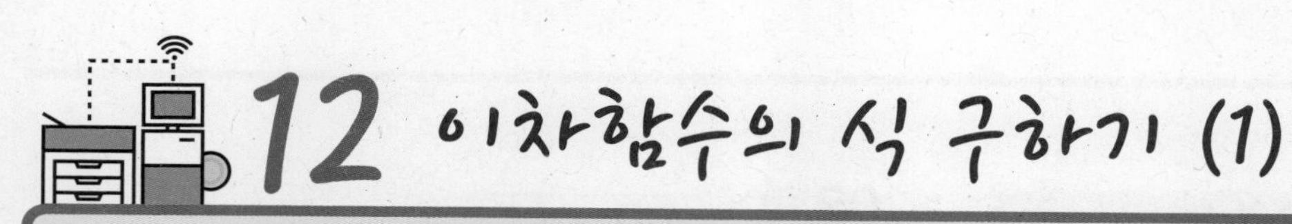

12 이차함수의 식 구하기 (1)

빠른 정답 14쪽 / 친절한 해설 32쪽

꼭짓점의 좌표와 그래프 위의 한 점을 알 때, 이차함수의 식 구하기

(1) 꼭짓점의 좌표가 (p, q)일 때 ⇨ $y=a(x-p)^2+q$로 놓는다.

(2) 한 점의 좌표를 대입하여 a의 값을 구한다.

점 (m, n)이 이차함수 $y=ax^2+bx+c$의 그래프 위의 점이다. ⇨ $x=m$, $y=n$을 $y=ax^2+bx+c$에 대입하면 등식이 성립한다.

⇩

$n=am^2+bm+c$

- 꼭짓점의 좌표가 $(0, q)$
  ⇨ $y=ax^2+q$
- 꼭짓점의 좌표가 $(p, 0)$
  ⇨ $y=a(x-p)^2$

유형 123 꼭짓점과 다른 한 점이 주어진 이차함수의 식

※ 꼭짓점이 P이고 점 Q를 지나는 이차함수의 식을 $y=a(x-p)^2+q$의 꼴로 나타내어라.

01 꼭짓점 $\mathrm{P}(1, -4)$, $\mathrm{Q}(0, -2)$

|해설| 꼭짓점의 좌표가 $\mathrm{P}(1, -4)$이므로
이차함수를 $y=a(x-\square)^2-\square$
의 꼴로 나타낼 수 있다.
점 $\mathrm{Q}(0, -2)$를 지나므로
$x=0$, $y=-2$를 대입하면
$a=\square$
따라서 구하는 이차함수의 식은
$y=\square(x-\square)^2-\square$

02 꼭짓점 $\mathrm{P}(1, 5)$, $\mathrm{Q}(0, 2)$

03 꼭짓점 $\mathrm{P}(2, -3)$, $\mathrm{Q}(0, 5)$

04 꼭짓점 $\mathrm{P}(-2, 5)$, $\mathrm{Q}(0, -3)$

05 꼭짓점 $\mathrm{P}(2, -1)$, $\mathrm{Q}(3, 1)$

124 그래프가 주어진 이차함수의 식

※ 다음 그림과 같은 포물선을 나타내는 이차함수의 식을 $y=ax^2+bx+c$의 꼴로 나타내어라.

06

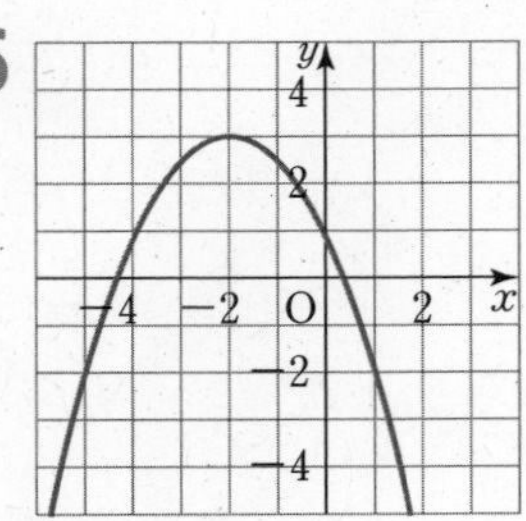

|해설| 포물선의 꼭짓점의 좌표가 $(-2, 3)$이므로 구하는 이차함수를 $y=a(x+2)^2+3$의 꼴로 나타낼 수 있다. 또, 그래프가 점 $(0, 1)$을 지나므로

$x=0$, $y=1$을 대입하면 $a=\square$

따라서 구하는 이차함수의 식은

$y=\square(x+2)^2+3$

$=\square x^2-\square x+1$

07

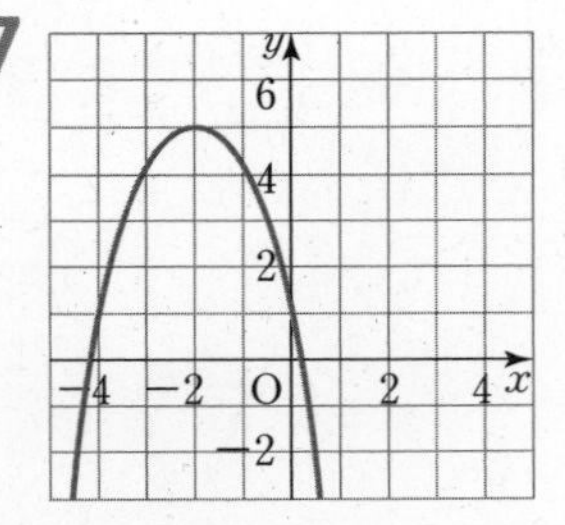

|해설| 포물선의 꼭짓점의 좌표가 $(-2, 5)$이므로 구하는 이차함수를 $y=a(x+2)^2+5$의 꼴로 나타낼 수 있다.

또, 그래프가 점 $(0, 1)$을 지나므로

$x=0$, $y=1$을 대입하면 $a=\square$

따라서 구하는 이차함수의 식은

$y=\square(x+2)^2+5=\square x^2-\square x+\square$

08

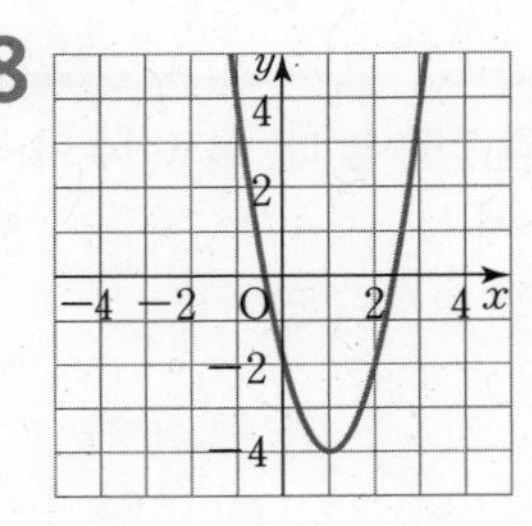

09

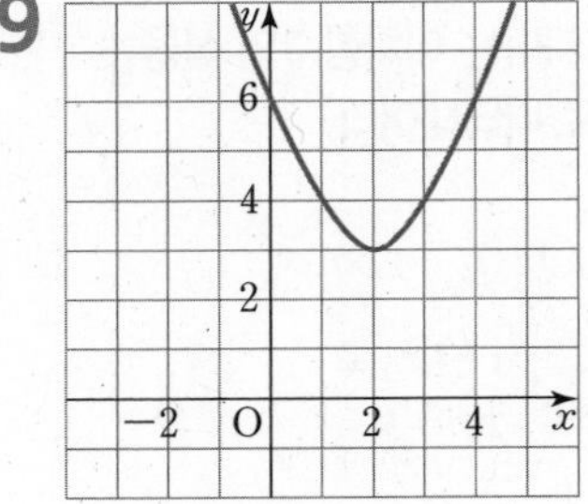

10

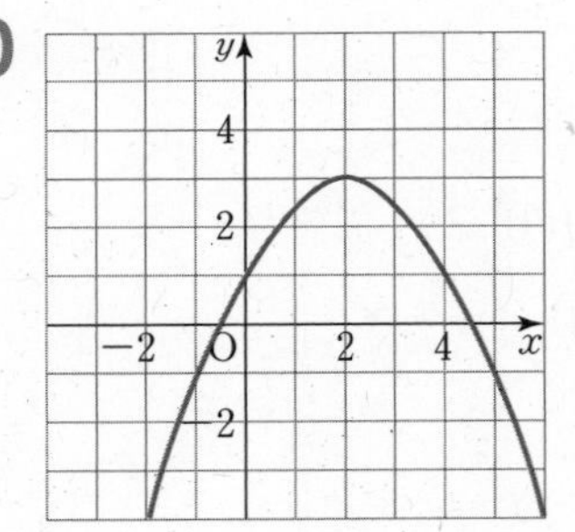

13 이차함수의 식 구하기 (2)

빠른 정답 14쪽 / 친절한 해설 33쪽

축의 방정식 $x=p$와 서로 다른 두 점의 좌표를 알 때, 이차함수의 식 구하기

축의 방정식이 $x=p$이고 두 점 (x_1, y_1), (x_2, y_2)를 지나는 이차함수

⇨ $y=a(x-p)^2+q$에 두 점의 좌표를 각각 대입하여 a, q의 값을 구한다.

- 이차함수의 축의 방정식이 $x=3$이면, $y=a(x-3)^2+q$
- 이차함수의 축의 방정식이 $x=-3$이면, $y=a(x+3)^2+q$

① 이차함수의 축의 방정식이 $x=p$이면 $y=a(x-p)^2+q$
② 이차함수가 지나는 두 점을 대입
③ ②의 식을 연립하여 이차함수의 식을 구한다.

유형 125 축의 방정식 $x=p$와 그래프 위의 두 점을 알 때

※ 축의 방정식이 $x=2$이고 두 점 A와 B를 지나는 이차함수의 식을 $y=a(x-p)^2+q$라 할 때, 상수 a, p, q에 대하여 apq의 값을 구하여라.

01 A$(1,\ 9)$, B$(-2,\ -6)$

|해설| 축의 방정식이 $x=2$이므로 $p=$□
$y=a(x-2)^2+q$에 $x=1$, $y=$□를 대입
$9=$□$+q$ ……㉠
$y=a(x-2)^2+q$에 $x=-2$, $y=$□을 대입
$-6=$□$a+q$ ……㉡
㉠과 ㉡을 연립하여 풀면
$a=$□, $q=$□
$\therefore\ apq=-1\times2\times10=$□

02 A$(-3,\ 3)$, B$(5,\ -13)$

학교시험 필수예제

03 축의 방정식이 $x=-4$이고, 두 점 $(-1, 3)$, $(-5, 11)$을 지나는 이차함수의 그래프가 점 $(4, m)$을 지날 때, m의 값을 구하여라.

※ 이차함수 $y=ax^2+bx+c$의 그래프가 두 점 A, B를 지나고, 축의 방정식이 $x=-1$일 때, 상수 a, b, c에 대하여 $3a-6b+c$의 값을 구하여라.

04 A$(1,\ -2)$, B$(4,\ -9)$

05 A$(-3,\ 4)$, B$(2,\ -6)$

※ 축의 방정식과 두 점의 좌표를 보고 이차함수의 그래프의 식을 구하여라.

06 축의 방정식: $x=1$, 두 점: $(0, 6)$, $(4, 10)$

07 축의 방정식: $x=0$, 두 점: $(-1, 6)$, $(3, -2)$

14 이차함수의 식 구하기 (3)

빠른 정답 14쪽 / 친절한 해설 33쪽

그래프 위의 서로 다른 세 점을 알 때, 이차함수의 식 구하기

(1) 이차함수의 식을 $y=ax^2+bx+c$로 놓는다.

(2) 세 점의 좌표를 각각 대입하여 a, b, c의 값을 구한다.

(3) x절편 또는 y절편을 알 때

① y절편과 두 점이 주어지는 경우

② x절편과 한 점이 주어지는 경우

① $(0, 1)$처럼 x좌표가 0인 점은 y축과의 교점인 경우이므로 이 점을 가장 먼저 $y=ax^2+bx+c$에 대입하여 c값을 구한다.

② $(1, 0)$, $(2, 0)$ 처럼 x절편이 주어지는 경우 ⇨ $y=a(x-1)(x-2)$의 꼴로 놓고 나머지 한 점을 대입하여 구한다.

유형 126 세 점이 주어지는 이차함수의 식

※ 다음 세 점을 지나는 포물선을 나타내는 이차함수의 식을 $y=ax^2+bx+c$의 꼴로 나타내어라.

01 $(0, 1)$, $(1, -1)$, $(-1, 5)$

|해설| 이차함수의 식을 $y=ax^2+bx+c$로 놓고

$x=0$, $y=1$을 대입하면

$1=c$ …… ㉠

$x=1$, $y=-1$을 대입하면

$-1=a+b+c$ …… ㉡

$x=-1$, $y=5$를 대입하면

$5=a-b+c$ …… ㉢

㉠, ㉡, ㉢을 연립하여 풀면

$a=\square$, $b=-\square$, $c=\square$

따라서 구하는 이차함수의 식은

$y=x^2-\square x+\square$

02 $(-3, 0)$, $(0, 6)$, $(2, -10)$

03 $(0, -1)$, $(1, -2)$, $(-1, 3)$

04 $(1, 0)$, $(2, 0)$, $(-1, 6)$

|해설| 이차함수의 식을 $y=a(x-1)(x-\square)$로 놓고

$x=-1$, $y=6$을 대입하면

$a=\square$

따라서 이차함수의 식은

$y=(x-1)(x-\square)=x^2-\square x+\square$

05 $(-2, 0)$, $(3, 0)$, $(0, -3)$

학교시험 필수예제

06 오른쪽 그림과 같은 포물선을 그래프로 갖는 이차함수의 식을 $y=ax^2+bx+c$의 꼴로 나타내어라.

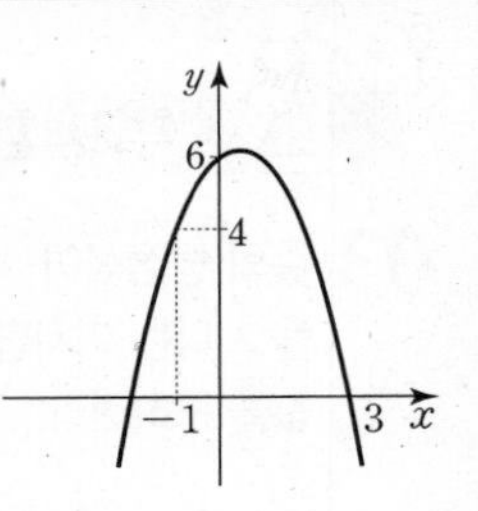

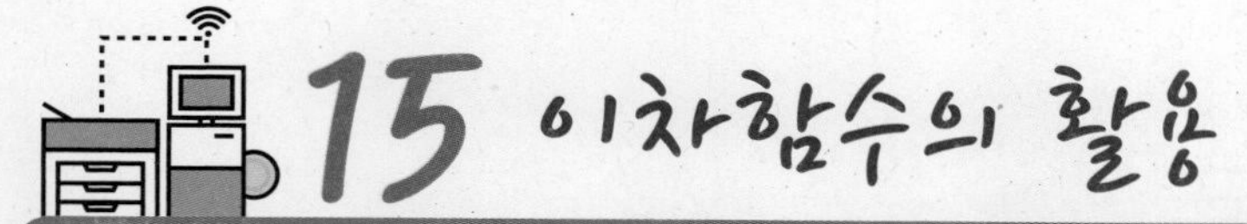

15 이차함수의 활용

빠른 정답 14쪽 / 친절한 해설 34쪽

이차함수의 활용 문제는 다음과 같은 순서로 푼다.
① 문제의 뜻을 파악하여 두 변수 x,y를 정한다.
② 변수 x,y사이의 관계식을 이차함수로 표현한다.
③ 이차함수 식을 이용하여 주어진 조건에 맞는 값을 구한다.
④ 구한 답이 문제의 조건에 맞는지 확인한다.

합이 10인 두 수의 곱을 y, 한 수를 x라 할 때, x, y사이의 관계식을 이차함수로 표현하면
⇨ 한 수가 x이므로 다른 한 수는 $10-x$
⇨ $y=x(10-x)$
$=-x^2+10x$

유형 127 이차함수의 활용

※ 다음을 읽고, 물음에 답하여라.

01 차가 6인 두 수의 곱을 y, 큰 수를 x 라 할 때, x , y 사이의 관계식을 이차함수로 표현하여라.

|해설| (1) 큰 수를 x라 하면, 다른 한 수는 $x-\square$
(2) 두 수의 곱이 y이므로 $y=x(x-\square)=x^2-\square x$
(3) $x=3$일 때, 두 수의 곱은 $\square$

02 골키퍼가 찬 축구공의 x초 후의 높이를 y m라 할 때, x와 y사이에는 $y=-5x^2+20x$인 관계가 성립한다고 한다. 이 선수가 축구공을 찬 후 축구공이 지면에 떨어지는 것은 몇 초 후인지 구하여라.

03 가로의 길이가 x cm, 세로의 길이가 가로의 길이보다 $4x$ cm만큼 더 긴 직사각형의 넓이를 y cm^2이라고 할 때, 이 직사각형의 넓이를 이차함수의 식으로 나타내어라.

04 둘레의 길이가 98 m인 직사각형이 있다. 이 직사각형의 가로의 길이를 x m, 넓이를 y m^2라고 할 때, 다음 물음에 답하여라.
(1) x, y사이의 관계식을 이차함수로 표현하여라.

(2) 이 직사각형의 넓이가 48 m^2일 때, 세로의 길이를 구하여라.

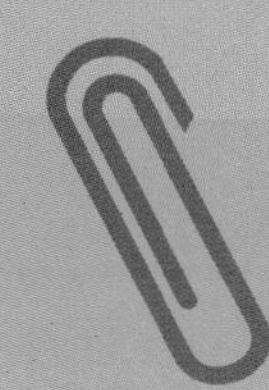

Ⅳ. 이차함수와 그래프

기본 개념 CHECK

1. 이차함수의 뜻

$y=f(x)$에서 y가 x에 대한 이차식 $y=ax^2+bx+c$ ($a\neq0$, a, b, c는 상수)의 꼴로 나타내어질 때, y를 x에 대한 ❶ [ ] 라고 한다.

2. 이차함수 $y=x^2$의 그래프

(1) 원점을 지나고 ❷ [ ] 로 볼록한 곡선이다. (2) ❸ [ ] 축에 대칭이다.

(3) $x<0$일 때, x의 값이 증가하면 y의 값은 감소한다.
$x>0$일 때, x의 값이 증가하면 y의 값은 증가한다.

3. 이차함수 $y=-x^2$의 그래프

(1) ❹ [ ] 을 지나고 위로 볼록한 곡선이다. (2) ❺ [ ] 축에 대칭이다.

(3) $x<0$일 때, x의 값이 증가하면 y의 값은 ❻ [ ] 한다.
$x>0$일 때, x의 값이 증가하면 y의 값은 ❼ [ ] 한다.

(4) $y=x^2$의 그래프와 ❽ [ ] 축에 대칭이다.

4. 이차함수 $y=ax^2$의 그래프

(1) 원점을 꼭짓점으로 하고, y축을 축으로 하는 포물선이다.

(2) $a>0$이면 ❾ [ ] 로 볼록하고, $a<0$이면 ❿ [ ] 로 볼록하다.

(3) a의 절댓값이 클수록 그래프의 폭이 좁아진다.

(4) 이차함수 ⓫ [ ] 의 그래프와 x축에 서로 대칭이다.

5~9. 이차함수와 그래프

($a\neq0$)	$y=ax^2$	$y=ax^2+q$	$y=a(x-p)^2$	$y=a(x-p)^2+q$
꼭짓점의 좌표	$(0, 0)$	$(0, q)$	$(p, 0)$	(p, q)
축의 방정식	$x=0$	$x=0$	$x=p$	$x=p$
그래프 ($a>0$) ($p>0$) ($q>0$)				

❶ 이차함수 ❷ 아래 ❸ y ❹ 원점 ❺ y ❻ 증가 ❼ 감소 ❽ x ❾ 아래 ❿ 위 ⓫ $y=-ax^2$

개념 Window

$a\neq0$일 때

① x에 대한 이차식
⇨ ax^2+bx+c

② x에 대한 이차방정식
⇨ $ax^2+bx+c=0$

③ x에 대한 이차함수
⇨ $y=ax^2+bx+c$

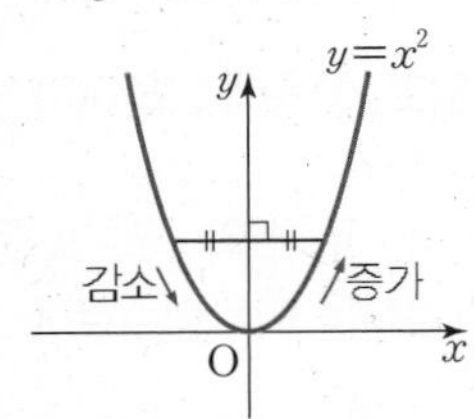

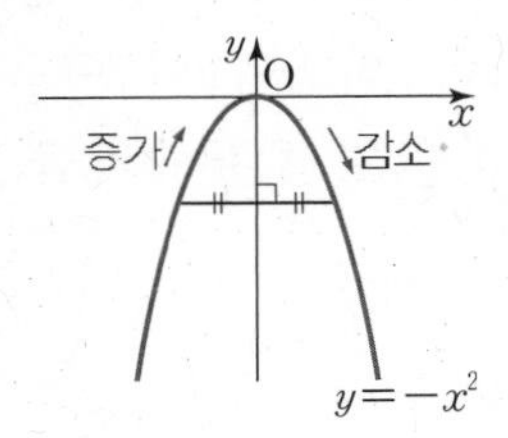

$a>0$

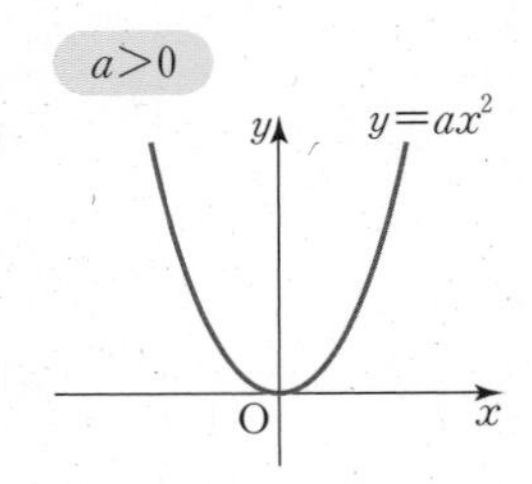

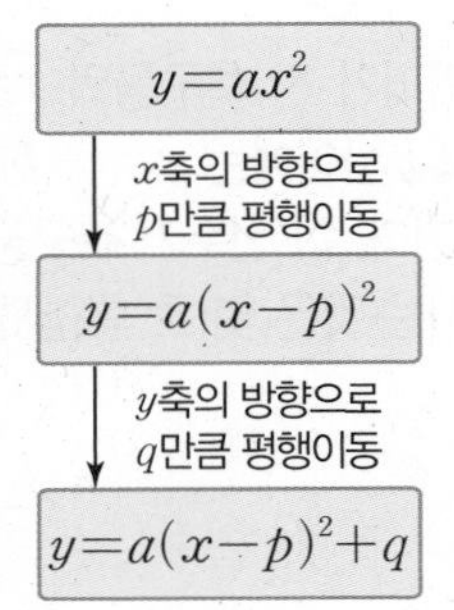

이차함수 $y=ax^2+bx+c$의 그래프를 그리는 순서

① $y=a(x-p)^2+q$의 꼴로 고치기 ⇨ 꼭짓점 (p, q) 찍기

② a의 부호 ⇨ 위로 볼록 또는 아래로 볼록한지 결정

③ y절편 ⇨ y축과 만나는 점 $(0, c)$ 지나기

11. 이차함수 $y=ax^2+bx+c$의 그래프에서 a, b, c의 부호

(1) a의 부호 : 그래프의 모양에 따라 결정

① 아래로 볼록 ⇨ a ⓬ 0

② 위로 볼록 ⇨ a ⓭ 0

(2) b의 부호 : 축의 위치에 따라 결정

① 축이 y축의 왼쪽에 위치 ⇨ a, b는 같은 부호(ab ⓮ 0)

② 축이 y축과 일치 ⇨ $b=0$

③ 축이 y축의 오른쪽에 위치 ⇨ a, b는 다른 부호(ab ⓯ 0)

(3) c의 부호 : y축의 위치에 따라 결정

① y축과의 교점이 원점의 위쪽에 위치 ⇨ c ⓰ 0

② y축과의 교점이 원점에 위치 ⇨ $c=0$

③ y축과의 교점이 원점의 아래쪽에 위치 ⇨ c ⓱ 0

12~14. 이차함수의 식 구하기

(1) 꼭짓점의 좌표와 그래프 위의 한 점을 알 때

⇨ 꼭짓점의 좌표가 (p, q)일 때 ⇨ $y=a(x-p)^2+q$로 놓는다.

⇨ 한 점의 좌표를 대입하여 a의 값을 구한다.

점 (m, n)이 이차함수 $y=ax^2+bx+c$의 그래프 위의 점이다.	⇨	$x=m$, $y=n$을 $y=ax^2+bx+c$에 대입하면 등식이 성립한다.	⇨	$n=am^2+bm+c$

(2) 축의 방정식과 서로 다른 두 점을 알 때

축의 방정식이 $x=p$이고 두 점 $(x_1,\ y_1)$, $(x_2,\ y_2)$를 지나는 이차함수

⇨ $y=a(x-p)^2+q$에 두 점의 좌표를 각각 대입하여 a, q의 값을 구한다.

• 이차함수의 축의 방정식이 $x=3$이면, $y=a(x$ ⓲ $)^2+q$

• 이차함수의 축의 방정식이 $x=-3$이면, $y=a(x$ ⓳ $)^2+q$

(3) 그래프 위의 서로 다른 세 점을 알 때

① 이차함수의 식을 $y=ax^2+bx+c$로 놓는다.

② 세 점의 좌표를 각각 대입하여 a, b, c의 값을 구한다.

③ x절편 또는 y절편을 알 때

⇨ y절편과 두 점이 주어지는 경우

⇨ x절편과 한 점이 주어지는 경우

개념 window

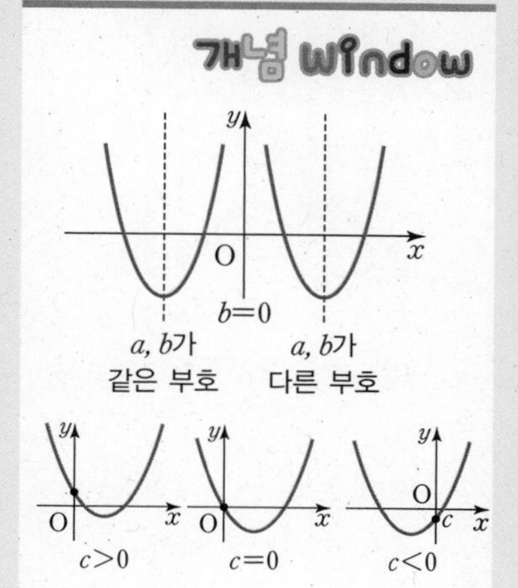

• 꼭짓점의 좌표가 $(0, q)$

⇨ $y=ax^2+q$

• 꼭짓점의 좌표가 $(p, 0)$

⇨ $y=a(x-p)^2$

① 이차함수의 축의 방정식이 $x=p$이면 $y=a(x-p)^2+q$

② 이차함수가 지나는 두 점을 대입

③ ②의 식을 연립하여 이차함수의 식을 구한다.

① $(0, 1)$처럼 x좌표가 0인 점은 y축과의 교점인 경우이므로 이 점을 가장 먼저 $y=ax^2+bx+c$에 대입하여 c값을 구한다.

② $(1, 0)$, $(2, 0)$ 처럼 x절편이 주어지는 경우

⇨ $y=a(x-1)(x-2)$의 꼴로 놓고 나머지 한 점을 대입하여 구한다.

⓬ > ⓭ < ⓮ > ⓯ < ⓰ > ⓱ < ⓲ −3 ⓳ +3

유형 익힘 분석

틀린 문항이 20% 이하이면 ○표, 20%~50% 범위이면 △표, 50% 이상이면 ×표를 하여 결과를 기준으로 나에게 취약한 유형을 파악한 후 관련 개념과 문제를 반드시 복습하고 개념을 완벽히 이해하도록 하세요.

유형No.	유형	총 문항수	틀린 문항수	채점결과
001	제곱근의 뜻	7		○△×
002	제곱근 구하기	8		○△×
003	양의 제곱근, 음의 제곱근	10		○△×
004	a의 제곱근과 제곱근 a	12		○△×
005	$(\sqrt{a})^2=a$, $(-\sqrt{a})^2=a$	7		○△×
006	$\sqrt{a^2}=a$, $\sqrt{(-a)^2}=a$	22		○△×
007	제곱근의 성질을 이용한 계산	22		○△×
008	$\sqrt{a^2}$ 꼴 간단히 하기	12		○△×
009	$\sqrt{(a-b)^2}$ 꼴 간단히 하기	12		○△×
010	$\sqrt{ax}$꼴이 자연수가 되도록 하는 자연수	9		○△×
011	$\sqrt{\frac{a}{x}}$꼴이 자연수가 되도록 하는 자연수	10		○△×
012	$\sqrt{a}$와 $\sqrt{b}$의 대소 비교	10		○△×
013	a와 $\sqrt{b}$의 대소 비교	9		○△×
014	제곱근을 포함한 부등식	9		○△×
015	유리수와 무리수의 구별	13		○△×
016	실수의 분류	4		○△×
017	무리수를 수직선 위에 나타내기	21		○△×
018	실수와 수직선	11		○△×
019	두 실수의 대소 비교	11		○△×
020	두 수의 대소 비교: $a-b$의 부호로 판단하기	14		○△×
021	무리수의 정수 부분과 소수 부분	10		○△×
022	제곱근의 곱셈	27		○△×
023	$\sqrt{a^2b}=a\sqrt{b}$	13		○△×
024	$a\sqrt{b}=\sqrt{a^2b}$	16		○△×
025	제곱근의 나눗셈	23		○△×
026	$\sqrt{\frac{b}{a^2}}=\frac{\sqrt{b}}{a}$	6		○△×
027	$\frac{\sqrt{b}}{a}=\sqrt{\frac{b}{a^2}}$	6		○△×
028	$\frac{1}{\sqrt{b}}$꼴 분모의 유리화	6		○△×
029	$\frac{a}{\sqrt{b}}$꼴 분모의 유리화	6		○△×
030	$\frac{\sqrt{a}}{\sqrt{b}}$ 꼴 분모의 유리화	7		○△×
031	$\frac{\sqrt{a}}{b\sqrt{c}}$꼴 분모의 유리화	7		○△×
032	제곱근표 읽기	11		○△×
033	주어진 제곱근의 값을 이용한 어림한 값	9		○△×
034	제곱근의 곱셈과 나눗셈의 혼합 계산	16		○△×
035	제곱근의 덧셈	10		○△×
036	제곱근의 뺄셈	7		○△×
037	제곱근의 덧셈과 뺄셈의 혼합 계산	6		○△×
038	근호 안을 간단히 하여 계산하기	20		○△×
039	근호가 있는 식의 분배법칙	12		○△×
040	근호를 포함한 복잡한 식의 계산	8		○△×
041	식의 전개	9		○△×
042	곱셈 공식 (1) 합의 제곱	14		○△×
043	곱셈 공식 (1) 차의 제곱	17		○△×
044	곱셈 공식 (2) 합과 차의 곱	14		○△×
045	곱셈 공식 (3) x의 계수가 1인 두 일차식의 곱	23		○△×
046	곱셈 공식 (4) x의 계수가 1이 아닌 두 일차식의 곱	23		○△×
047	곱셈 공식을 이용한 수의 계산	18		○△×
048	두 수가 주어진 경우의 식의 값	12		○△×
049	제곱근을 포함한 수의 계산	19		○△×
050	분배법칙을 이용한 분모의 유리화: $\frac{\sqrt{a}+\sqrt{b}}{\sqrt{c}}$꼴	10		○△×
051	곱셈공식을 이용한 분모의 유리화: $\frac{c}{\sqrt{a}+\sqrt{b}}$꼴	12		○△×
052	곱셈공식의 변형	9		○△×
053	인수분해의 뜻	6		○△×
054	인수	5		○△×
055	공통 인수를 이용한 인수분해	11		○△×
056	인수분해 공식 (1) $a^2\pm2ab+b^2$	45		○△×
057	완전제곱식이 될 조건	12		○△×
058	근호 안이 완전제곱식으로 인수분해되는 식	12		○△×
059	인수분해 공식 (2) a^2-b^2	30		○△×

연산으로 마스터하는

중학 수학 3 (상)

정답 및 해설

연산으로 마스터하는

중학 수학 3 (상)

빠른 정답

Ⅰ. 제곱근과 실수

01. 제곱근의 뜻 (본문 8쪽)

01 $2, -2$
02 $4, -4$
03 $6, -6$
04 $10, -10$
05 $0.3, -0.3$
06 $\frac{1}{3}, -\frac{1}{3}$
07 $\frac{11}{7}, -\frac{11}{7}$
08 0
09 $1, -1$
10 $6, -6$
11 $\frac{2}{5}, -\frac{2}{5}$
12 $0.1, -0.1$
13 $2, -2$
14 $9, -9$
15 $\frac{16}{3}, -\frac{16}{3}$

02. 제곱근의 표현 (본문 9쪽)

01 $-1, 4, -5, 0.1, -\frac{3}{2}, \frac{7}{5}$
02 $\sqrt{2}$
03 $-\sqrt{6}$
04 $\sqrt{7}$
05 $-\sqrt{19}$
06 $\sqrt{20}$
07 $-\sqrt{23}$
08 $\sqrt{0.6}$
09 $-\sqrt{\frac{3}{5}}$
10 $\sqrt{\frac{1}{2}}$
11 $2, \sqrt{5}, -\sqrt{5}, \sqrt{11}, -\sqrt{11}, \sqrt{13}, -\sqrt{13}, \sqrt{13}, 5, -5, 5, \sqrt{43}, -\sqrt{43}, 15, -15, \sqrt{0.8}, -\sqrt{0.8}, \frac{1}{11}, -\frac{1}{11}, \frac{1}{11}, \sqrt{\frac{3}{2}}, -\sqrt{\frac{3}{2}}$
12 $\sqrt{7}, -\sqrt{7}$
13 $\sqrt{13}, -\sqrt{13}$
14 $\sqrt{30}, -\sqrt{30}$
15 $6, -6$
16 $\sqrt{50}, -\sqrt{50}$
17 $\sqrt{17}$
18 $\sqrt{21}$
19 $\sqrt{46}$
20 $\sqrt{\frac{2}{3}}$
21 $\sqrt{\frac{3}{13}}$
22 ①

03. 제곱근의 성질 (본문 11쪽)

01 3
02 4
03 5
04 20
05 $\frac{1}{3}$
06 0.2
07 $-\frac{2}{13}$
08 8
09 12
10 -14
11 10
12 -15
13 $\frac{4}{3}$
14 $-\frac{5}{11}$
15 2
16 3
17 -7
18 -10
19 -11
20 ± 6
21 ± 15
22 0.1
23 0.5
24 -0.2
25 ± 0.8
26 $\frac{3}{10}$
27 $\frac{1}{2}$
28 $-\frac{5}{9}$
29 $\pm\frac{20}{7}$
30 8
31 4
32 7
33 2
34 10
35 4
36 0.6
37 23
38 19
39 $-\frac{1}{2}$
40 9
41 $\frac{1}{6}$
42 $9, 19$
43 -5
44 0.04
45 -1.9
46 8
47 $-\frac{1}{5}$
48 -1
49 88
50 1.2
51 $\frac{1}{3}$

04. $\sqrt{A^2}$의 성질 (본문 15쪽)

01 $>, a$
02 $>, 3a$
03 $>, 4a$
04 $<, a$
05 $<, 2a$
06 $<, 5a$
07 $<, -a$
08 $<, -5a$
09 $<, -8a$
10 $>, -a$
11 $>, -2a$
12 $>, -3a$
13 $>, x-1$
14 $>, y+2$
15 $<, x-1, -x+1$
16 $<, x+4, -x-4$
17 $<, -y-2$
18 $7a, 9a$
19 $4a, 9a$
20 $-9a, -a, -10a$
21 $-2a+1$
22 -4
23 $-2a+2$
24 10

05. 제곱수를 이용하여 근호 없애기 (본문 17쪽)

01 $5, 5$
02 2
03 7
04 $x=10$
05 $4, 2$
06 $x=3$
07 $x=5$
08 $x=3$
09 $x=31$
10 $2, 3$
11 2
12 33
13 14
14 30
15 5
16 6
17 3
18 15
19 2

06. 제곱근의 대소 관계 (본문 19쪽)

01 $<, <$
02 $<$
03 $<$

04 $>$

05 $<$

06 $>$

07 $>$

08 $<$

09 $>$

10 $<$

11 $<, <, <$

12 $<$

13 $<$

14 $>$

15 $>$

16 $<$

17 $>$

18 $>$

19 $<$

20 16, 16

21 3개

22 5개

23 11개

24 9, 7

25 5개

26 2개

27 3개

28 15개

07. 무리수 (본문 22쪽)

01 무

02 무

03 유

04 유

05 유

06 무

07 유

08 무

09 유

10 무

11 유

12 유

13 ㉠, ㉣

08. 실수 (본문 23쪽)

01 (1) 2

(2) $2, -3, -\sqrt{4}, 0$

(3) $2, 1.3, 0.4\dot{3}, -3, -\sqrt{4}, 0$

(4) $\pi, -\sqrt{7}, 1+\sqrt{2}$

(5) $\pi, 2, -\sqrt{7}, 1.3, 0.4\dot{3}, -3, -\sqrt{4}, 1+\sqrt{2}, 0$

02 (1) $3, \sqrt{(-6)^2}$

(2) $3, \sqrt{(-6)^2}$

(3) $3, \sqrt{\frac{9}{4}}, -0.3, \frac{5}{3}, \sqrt{(-6)^2}$

(4) $-\sqrt{10}, \sqrt{1.8}, 1.2345\cdots$

(5) $3, -\sqrt{10}, \sqrt{\frac{9}{4}}, -0.3, \sqrt{1.8}, \frac{5}{3}, \sqrt{(-6)^2}, 1.2345\cdots$

03 (1) $(-\sqrt{2})^2, \sqrt{(-3)^2}$

(2) $-\sqrt{16}, (-\sqrt{2})^2, \sqrt{(-3)^2}$

(3) $-\sqrt{16}, (-\sqrt{2})^2, \sqrt{0.\dot{1}}, \sqrt{\frac{25}{9}}, \sqrt{(-3)^2}$

(4) $\sqrt{25}$의 음의 제곱근, $5-\sqrt{3}, \sqrt{50}, \sqrt{2}-1$

(5) $\sqrt{25}$의 음의 제곱근, $5-\sqrt{3}, \sqrt{50}, -\sqrt{16}, (-\sqrt{2})^2, \sqrt{0.\dot{1}}, \sqrt{\frac{25}{9}}, \sqrt{2}-1, \sqrt{(-3)^2}$

04 2개

09. 무리수를 수직선 위에 나타내기 (본문 24쪽)

01 $\sqrt{2}, \sqrt{2}$

02 $\sqrt{2}$

03 $\sqrt{2}, -\sqrt{2}$

04 $\mathrm{P}(4+\sqrt{2})$

05 $\mathrm{P}(-1+\sqrt{2})$

06 $\mathrm{P}(-2-\sqrt{2})$

07 $2, \sqrt{2}, \sqrt{2}, \sqrt{2}$

08 $3, \sqrt{2}$

09 $\mathrm{P}(1+\sqrt{2})$

10 $\mathrm{P}(-2+\sqrt{2})$

11 $\mathrm{P}(4-\sqrt{2})$

12 $\mathrm{P}(3-\sqrt{2})$

13 $\mathrm{P}(-2-\sqrt{2})$

14 $\mathrm{P}(-3+\sqrt{2})$

15 (1) 5

(2) $2\sqrt{5}$

(3) $\mathrm{P}(\sqrt{5})$

(4) $\mathrm{Q}(-\sqrt{5})$

16 (1) 5

(2) $2\sqrt{5}$

(3) $\mathrm{P}(2+\sqrt{5})$

(4) $\mathrm{Q}(2-\sqrt{5})$

17 $\mathrm{P}(1+\sqrt{5})$

18 $\mathrm{P}(-2-\sqrt{5})$

19 $\mathrm{P}(-3+\sqrt{5})$

20 $\mathrm{P}(5-\sqrt{5})$

21 풀이 참조

10. 실수와 수직선 (본문 27쪽)

01 ○

02 ○

03 ○

04 ○

05 ×

06 ×

07 ○

08 ○

09 ○

10 ×

11 ×

11. 실수의 대소 관계 (본문 28쪽)

01 $<$

02 $>$

03 $<$

04 $<$

05 $<$

06 $>$

07 $<$

08 $>$

09 $>$

10 $>$

11 $<$

12 $<$

13 $<$

14 $>$

15 $<$

16 $>$

17 $<$

18 $>$

19 $>$

20 $>$

21 $<$

22 $>$

23 $>$

24 $>$

25 $>, >, <, <, <, <, <, <$

12. 무리수의 정수 부분과 소수 부분 (본문 53쪽)

01 정수 부분 : 1
소수 부분 : $\sqrt{2}-1$

02 정수 부분 : 2
소수 부분 : $\sqrt{5}-2$

03 정수 부분 : 2
소수 부분 : $\sqrt{8}-2$

04 정수 부분 : 3
소수 부분 : $\sqrt{10}-3$

05 정수 부분 : 4
소수 부분 : $\sqrt{20}-4$

06 정수 부분 : 4
소수 부분 : $\sqrt{3}-1$

07 정수 부분 : 4
소수 부분 : $\sqrt{7}-2$

08 정수 부분 : 1
소수 부분 : $\sqrt{11}-3$

09 정수 부분 : 0
소수 부분 : $\sqrt{32}-5$

10 ④

13. 제곱근의 곱셈 (본문 30쪽)

01 3, 6

02 $\sqrt{15}$

03 $\sqrt{35}$

04 $\sqrt{10}$

05 $\sqrt{21}$

06 $\sqrt{30}$

07 $\sqrt{6}$

08 $\sqrt{3}$

09 $\sqrt{6}$

10 $\sqrt{35}$

11 $\sqrt{42}$
12 $\sqrt{18}$
13 2, 6
14 $8\sqrt{2}$
15 $15\sqrt{7}$
16 $10\sqrt{5}$
17 $20\sqrt{11}$
18 $35\sqrt{5}$
19 $2\sqrt{0.03}$
20 $3\sqrt{6}$
21 $4\sqrt{15}$
22 $6\sqrt{21}$
23 $8\sqrt{30}$
24 $18\sqrt{10}$
25 $20\sqrt{0.15}$
26 $30\sqrt{3}$
27 (1) $-4\sqrt{6}$
(2) $-24\sqrt{14}$
(3) $2\sqrt{2}$

14. 근호가 있는 식의 변형 — 제곱근의 곱셈 (본문 33쪽)

01 2, 2
02 2, 2
03 3, 3
04 3, 3
05 4, 4
06 4, 4
07 5, 5
08 3, 3
09 $3\sqrt{7}$
10 $4\sqrt{5}$
11 $7\sqrt{2}$
12 $3\sqrt{11}$
13 $8\sqrt{2}$
14 2, 12
15 $\sqrt{20}$
16 $\sqrt{18}$
17 $\sqrt{125}$
18 $\sqrt{72}$
19 $\sqrt{112}$
20 $\sqrt{\frac{4}{3}}$
21 $\sqrt{\frac{48}{5}}$
22 6, 108
23 $\sqrt{180}$
24 $\sqrt{135}$
25 $\sqrt{126}$
26 $\sqrt{40}$
27 $\sqrt{360}$
28 $\sqrt{600}$
29 ⑤

15. 제곱근의 나눗셈 (본문 35쪽)

01 4, 2
02 $\sqrt{3}$
03 $\sqrt{3}$
04 $\sqrt{5}$
05 $\sqrt{2}$
06 $\sqrt{10}$
07 $\sqrt{5}$
08 $\sqrt{7}$
09 $\sqrt{\frac{1}{4}}$
10 $\sqrt{\frac{1}{7}}$
11 $\sqrt{7}$
12 $\sqrt{7}$
13 $\sqrt{13}$
14 $3\sqrt{3}$
15 $2\sqrt{3}$
16 $2\sqrt{5}$
17 $3\sqrt{15}$
18 10, 3, $\frac{10}{3}$, 5
19 $\sqrt{2}$
20 $\sqrt{4}$
21 $\sqrt{\frac{1}{8}}$
22 $\sqrt{2}$
23 $\sqrt{20}$

16. 근호가 있는 식의 변형 — 제곱근의 나눗셈 (본문 37쪽)

01 2, 2
02 $\frac{\sqrt{7}}{3}$
03 $\frac{\sqrt{5}}{4}$
04 $\frac{\sqrt{3}}{5}$
05 $\frac{\sqrt{7}}{10}$
06 $\frac{\sqrt{11}}{10}$
07 $\sqrt{\frac{5}{4}}$
08 $\sqrt{\frac{2}{9}}$
09 $\sqrt{\frac{3}{25}}$
10 $\sqrt{\frac{11}{36}}$
11 $\sqrt{\frac{7}{64}}$
12 $\sqrt{\frac{3}{100}}$

17. 분모의 유리화 (본문 38쪽)

01 $\sqrt{2}$, $\sqrt{2}$, $\sqrt{2}$
02 $\frac{\sqrt{3}}{3}$
03 $\frac{\sqrt{5}}{5}$
04 $\frac{\sqrt{7}}{7}$
05 $\frac{\sqrt{11}}{11}$
06 $\frac{\sqrt{13}}{13}$
07 $\sqrt{2}$, $\sqrt{2}$, $\sqrt{2}$
08 $\frac{2\sqrt{3}}{3}$
09 $\frac{4\sqrt{5}}{5}$
10 $\frac{6\sqrt{7}}{7}$
11 $2\sqrt{6}$
12 $2\sqrt{13}$
13 $\sqrt{3}$, $\sqrt{3}$, 6, 3
14 $\frac{\sqrt{10}}{5}$
15 $\frac{\sqrt{30}}{6}$
16 $\frac{\sqrt{21}}{7}$
17 $\frac{\sqrt{30}}{10}$
18 $\frac{\sqrt{30}}{15}$
19 $\frac{\sqrt{51}}{17}$
20 $\sqrt{3}$, $\sqrt{3}$, $\sqrt{6}$, 6
21 $\frac{\sqrt{15}}{6}$
22 $\frac{\sqrt{42}}{14}$
23 $\frac{\sqrt{15}}{9}$
24 $\frac{\sqrt{55}}{55}$
25 $\frac{\sqrt{6}}{4}$
26 $\frac{\sqrt{35}}{10}$

18. 제곱근표를 이용한 어림한 값 (본문 40쪽)

01 1.015
02 1.386
03 1.265
04 1.349
05 1.225
06 1.887
07 2.119
08 1.995
09 2.184
10 1.987
11 2.015

19. 제곱근표에 없는 수의 어림한 값 (본문 41쪽)

01 100, 10, 10, 14.14
02 20, 100, 20, 4.472, 44.72
03 100, 10, 10, 0.1414
04 100, 10, 10, 0.4472
05 173.2
06 54.77
07 17.32
08 0.5477
09 0.1732

20. 제곱근의 곱셈과 나눗셈의 혼합 계산 (본문 42쪽)

01 $\sqrt{5}$, 5, 9, 3
02 $\sqrt{10}$
03 $\sqrt{15}$
04 2
05 $2\sqrt{2}$
06 $\sqrt{2}$
07 $6\sqrt{3}$
08 2
09 $\sqrt{3}$, 3, 2
10 $\frac{7}{3}$
11 -14
12 6
13 $\frac{\sqrt{35}}{7}$
14 $-\frac{3\sqrt{2}}{2}$
15 $\frac{4\sqrt{3}}{3}$
16 $-3\sqrt{6}$

21. 제곱근의 덧셈과 뺄셈 (1) (본문 44쪽)

01 3, 5
02 $6\sqrt{2}$
03 $9\sqrt{6}$
04 $11\sqrt{2}$
05 $10\sqrt{7}$
06 $7\sqrt{2}$
07 $6\sqrt{17}$
08 $10\sqrt{13}$
09 $16\sqrt{10}$
10 $10\sqrt{19}$
11 8, 2
12 $5\sqrt{5}$
13 $8\sqrt{6}$
14 $4\sqrt{2}$
15 $-4\sqrt{10}$
16 $-12\sqrt{11}$
17 $-17\sqrt{3}$
18 $\sqrt{5}$, $\sqrt{5}$
19 $2\sqrt{3}$
20 $-\sqrt{7}$
21 $3\sqrt{3}$
22 $5\sqrt{15}$
23 ④

22. 제곱근의 덧셈과 뺄셈 (2) (본문 46쪽)

01 4, 4, 7
02 $8\sqrt{3}$
03 $10\sqrt{3}$
04 $\sqrt{3}$
05 0
06 $6\sqrt{3}$
07 $9\sqrt{3}$
08 $\sqrt{5}$
09 $-\sqrt{5}$
10 $2\sqrt{10}$
11 4, 3, 4, 3, 6
12 $3\sqrt{5}$
13 $\sqrt{2}$
14 $\sqrt{6}$
15 $-4\sqrt{2}$
16 $\frac{5\sqrt{3}}{3}$
17 $\sqrt{7}$
18 $\frac{4\sqrt{3}}{3}$
19 $4\sqrt{5}$
20 (1) $\frac{5\sqrt{2}}{2}$, (2) $\frac{\sqrt{3}}{3}$

23. 근호가 있는 식의 분배법칙 (본문 48쪽)

01 $\sqrt{15}+5$
02 $5+5\sqrt{3}$
03 $4\sqrt{3}+3\sqrt{2}$
04 $6+2\sqrt{2}$
05 $2\sqrt{2}+4$
06 $5\sqrt{2}-3\sqrt{10}$
07 $3\sqrt{2}-9$
08 $3\sqrt{5}-3$
09 $\sqrt{5}+3$
10 $\sqrt{7}+3$
11 $5-\sqrt{2}$
12 $2\sqrt{2}-2$

24. 근호를 포함한 복잡한 식의 계산 (본문 49쪽)

01 $9-\sqrt{2}$
02 $-\sqrt{15}$
03 $3\sqrt{3}+3\sqrt{5}$
04 $\frac{11\sqrt{2}}{2}$
05 $\sqrt{6}$
06 $\frac{2\sqrt{3}}{3}+\frac{5\sqrt{2}}{2}+1$
07 $3+3\sqrt{2}$
08 3

Ⅱ. 다항식의 곱셈과 인수분해

01. 다항식의 곱셈 (본문 54쪽)

01 b, -2, 1, 1, ab, 2
02 $xy+2x-y-2$
03 $2a^2+5a-12$
04 $2x^2-5x-12$
05 $-3a^2-23ab-14b^2$
06 17
07 1
08 -1
09 -11

02. 곱셈 공식 (1) 합의 제곱, 차의 제곱 (본문 55쪽)

01 2, 12
02 $3x$, y, 6
03 4, 9
04 36, 1
05 $a^2+8a+16$
06 x^2+4x+4
07 $a^2+6ab+9b^2$
08 $x^2+4xy+4y^2$
09 $16a^2+8ab+b^2$
10 $49x^2+14xy+y^2$
11 $16a^2+24ab+9b^2$
12 $4x^2+20xy+25y^2$
13 $9a^2+30ab+25b^2$
14 $36x^2+24xy+4y^2$
15 4, 9
16 9, 1
17 2, 16
18 $3x$, $5y$, 30
19 $a^2-8a+16$
20 x^2-4x+4
21 $a^2-6ab+9b^2$
22 $x^2-4xy+4y^2$
23 $16a^2-8ab+b^2$
24 $49x^2-14xy+y^2$
25 $16a^2-24ab+9b^2$
26 $4x^2-20xy+25y^2$
27 $a^2-4ab+4b^2$
28 $9x^2-6xy+y^2$
29 $9a^2-12ab+4b^2$
30 $4x^2-16xy+16y^2$
31 ③

03. 곱셈 공식(2) 합과 차의 곱 (본문 57쪽)

01 a^2-4
02 x^2-9
03 a^2-4b^2
04 x^2-16y^2
05 $25a^2-9b^2$
06 $4x^2-25y^2$
07 a^2-25b^2
08 $4a^2-9$
09 $9x^2-25$
10 a^2-4b^2
11 $16x^2-y^2$
12 $4a^2-1$
13 $9x^2-4$
14 $\frac{1}{4}a^2-\frac{1}{9}b^2$

04. 곱셈 공식(3) x의 계수가 1인 두 일차식의 곱 (본문 58쪽)

01 3, 2, 3, 2, 5, 6

02 $-2, 5, -2, 5, 3, 10$
03 3, 2
04 2, 15
05 2, 15
06 7, 10
07 4, 3
08 10, 10
09 $a^2+7a+12$
10 x^2-x-12
11 $a^2+7a+10$
12 x^2+6x-7
13 $a^2+3ab-18b^2$
14 $x^2-9xy+20y^2$
15 5, 5, 8, 15, 8, 15
16 $a=6, b=-7$
17 $a=-8, b=12$
18 $a=2, b=-15$
19 $2, 15, -2, -15, 30$
20 30
21 -6
22 54
23 -180

05. 곱셈 공식(4) x의 계수가 1이 아닌 두 일차식의 곱 (본문 60쪽)

01 5, 4, 5, 4, 10, 12
02 4, 5, 3, 3, 4, 15
03 4, 15
04 17, 5
05 13, 3
06 13, 3
07 2, 9
08 4, 18
09 $15a^2+a-2$
10 $6x^2-x-12$
11 $6a^2+23a+20$
12 $4x^2+17x-15$
13 $42a^2-17ab-15b^2$
14 $5x^2-27xy+10y^2$
15 5, 1, 5, 8, 14, 5, 8, 14, 5
16 $a=6, b=10, c=-4$
17 $a=2, b=-13, c=6$
18 $a=10, b=-13, c=-3$
19 $7, 5, -7, -5, 35$
20 65
21 39
22 48
23 -112

06. 곱셈 공식을 이용한 수의 계산 (본문 62쪽)

01 1, 50, 1, 2601
02 10609
03 1, 100, 1, 9801
04 9604
05 70, 4, 4884
06 2496
07 9996
08 999991
09 1, 3, 3, 1, 10403
10 10608
11 91203
12 9603
13 247008
14 ㉠
15 ㉣
16 ㉡
17 ㉢
18 ㉠
19 $2\sqrt{2}$
20 1
21 $2\sqrt{2}$
22 6
23 6
24 7
25 $2\sqrt{3}$
26 1
27 $2\sqrt{3}$
28 10
29 10
30 9

07. 곱셈 공식을 이용한 제곱근의 계산 (본문 65쪽)

01 $\sqrt{3}$, $\sqrt{3}$, 1, 4, 2
02 $11+4\sqrt{7}$
03 $3-2\sqrt{2}$
04 $28-10\sqrt{3}$
05 $3+2\sqrt{2}$
06 $4+2\sqrt{3}$
07 $12+8\sqrt{2}$
08 $21-12\sqrt{3}$
09 $129+56\sqrt{5}$
10 $127-60\sqrt{3}$
11 3
12 6
13 1
14 5
15 -2
16 11
17 -6
18 $-36+16\sqrt{5}$
19 $4+2\sqrt{3}-\sqrt{13}$

08. 곱셈 공식을 이용한 분모의 유리화 (본문 66쪽)

01 $\sqrt{3}, \sqrt{3}, \sqrt{6}, 3$
02 $\frac{\sqrt{15}+\sqrt{10}}{5}$
03 $\frac{\sqrt{6}+\sqrt{14}}{2}$
04 $\frac{\sqrt{6}+2\sqrt{3}}{2}$
05 $\frac{\sqrt{21}+\sqrt{14}}{7}$
06 $\frac{\sqrt{2}-\sqrt{6}}{2}$
07 $\frac{2\sqrt{3}-3}{3}$
08 $\frac{3\sqrt{2}-\sqrt{6}}{3}$
09 $2\sqrt{3}-2$
10 $\sqrt{2}-\sqrt{5}$
11 $2-\sqrt{3}$, $2-\sqrt{3}$, $2-\sqrt{3}$
12 $\frac{3-\sqrt{2}}{7}$
13 $\sqrt{3}-\sqrt{2}$
14 $\sqrt{5}-\sqrt{3}$
15 $3-\sqrt{7}$
16 $\sqrt{2}+1$
17 $\frac{3+\sqrt{5}}{4}$
18 $\frac{3(\sqrt{5}+\sqrt{3})}{2}$
19 $\sqrt{7}+\sqrt{5}$
20 $3+2\sqrt{2}$
21 $2\sqrt{2}$
22 4

09. 곱셈 공식의 변형 (본문 68쪽)

01 $2ab, 2ab, 10, 26$
02 16
03 21
04 33
05 50
06 36
07 18
08 32
09 2

10. 인수분해의 뜻 (본문 69쪽)

01 3, 3, 2
02 $6x^2+3x$
03 $2x^2+9x-5$
04 x^2-49
05 $ax^2-3ax-4a$
06 $x^2-3xy+2y^2$
07 $x-1$, $x+3$
08 $1, x+5, 2x-1, (x+5)(2x-1)$
09 $1, x+7, x-7, (x+7)(x-7)$
10 $1, x-y, x-2y, (x-y)(x-2y)$
11 ㉠, ㉡, ㉣, ㉤

11. 공통 인수를 이용한 인수분해 (본문 70쪽)

01 a, $a(b+c)$
02 $a(2a-5)$
03 $x(3x-5)$

04 $y(y-3x)$
05 $2x(3x+1)$
06 $3a^2(b-4)$
07 $b(2a^2-3a+6)$
08 $x^2(x+2y-8)$
09 $4a(a-3b+2)$
10 $2x(3x-4y+1)$
11 ③

12. 인수분해 공식 (1)
$a^2\pm2ab+b^2$
(본문 71쪽)

01 1, 1, 1
02 4, 4, 4
03 $\frac{1}{2}, \frac{1}{2}, \frac{1}{2}$
04 $2x, 2x, 2x$
05 $5t, 5t, 5t$
06 2, 2, 2
07 3, 3, 3
08 $\frac{1}{2}, \frac{1}{2}, \frac{1}{2}$
09 $4a, 4a, 4a$
10 $2x, 2x, 2x$
11 $(x+3)^2$
12 $(x+7)^2$
13 $(x+9)^2$
14 $(x+20)^2$
15 $\left(x+\frac{1}{5}\right)^2$
16 $\left(x+\frac{2}{3}\right)^2$
17 $(4x+1)^2$
18 $(9x+1)^2$
19 $\left(\frac{1}{3}x+1\right)^2$
20 $\left(\frac{1}{7}x+1\right)^2$
21 $\left(\frac{3}{4}x+1\right)^2$
22 $\left(\frac{3}{5}x+1\right)^2$
23 $(2x+9)^2$
24 $(3x+7)^2$
25 $(5x+3)^2$
26 $(2x+5)^2$
27 $(3x+2)^2$
28 $\left(\frac{1}{4}x+2\right)^2$
29 $(x-4)^2$
30 $(x-6)^2$
31 $(x-10)^2$
32 $(x-12)^2$
33 $\left(x-\frac{1}{4}\right)^2$
34 $\left(x-\frac{3}{2}\right)^2$
35 $(3x-1)^2$
36 $(8x-1)^2$
37 $(10x-1)^2$
38 $\left(\frac{1}{2}x-1\right)^2$
39 $\left(\frac{3}{4}x-1\right)^2$
40 $\left(\frac{2}{5}x-1\right)^2$
41 $(2x-7)^2$
42 $(3x-4)^2$
43 $(5x-2)^2$
44 $\left(\frac{1}{2}x-4\right)^2$
45 ㉡, ㉢, ㉤
46 4
47 $\frac{1}{4}$
48 $\frac{1}{16}$
49 49
50 100
51 $\frac{25}{4}$
52 6
53 18
54 $\frac{1}{2}$
55 2
56 10
57 3
58 $(a+1)^2, a+1, a+1, -2a+1$
59 2
60 $-2a+3$
61 4
62 2
63 5
64 $(a-b)^2, a-b, a-b, 2b$
65 $b-a$
66 $a+2b$
67 $-2a+5b$
68 $-2a+2b$
69 $2a-b$

13. 인수분해 공식 (2)
a^2-b^2 (본문 77쪽)

01 $(a+2)(a-2)$
02 $(x+1)(x-1)$
03 $(x+3)(x-3)$
04 $(x+6)(x-6)$
05 $(a+8)(a-8)$
06 $(a+9)(a-9)$
07 $(x+12)(x-12)$
08 $(2x+5)(2x-5)$
09 $(2x+7)(2x-7)$
10 $(3x+2)(3x-2)$
11 $(3x+4)(3x-4)$
12 $(4x+1)(4x-1)$
13 $(5x+3)(5x-3)$
14 $(6x+7)(6x-7)$
15 $\left(x+\frac{3}{2}\right)\left(x-\frac{3}{2}\right)$
16 $\left(x+\frac{7}{3}\right)\left(x-\frac{7}{3}\right)$
17 $\left(x+\frac{4}{5}\right)\left(x-\frac{4}{5}\right)$
18 $\left(x+\frac{1}{9}\right)\left(x-\frac{1}{9}\right)$
19 $(x+y)(x-y)$
20 $(x+2y)(x-2y)$
21 $(x+6y)(x-6y)$
22 $(x+10y)(x-10y)$
23 $(2x+7y)(2x-7y)$
24 $(3x+2y)(3x-2y)$
25 $(3x+8y)(3x-8y)$
26 $(4x+5y)(4x-5y)$
27 $(5x+9y)(5x-9y)$
28 $\left(x+\frac{7}{2}y\right)\left(x-\frac{7}{2}y\right)$
29 $\left(x+\frac{3}{5}y\right)\left(x-\frac{3}{5}y\right)$
30 ④

14. 인수분해 공식 (3)
$x^2+(a+b)x+ab$
(본문 79쪽)

01 1, 6
02 4, 8
03 $-1, -4$
04 $-3, -7$
05 $-5, 6$
06 $2, -7$
07 8, 8, 8
08 $-3, -3, -7, -10, 3$
09 $6, 6, -5, 1, x+6$
10 $2, -7, -7, -5, x-7$
11 $(x+1)(x+3)$
12 $(x+2)(x+4)$
13 $(x+3)(x+6)$
14 $(x+4)(x+5)$
15 $(x+5)(x+6)$
16 $(x+2)(x+10)$
17 $(x+5)(x+7)$
18 $(x+1)(x+12)$
19 $(x+3)(x+10)$
20 $(x+6)(x+7)$
21 $(x+4)(x+10)$
22 $(x+2)(x+13)$
23 $(x+5)(x+10)$
24 $(x+7)(x+8)$
25 $(x+1)(x+15)$
26 $(x+8)(x+9)$
27 $(x+1)(x+6)$
28 $(x+5)(x+9)$
29 $(x-1)(x-2)$
30 $(x-3)(x-4)$
31 $(x-1)(x-7)$
32 $(x-2)(x-6)$
33 $(x-3)(x-6)$
34 $(x-1)(x-9)$
35 $(x-2)(x-8)$
36 $(x-4)(x-6)$
37 $(x-2)(x-10)$

38 $(x-3)(x-9)$

39 $(x-5)(x-7)$

40 $(x-3)(x-10)$

41 $(x-2)(x-12)$

42 $(x-6)(x-8)$

43 $(x-6)(x-9)$

44 $(x-1)(x-4)$

45 $(x-8)(x-10)$

46 $(x-7)(x-9)$

47 $(x+2)(x-15)$

48 $(x+1)(x-10)$

49 $(x+4)(x-8)$

50 $(x+1)(x-8)$

51 $(x+3)(x-4)$

52 $(x+5)(x-10)$

53 $(x+4)(x-9)$

54 $(x+3)(x-6)$

55 $(x+5)(x-8)$

56 $(x+4)(x-6)$

57 $(x+7)(x-9)$

58 $(x+5)(x-6)$

59 $(x+3)(x-2)$

60 $(x+9)(x-8)$

61 $(x+5)(x-2)$

62 $(x+9)(x-4)$

63 $(x+7)(x-3)$

64 $(x+8)(x-7)$

65 $(x+6)(x-4)$

66 $(x+4)(x-1)$

67 $(x+7)(x-4)$

68 $(x+6)(x-2)$

69 $(x+7)(x-1)$

70 $(x+9)(x-3)$

15. 인수분해 공식 (4) $acx^2+(ad+bc)x+bd$ (본문 85쪽)

01 $5, 5x, 5$

02 $2, 6x, 10x, x+2$

03 $-1, -2x, -9x, 1$

04 $-10x, -6, -6x, -16x, 5x-6$

05 $-4, -4x, 4$

06 $-10x, 2x, 3, 3x, -7x, 2x+3$

07 $-5, -10x, 2x-5$

08 $3x, -1, -5x, 3x, -2x, 3x-1$

09 $(x+5)(2x-7)$

10 $(x+3)(3x+2)$

11 $(x-2)(2x+5)$

12 $(x+3)(3x+5)$

13 $(x-5)(6x-1)$

14 $(x+6)(4x-7)$

15 $(x+6)(2x+9)$

16 $(x-6)(3x-4)$

17 $(x-3)(6x+7)$

18 $(x-4)(3x+2)$

19 $(4x+1)(2x-1)$

20 $(3x+5)(2x-3)$

16. 인수분해 공식의 종합 (본문 87쪽)

01 $x-4, x-4, x-4$

02 $x+1$

03 $2x-3$

04 $x+8$

05 $-2, -4, 8$

06 3

07 -14

08 2

17. 공통 인수로 묶는 인수분해 (본문 88쪽)

01 $2ab, a+b$

02 $3a(x-2)^2$

03 $-a(x+3)(x-3)$

04 $x(x+y)(x-y)$

05 $2y^2(2x+y)(2x-y)$

06 $2y^2, x-2y$

07 $7a(x+1)(x+3)$

08 $b(a+2)(a+5)$

09 $x(x+5)(x-1)$

10 $2a(3x+1)(x-2)$

11 $a+c$

12 $(y-1)(x+1)$

13 $(x+5)(a-3)$

14 $(x-1)(a-1)$

15 $(a+b)(a+b+1)$

16 $(x-1)(x-2)$

17 $2, x+2$

18 $(x+1)(x^2+1)$

19 $(b+2)(a-1)^2$

20 $(b-1)(a+1)(a-1)$

21 $(x-2)^2(x+2)$

22 $a(b+2)(a+3)(a-3)$

18. 치환을 이용한 인수분해 (본문 90쪽)

01 $5, 3, 5, 6, 2$

02 $(a-7)^2$

03 $x(x+9)$

04 $2, 2$

05 $(3x-y-1)(3x-y-5)$

06 $a(2a-3)$

07 $(x^2+1)(x^2+2)$

08 $(x+1)(x-1)(x^2+3)$

09 $(a+b+5)(a+b-1)$

10 $(x+y+4)(x+y-3)$

11 $(a+b+2)(a+b-5)$

12 $(a+b+2)(a-b)$

13 $(3x-1)(x+3)$

14 $-7(2a-3)$

15 ①

19. 복잡한 식의 인수분해 (본문 92쪽)

01 $a, a-b$

02 $(b-1)(a-1)$

03 $(x+y)(x-y+3)$

04 $(x+1)^2(x-1)$

05 $3, 3, a+b-3$

06 $(a+b-2)(a-b-2)$

07 $(x-3y+1)(x-3y-1)$

08 $(1+a-b)(1-a+b)$

20. 인수분해 공식을 이용한 수의 계산 (본문 93쪽)

01 17, 17, 1700

02 2000

03 84

04 24

05 198

06 25, 25, 1000

07 420

08 17

09 45

10 270

11 3, 100, 10000

12 1600

13 10000

14 400

15 2500

16 4900

17 2, 90, 8100

18 6400

19 900

20 10000

21 100

22 400

23 $51-49$, 2, 200

24 9600

25 95

26 800

27 36

28 10

29 $17-13$, 4, 3000

30 98

31 314

32 1

33 50

34 55

21. 인수분해 공식을 이용한 식의 값 (본문 96쪽)

01 $\sqrt{5}-1$, 5

02 6400

03 12

04 55, 50, 2500

05 2

06 900

07 $2+\sqrt{3}$, $2\sqrt{3}$, 12

08 16

09 $8\sqrt{3}$

10 4

11 7000

12 $2+\sqrt{3}$, $2+\sqrt{3}$, 3

13 10

14 2

15 5

16 $\frac{1}{2}$

17 8

18 4

19 $4\sqrt{2}$

20 2

21 $4\sqrt{2}$

22 $x+y$, 100, 500

23 -12

24 60

25 10

26 $2\sqrt{6}$

27 48

28 -6

29 20

30 -5

31 6

22. 이차식의 계수 구하기

(본문 99쪽)

01 2, 2, 2, 6, 3, 5, 5

02 1

03 2

04 36, -36, 9, -9, 9, 36, 3, 12

05 $(2x-3)(x-6)$

23. 인수분해 공식의 활용

(본문 100쪽)

01 2, 3

02 $2x+3$

03 $2x+3$, $2x+3$, 12, 8

04 ③

05 $2x$, x

06 y^2, y^2, $x-y$

07 x, x, $x-y$, $x-y$, 5, 3

Ⅲ. 이차방정식

01. 이차방정식의 뜻

(본문 104쪽)

01 $x^2-5x=0$

02 $3x^2+2x+4=0$

03 $6x^2-8x+7=0$

04 $2x^2-9=0$

05 $x^2-13x+4=0$

06 ○, $2x^2$, 0, 0

07 ○

08 ×

09 ○

10 ㉡, ㉢

02. 이차방정식의 해

(본문 105쪽)

01 -1, 0, 3, 0

02 9, 0, 1, $x=1$

03 0, -4, 0, $x=-2$ 또는 $x=2$

04 ×, 3, 4, 3

05 ×

06 ○

07 ×

08 ○

09 ×

10 2, 6, -10

11 -2

12 -6

13 0

14 -6

15 -5

16 -3

17 2

18 0

19 -7

20 -3, 1

21 0

22 6

23 7

24 12

25 12

26 3, 0

27 -3

28 -6

29 $-\frac{3}{2}$

30 $\frac{9}{2}$

03. 인수분해를 이용한 이차방정식의 풀이 (본문 108쪽)

01 0, 0, -2, 7

02 $x=-4$ 또는 $x=-2$

03 $x=-9$ 또는 $x=-1$

04 $x=-3$ 또는 $x=2$

05 $x=0$ 또는 $x=10$

06 $x=-5$ 또는 $x=5$

07 $x=3$ 또는 $x=4$

08 $x=1$ 또는 $x=6$

09 4, 0, 4

10 $x=0$ 또는 $x=12$

11 $x=0$ 또는 $x=1$

12 $x=0$ 또는 $x=-3$

13 $x=0$ 또는 $x=-7$

14 $x=0$ 또는 $x=-8$

15 $x=-9$ 또는 $x=9$

16 $x=-5$ 또는 $x=5$

17 $x=-10$ 또는 $x=10$

18 $x=-8$ 또는 $x=8$

19 $x=-\frac{1}{3}$ 또는 $x=\frac{1}{3}$

20 $x=-\frac{9}{2}$ 또는 $x=\frac{9}{2}$

21 5, 7, 5, 7

22 $x=-1$ 또는 $x=-5$

23 $x=-2$ 또는 $x=-7$

24 $x=-6$ 또는 $x=-10$

25 $x=1$ 또는 $x=4$

26 $x=-3$ 또는 $x=-5$

27 $x=-6$ 또는 $x=-8$

28 $x=-3$ 또는 $x=-9$

29 $x=3$ 또는 $x=5$

30 $x=-1$ 또는 $x=-2$

31 $x=-4$ 또는 $x=-6$

32 $x=-2$ 또는 $x=-3$

33 $x=2$ 또는 $x=3$

34 $x=-1$ 또는 $x=-3$

35 $x=-2$ 또는 $x=-12$

36 $x=6$ 또는 $x=10$

37 $x=-1$ 또는 $x=-7$

38 $x=1$ 또는 $x=8$

39 $x=2$ 또는 $x=\frac{3}{2}$

40 $x=4$ 또는 $x=\frac{5}{2}$

41 $x=-1$ 또는 $x=-\frac{3}{2}$

42 $x=\frac{1}{2}$ 또는 $x=2$

43 $x=-\frac{1}{4}$ 또는 $x=-5$

44 $x=\frac{2}{3}$ 또는 $x=4$

45 15, 15

46 $x=-8$

47 $x=-2$

48 $x=5$

49 $x=-10$

50 $x=-5$

51 $x=4$

52 $x=1$

53 $x=8$

54 $x=-6$

55 $x=-\frac{1}{5}$

56 $x=\frac{1}{2}$

57 $x=0$ 또는 $x=7$

58 $x=0$ 또는 $x=-2$

59 $x=-1$ 또는 $x=12$

60 $x=-3$ 또는 $x=-7$

61 $x=-3$ 또는 $x=5$

62 $x=-5$ 또는 $x=2$

63 $x=2$ 또는 $x=5$

64 $x=-2$ 또는 $x=3$

65 $x=-6$ 또는 $x=4$

66 $x=0$ 또는 $x=-1$

67 $x=\frac{3}{2}$ 또는 $x=4$

68 $x=\frac{3}{2}$

69 0, −2, 2, 1, −1, −1

70 $x=-3$

71 $x=0$

72 $x=-5$

73 $x=3$

74 $x=1$

75 $x=-4$

76 $x=-2$

04. 이차방정식의 중근

(본문 115쪽)

01 9, 3

02 49, 7

03 9, 3

04 49, 7

05 8, 16

06 81

07 4

08 100

09 35

10 1

11 −4

12 −16

13 36, 12, 12

14 24

15 4

16 2

05. 제곱근을 이용한 이차방정식의 풀이 (본문 117쪽)

01 $x=\pm4$

02 $x=\pm7$

03 $x=\pm10$

04 $x=\pm15$

05 $x=\pm5$

06 $x=\pm3$

07 $x=\pm2$

08 $x=\pm2$

09 $x=\pm3$

10 $x=\pm5\sqrt{2}$

11 $x=\pm2\sqrt{3}$

12 $x=\pm3\sqrt{3}$

13 6, −1, 6, 5

14 $x=-12$ 또는 $x=6$

15 $x=-3$ 또는 $x=-1$

16 $x=3$ 또는 $x=7$

17 $x=3$ 또는 $x=11$

18 $x=-4$ 또는 $x=6$

19 $x=-1\pm\sqrt{10}$

20 $x=-5\pm\sqrt{2}$

21 $x=4\pm\sqrt{3}$

22 $x=2\pm2\sqrt{3}$

23 $x=-10\pm2\sqrt{2}$

24 $x=3\pm3\sqrt{2}$

06. 완전제곱식을 이용한 이차방정식의 풀이 (본문 119쪽)

01 4, 4, 2, 5

02 $(x-3)^2=4$

03 $(x+1)^2=4$

04 $(x-4)^2=20$

05 $(x+9)^2=71$

06 $(x-8)^2=80$

07 $(x+5)^2=27$

08 $(x-4)^2=9$

09 1, 1, 5, 5, 5

10 $x=2\pm\sqrt{6}$

11 $x=-2\pm2\sqrt{3}$

12 $x=-3\pm\sqrt{2}$

13 $x=2\pm\sqrt{10}$

14 $x=-1\pm\sqrt{3}$

15 $x=-2\pm\sqrt{7}$

16 $x=1\pm\frac{3\sqrt{2}}{2}$

07. 이차방정식의 근의 공식

(본문 121쪽)

01 5, 5, −5, 5, 5, 5

02 (1) 1, 7
(2) $x=\frac{-7\pm\sqrt{57}}{2}$

03 (1) 3, 1
(2) $x=\frac{-3\pm\sqrt{5}}{2}$

04 (1) 3, 1
(2) $x=\frac{-5\pm\sqrt{13}}{6}$

05 (1) 1, −4
(2) $x=\frac{-1\pm\sqrt{33}}{4}$

06 (1) 5, −7
(2) $x=\frac{7\pm\sqrt{29}}{10}$

07 (1) 6
(2) −3, 3, 6, −3, 3

08 (1) −1, −4
(2) $x=1\pm\sqrt{5}$

09 (1) 1, 3
(2) $x=-3\pm2\sqrt{2}$

10 (1) 9, −8
(2) $x=\frac{2\pm2\sqrt{3}}{3}$

11 (1) 2, 1
(2) $x=\frac{2\pm\sqrt{2}}{2}$

12 (1) 3, 1
(2) $x=\frac{-1\pm\sqrt{13}}{3}$

13 −7, 20, −7, 29

14 $x=\frac{-3\pm\sqrt{17}}{2}$

15 $x=\frac{5\pm\sqrt{29}}{2}$

16 $x=\frac{3\pm\sqrt{5}}{2}$

17 $x=\frac{5\pm\sqrt{17}}{2}$

18 $x=\frac{-1\pm\sqrt{21}}{2}$

19 $x=\frac{-3\pm\sqrt{17}}{4}$

20 $x=\frac{-7\pm\sqrt{13}}{6}$

21 1, 1

22 $x=2\pm\sqrt{2}$

23 $x=-3\pm\sqrt{2}$

24 $x=1\pm\sqrt{3}$

25 $x=2\pm\sqrt{3}$

26 $x=\frac{-2\pm\sqrt{2}}{2}$

27 $x=-2\pm\sqrt{10}$

28 $x=2\pm\sqrt{6}$

08. 이차방정식의 근의 개수

(본문 125쪽)

01 (1) −6
(2) 20
(3) 2개

02 (1) 6, 9
(2) 0
(3) 1개

03 (1) 1, −2
(2) −4
(3) 0개

04 $k<\frac{1}{3}$

05 $k=\frac{1}{3}$

06 $k>\frac{1}{3}$

07 57, 2개

08 16, 2개

09 0, 1개

10 −4, 0개

11 33, 2개

12 12, 2개

13 17, 2개

14 −4, 0개

15 −3, 0개

16 −39, 0개

17 −12, 0개

18 41, 2개

09. 이차방정식이 중근을 가질 조건 (본문 127쪽)

01 0, 1, 0, $\frac{9}{4}$

02 $\frac{9}{8}$

03 1

04 17

05 ±4

06 ±8

07 1

08 ±24

09 $\frac{1}{4}$, −3

10. 이차방정식 구하기 (본문 128쪽)

01 3, 2, 3
02 $x^2-5x+4=0$
03 $x^2+7x+10=0$
04 $x^2-\frac{7}{6}x+\frac{1}{3}=0$
05 $x^2+\frac{19}{6}x+\frac{1}{2}=0$
06 $x^2+\frac{7}{2}x-2=0$
07 2, 2, 4
08 $-x^2-7x=0$
09 $5x^2-5=0$
10 $3x^2+8x-3=0$
11 $6x^2-5x+1=0$
12 1, 1, 2
13 $x^2-4x+4=0$
14 $-x^2+6x-9=0$
15 $4x^2-12x+9=0$
16 $3x^2+30x+75=0$

11. 복잡한 이차방정식의 풀이 (본문 130쪽)

01 8, 4, 16, 4
02 $x=4$ 또는 $x=10$
03 $x=-6$ 또는 $x=-2$
04 $x=-2$ 또는 $x=5$
05 $x=2\pm2\sqrt{2}$
06 $x=-4$ 또는 $x=-\frac{5}{2}$
07 $x=-2$ (중근)
08 $x=-3\pm\sqrt{5}$
09 6, 10, 40, 41
10 $x=6\pm\sqrt{6}$
11 $x=-3$ (중근)
12 $x=-3\pm\sqrt{7}$
13 $x=\frac{-5\pm\sqrt{19}}{3}$
14 $x=1$ (중근)
15 $x=2\pm\sqrt{2}$
16 $x=3$ 또는 $x=\frac{9}{2}$
17 50, 2, 25, 100, 5
18 $x=-10$ 또는 $x=10$
19 $x=-5$ 또는 $x=2$
20 $x=5$ (중근)
21 $x=-1$ 또는 $x=2$
22 $x=10$ (중근)
23 $x=-5\pm\sqrt{13}$
24 $x=2$ 또는 $x=\frac{3}{2}$
25 1, 1, 1, -6, -3
26 $x=5$ 또는 $x=9$
27 $x=2$ 또는 $x=6$
28 $x=-5$ (중근)
29 $x=2$ 또는 $x=\frac{7}{3}$
30 $x=1$ 또는 $x=5$
31 $x=-1$ 또는 $x=0$
32 $x=0$ (중근)

12. 이차방정식의 활용 (본문 134쪽)

01 $x+1$
02 $x+1$, $x+1$, 20
03 20, 4, 4
04 4
05 $x-1$, x, $x+1$
06 $x+1$, 5
07 5, 5, 5
08 5, 6
09 $(x+1)$쪽
10 $x+1$, x
11 x, 12, 12
12 12, 13
13 0 m
14 0
15 0, 6, 6, 6
16 6초 후
17 $(x-3)$cm
18 $x-3$, $3x$
19 $3x$, 12, 12
20 12, 9
21 $(x+4)$cm
22 $x+4$, $x+4$, 16, 2
23 2, 2, 2
24 2 cm

Ⅳ. 이차함수와 그래프

01. 이차함수의 뜻 (본문 140쪽)

01 ○, 이차
02 ×
03 ○
04 ×
05 ×
06 ○
07 $y=7x^2$, 이차함수
08 $y=\pi x^2$, 이차함수
09 $y=x^2+2x$, 이차함수
10 $y=180°(x-2)$, 이차함수가 아니다.
11 $y=2500x$, 이차함수가 아니다.
12 (1) -6
(2) -3
(3) -7
(4) $-\frac{19}{4}$
13 (1) 1
(2) -1
(3) 11
(4) $\frac{1}{9}$
14 (1) 4
(2) 4
(3) 1
(4) $\frac{19}{4}$
15 (1) 0
(2) 1
(3) 25
(4) 1
16 3

02. 이차함수 $y=x^2$의 그래프 (본문 142쪽)

01 4, 1, 1, 4
02
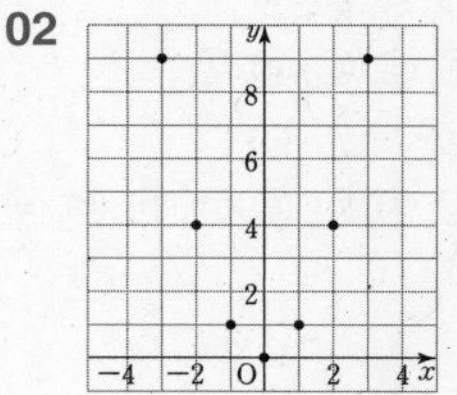
03
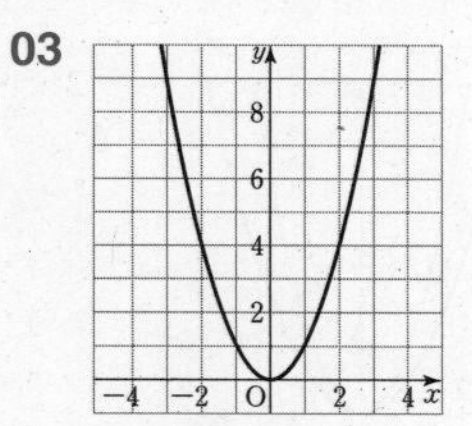
04 (0, 0)
05 $x=0$
06 $x>0$
07 $x<0$

03. 이차함수 $y=-x^2$의 그래프 (본문 143쪽)

01 -9, -1, -1, -4
02
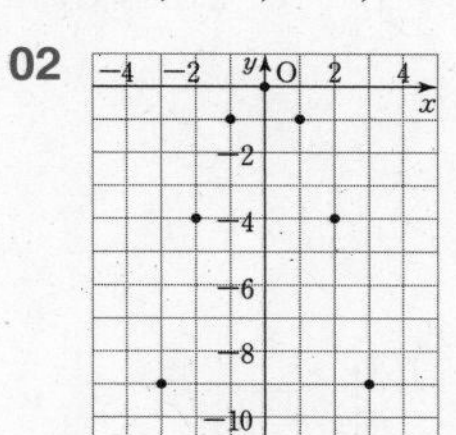
03
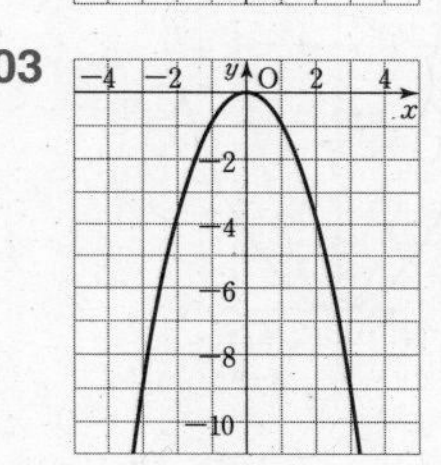
04 (0, 0)
05 $x=0$
06 $x<0$
07 $x>0$

04. 이차함수 $y=ax^2$의 그래프 (본문 144쪽)

01 8, 2, 0, 2, 8
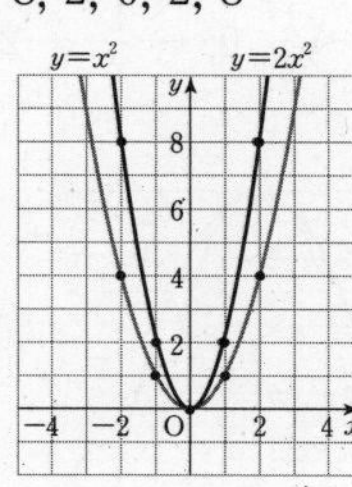

2
02 4, 1, 0, 1, 4, 2, $\frac{1}{2}$, 0, $\frac{1}{2}$, 2

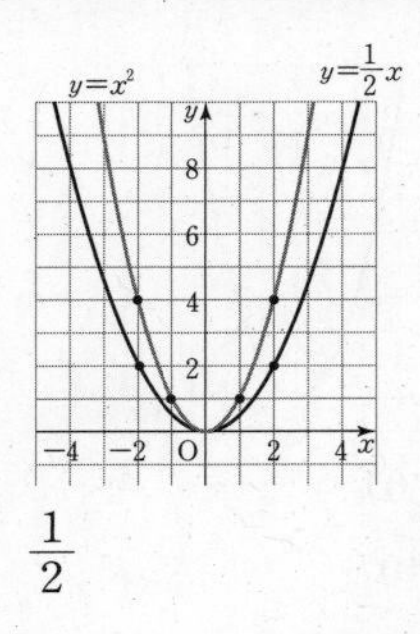

$\frac{1}{2}$

03 12, 3, 0, 3, 12

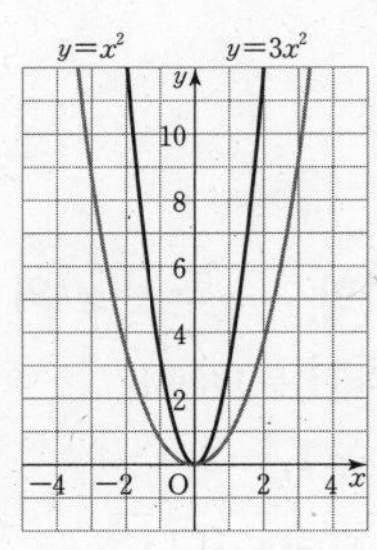

04 $3,\ \frac{1}{3},\ 0,\ \frac{1}{3},\ 3$

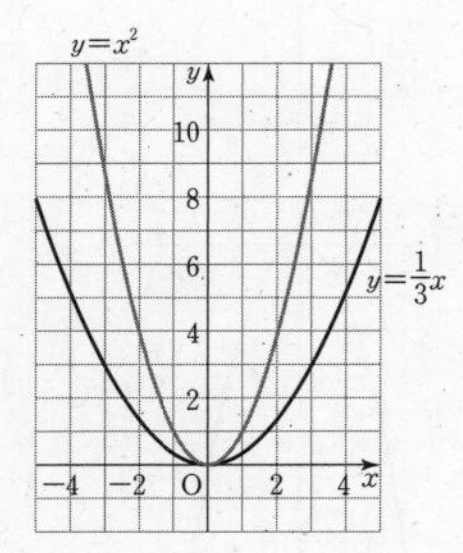

05 $-8,\ -2,\ 0,\ -2,\ -8$

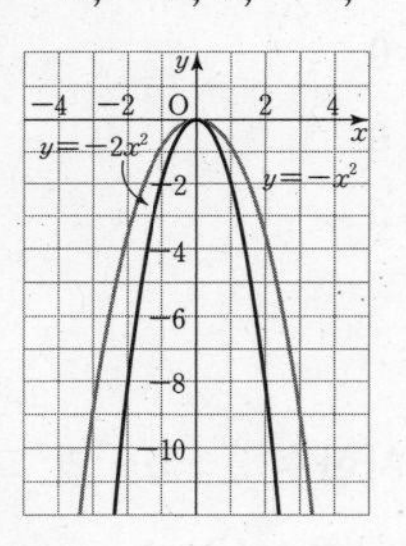

06 $-2,\ -\frac{1}{2},\ 0,\ -\frac{1}{2},\ -2$

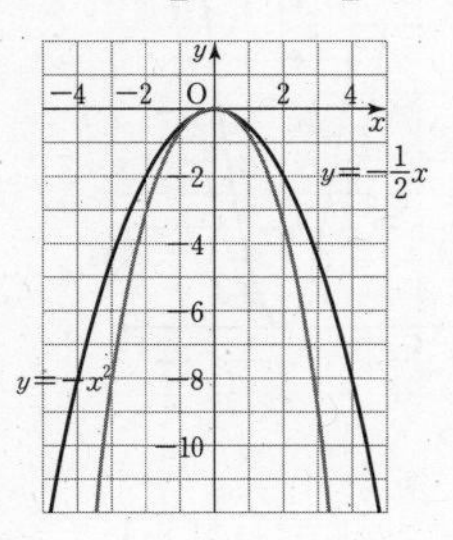

07 $-12,\ -3,\ 0,\ -3,\ -12$

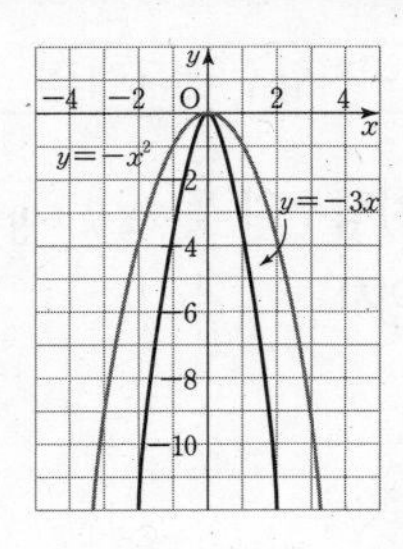

08 $-3,\ -\frac{1}{3},\ 0,\ -\frac{1}{3},\ -3$

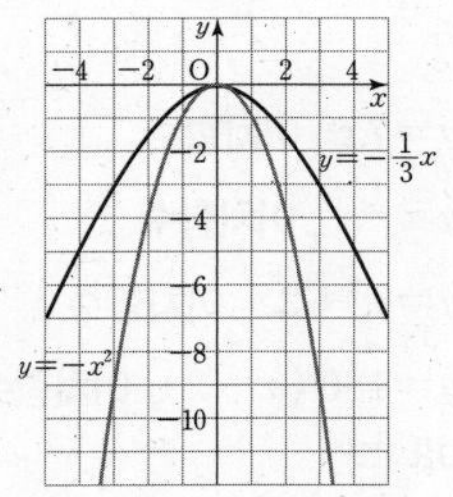

09 1, 2

10 3, 4

11 제 1, 2 사분면

12 제 1, 2 사분면

13 제 3, 4 사분면

14 제 1, 2 사분면

15 제 3, 4 사분면

16 (1) 0, 0
(2) 아래, 위, 아래
(3) y
(4) 증가
(5) x
(6) 2, 8, 8

17 (1) 0, 0
(2) 위
(3) y
(4) 증가
(5) $\frac{1}{2}x^2$
(6) $-2,\ -2,\ -2$

18 (1) ㉢, ㉣
(2) ㉡
(3) ㉠

19 (1) ㉠, ㉢, ㉣
(2) ㉣
(3) ㉥

20 (1) ㉡, ㉣, ㉤, ㉦
(2) ㉠, ㉡, ㉢, ㉣, ㉦
(3) ㉥
(4) ㉡, ㉦, ㉢, ㉣, ㉠, ㉧, ㉤, ㉥

21 ②

22 $4, 9, 16, \frac{9}{16}$

23 $-\frac{1}{18}$

24 3

25 $-\frac{1}{6}$

26 ⑤

05. 이차함수 $y=ax^2+q$의 그래프 (본문 149쪽)

01 q, 5

02 $y=4x^2+1$

03 $y=-3x^2-2$

04 $y=-6x^2+3$

05 y, 2

06 $y,\ -\frac{1}{2}$

07 y, 3

08 y, -5

09

y, 2

10

11

12

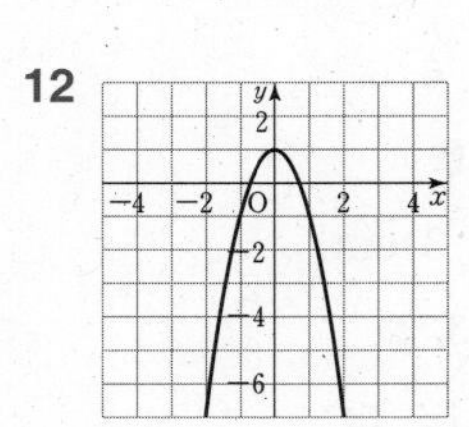

y, 1

13

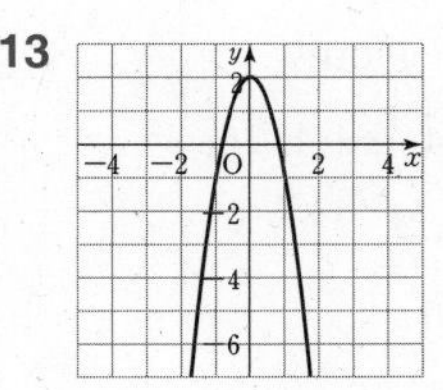

14

15 $x=0$

16 $x=0$

17 $x=0$

18 $x=0$

19 $x=0$

20 $x=0$

21 $x=0$

22 q, 2

23 $\left(0,\ -\frac{1}{3}\right)$

24 $(0, 4)$

25 $\left(0,\ -\frac{1}{2}\right)$

26 $(0, 7)$

27 $(0, -6)$

28 $(0, 5)$

29 k, 2, 6, 6, 2, 4

30 $k=10$

31 $k=-3$

32 $k=18$

33 (1) ×
(2) ○
(3) ×
(4) ○
(5) ×

34 (1) ×
(2) ○
(3) ○
(4) ×
(5) ○

06. 이차함수 $y=a(x-p)^2$의 그래프 (본문 153쪽)

01 p, 1

02 $y=4(x-2)^2$

03 $y=-3(x-4)^2$

04 $y=-6(x-1)^2$

05 $y=-(x+2)^2$

06 $y=\frac{1}{2}(x+3)^2$

07 $y=3\left(x+\frac{2}{5}\right)^2$

08 $y=-\frac{1}{7}\left(x+\frac{1}{2}\right)^2$

09 x, 2

10 x, $\frac{1}{2}$

11 x, -1

12 x, 1

13 x, 5

14 x, -1

15

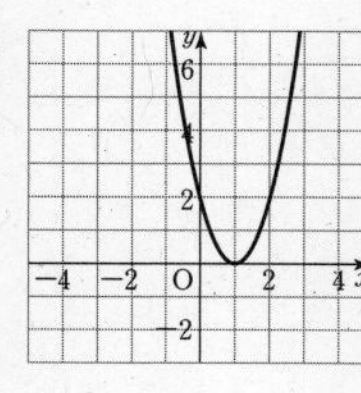

x, 1

16

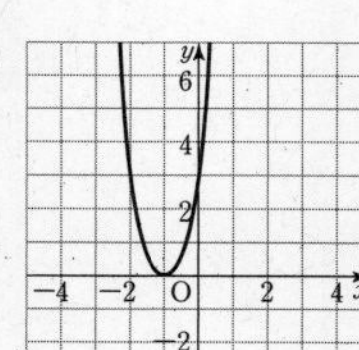

17

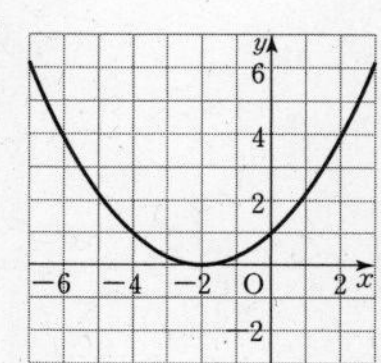

18

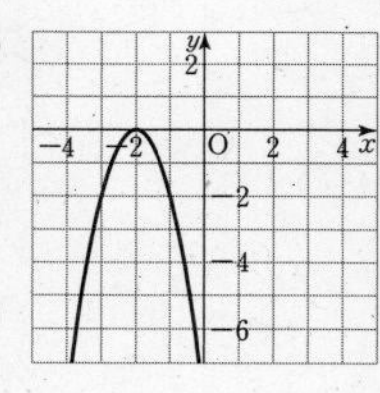

x, -2

19

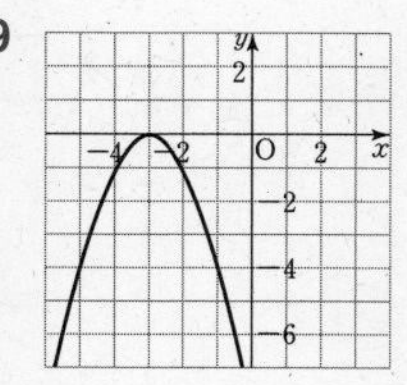

20

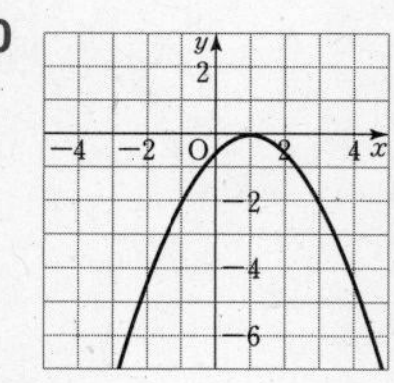

21 p, $x=1$

22 $x=-2$

23 $x=-3$

24 $x=-\frac{1}{6}$

25 $x=5$

26 $x=\frac{1}{2}$

27 $x=-1$

28 $x=\frac{1}{5}$

29 p, 2

30 $(1, 0)$

31 $(3, 0)$

32 $(7, 0)$

33 $-\frac{3}{2}$

34 $(-2, 0)$

35 $(-1, 0)$

36 $\left(-\frac{1}{2}, 0\right)$

37 (1) ×
(2) ×
(3) ×
(4) ×
(5) ◯
(6) ×

38 (1) ◯
(2) ◯
(3) ◯
(4) ×
(5) ×
(6) ◯

07. 이차함수 $y=a(x-p)^2+q$ 의 그래프 (본문 157쪽)

01 p, q, 1, 2

02 $y=2(x-3)^2+8$

03 $y=-3(x-1)^2-3$

04 $y=\frac{1}{2}(x+3)^2+4$

05 $y=\frac{2}{3}(x+1)^2-2$

06 $y=\frac{1}{2}(x-2)^2-1$

07 $y=-(x+1)^2-5$

08

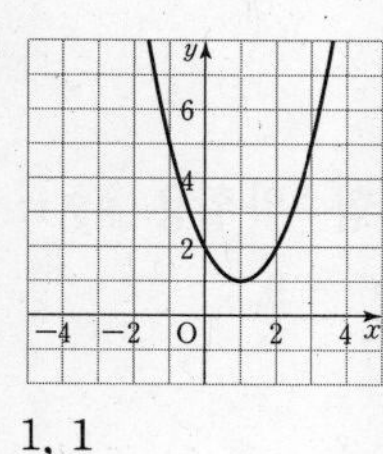

1, 1

09

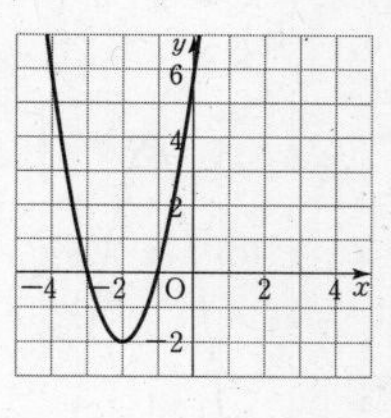

10

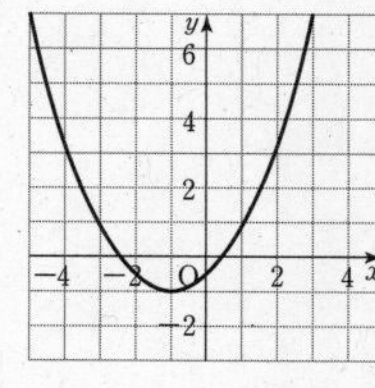

11

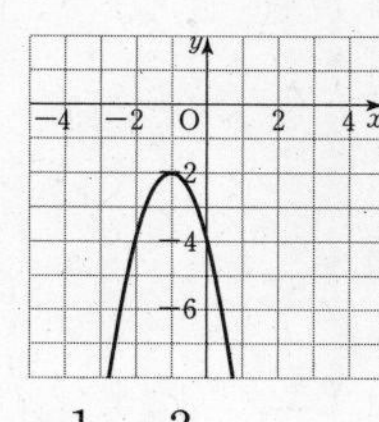

-1, -2

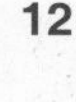
12

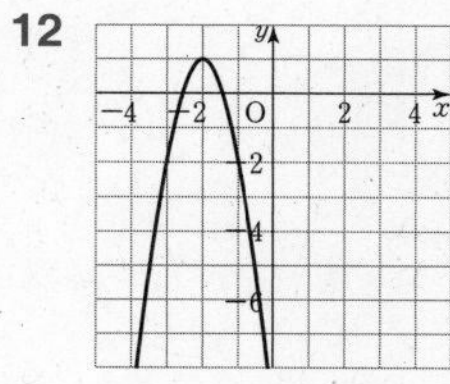

13

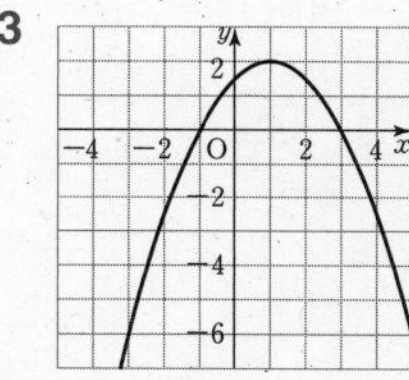

14 p, $x=1$

15 $x=2$

16 $x=4$

17 $x=2$

18 $x=-1$

19 $x=-1$

20 $x=-4$

21 $x=-2$

22 p, q, 2, 1

23 $(1, 3)$

24 $(2, -4)$

25 $(2, -1)$

26 $(-1, 5)$

27 $(-2, 7)$

28 $(-4, -6)$

29 $\left(\frac{1}{2}, -1\right)$

30 1, 3

31 -3, 1

32 -4, -1

33 4, -5

34 -5

35 (1) ×
(2) ×
(3) ×
(4) ×
(5) ◯
(6) ◯

36 (1) ◯
(2) ◯
(3) ×
(4) ×
(5) ◯

08. 이차함수 $y=a(x-p)^2+q$ 의 그래프의 대칭이동

(본문 161쪽)

01 1, 2, 3, 3, -3, -3, -3

02 $(-8, -6)$, $x=-8$

03 $(2, 3)$, $x=2$

04 3

05 $(1, -2)$, $x=1$

06 $(-1, 2)$, $x=-1$

07 ④

09. 이차함수 $y=ax^2+bx+c$ 의 그래프 (본문 162쪽)

01 2, 3

02 $y=(x-3)^2-3$

03 $y=-(x-2)^2+2$

04 $y=2(x-1)^2+2$

05 $y=-2(x-1)^2+3$

06 $y=-(x-4)^2+17$

07 $y=3(x-1)^2+2$

08 $y=-(x+3)^2+10$

09 $y=\frac{1}{2}(x-4)^2-7$

10 $y=-2(x-2)^2+3$

10. 이차함수 $y=ax^2+bx+c$ 의 그래프의 성질

(본문 163쪽)

01 4, 4, 3

(1) $(-2, -3)$

(2) $x=-2$

(3) $(0, 1)$

(4)

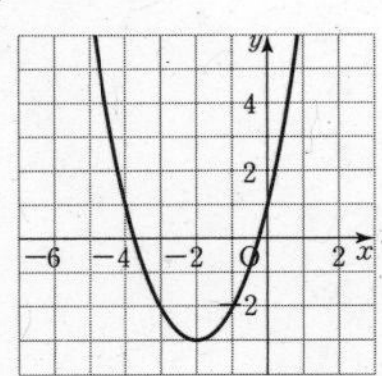

02 9, 3, 5

(1) $(3, 5)$

(2) $x=3$

(3) $(0, -4)$

(4)

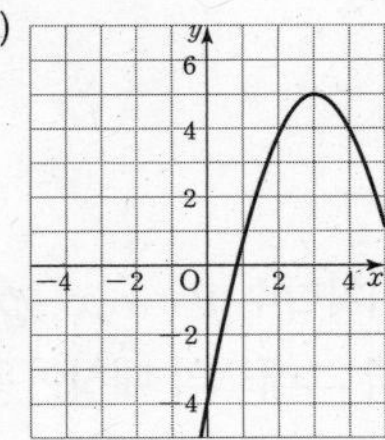

03 (1) $(-3, -4)$

(2) $x=-3$

(3) $(0, 5)$

(4)

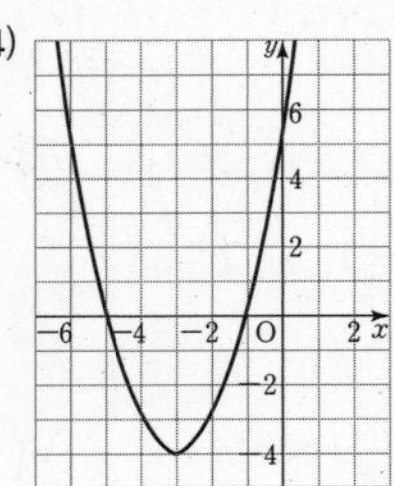

04 (1) $(2, 1)$

(2) $x=2$

(3) $(0, -3)$

(4)

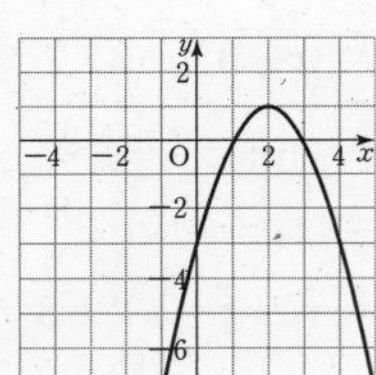

05 (1) $(-1, -2)$

(2) $x=-1$

(3) $(0, 1)$

(4)

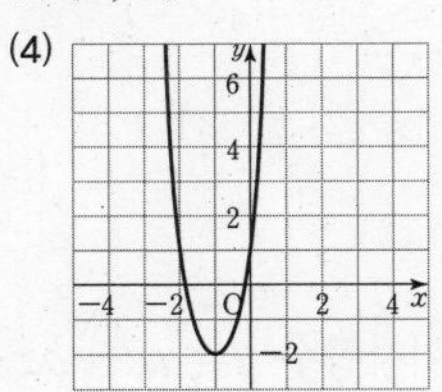

06 (1) $(2, 3)$

(2) $x=2$

(3) $(0, -5)$

(4)

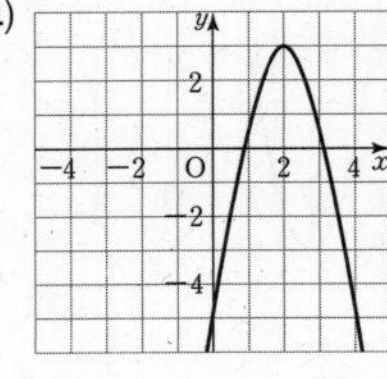

07 (1) × (2) × (3) ○ (4) × (5) ×

08 (1) × (2) ○ (3) ○ (4) ○ (5) ×

09 (1) ○ (2) × (3) ○ (4) ○ (5) ○

10 (1) ○ (2) × (3) × (4) ○ (5) ×

11. 이차함수 $y=ax^2+bx+c$의 그래프에서 a, b, c의 부호 (본문 167쪽)

01 (1) $>$ (2) $<$ (3) $<$

02 (1) $<$ (2) $<$ (3) $>$

03 (1) 위, $<$ (2) 같은, $<$ (3) 아래, $<$

04 (1) 아래, $>$ (2) 다른, $<$ (3) 0, $=$

05 $>$, 같은, $>$

06 $a<0$, $b>0$, $c<0$

07 $a>0$, $b>0$, $c>0$

12. 이차함수의 식 구하기(1) (본문 169쪽)

01 1, 4, 2, 2, 1, 4

02 $y=-3(x-1)^2+5$

03 $y=2(x-2)^2-3$

04 $y=-2(x+2)^2+5$

05 $y=2(x-2)^2-1$

06 $-\frac{1}{2}, -\frac{1}{2}, -\frac{1}{2}, 2$

07 -1, $-$, $-$, 4, 1

08 $y=2x^2-4x-2$

09 $y=\frac{3}{4}x^2-3x+6$

10 $y=-\frac{1}{2}x^2+2x+1$

13. 이차함수의 식 구하기(2) (본문 171쪽)

01 2, 9, a, -6, 16, -1, 10, -20

02 -44

03 -52

04 2

05 28

06 $y=\frac{1}{2}(x-1)^2+\frac{11}{2}$

07 $y=-x^2+7$

14. 이차함수의 식 구하기(3) (본문 172쪽)

01 1, 3, 1, 3, 1

02 $y=-2x^2-4x+6$

03 $y=\frac{3}{2}x^2-\frac{5}{2}x-1$

04 2, 1, 2, 3, 2

05 $y=\frac{1}{2}x^2-\frac{1}{2}x-3$

06 $y=-x^2+x+6$

15. 이차함수의 활용 (본문 173쪽)

01 6, 6, 6, -9

02 4초

03 $y=5x^2$

04 (1) $y=-x^2+49x$

(2) 48 m 또는 1 m

친절한 해설

I. 제곱근과 실수

02. 제곱근의 표현 (본문 9쪽)

22 ① 9
②, ③, ④, ⑤ ± 9

03. 제곱근의 성질 (본문 11쪽)

17 $-\sqrt{49}=-\sqrt{7^2}=-7$
18 $-\sqrt{100}=-\sqrt{10^2}=-10$
19 $-\sqrt{121}=-\sqrt{11^2}=-11$
20 $\pm\sqrt{36}=\pm\sqrt{6^2}=\pm 6$
21 $\pm\sqrt{225}=\pm\sqrt{15^2}=\pm 15$
22 $\sqrt{0.01}=\sqrt{0.1^2}=0.1$
23 $\sqrt{0.25}=\sqrt{0.5^2}=0.5$
24 $-\sqrt{0.04}=-\sqrt{0.2^2}=-0.2$
25 $\pm\sqrt{0.64}=\pm\sqrt{0.8^2}=\pm 0.8$
26 $\sqrt{\frac{9}{100}}=\sqrt{\left(\frac{3}{10}\right)^2}=\frac{3}{10}$
27 $\sqrt{\frac{1}{4}}=\sqrt{\left(\frac{1}{2}\right)^2}=\frac{1}{2}$
28 $-\sqrt{\frac{25}{81}}=-\sqrt{\left(\frac{5}{9}\right)^2}=-\frac{5}{9}$
29 $\pm\sqrt{\frac{400}{49}}=\pm\sqrt{\left(\frac{20}{7}\right)^2}=\pm\frac{20}{7}$
30 (주어진 식)$=2+6=8$
31 (주어진 식)$=7-3=4$
32 (주어진 식)$=3.5\times 2=7$
33 (주어진 식)$=4\times 0.5=2$
34 (주어진 식)$=3+7=10$
35 (주어진 식)$=6-2=4$
36 (주어진 식)$=4.1-3.5=0.6$
37 (주어진 식)$=11+12=23$
38 (주어진 식)$=10+9=19$
39 (주어진 식)$=-1.5\div 3$
$=-\frac{15}{10}\times\frac{1}{3}$
$=-\frac{1}{2}$
40 (주어진 식)$=6\times\frac{3}{2}=9$
41 (주어진 식)$=\frac{1}{7}\times\frac{7}{6}=\frac{1}{6}$
43 (주어진 식)$=-8+3=-5$
44 (주어진 식)$=0.1\times 0.4=0.04$
45 (주어진 식)$=-1.3-0.6=-1.9$
46 (주어진 식)$=4\times 2=8$
47 (주어진 식)$=\sqrt{\left(\frac{1}{10}\right)^2}-\sqrt{\left(\frac{3}{10}\right)^2}$
$=\frac{1}{10}-\frac{3}{10}$
$=-\frac{2}{10}=-\frac{1}{5}$
48 (주어진 식)$=11\div(-11)=-1$
49 (주어진 식)$=11\times 8=88$
50 (주어진 식)$=0.7+0.5=1.2$
51 (주어진 식)$=\sqrt{\left(\frac{1}{2}\right)^2}\div\sqrt{\left(\frac{3}{2}\right)^2}$
$=\frac{1}{2}\div\frac{3}{2}$
$=\frac{1}{2}\times\frac{2}{3}=\frac{1}{3}$

04. $\sqrt{A^2}$의 성질 (본문 15쪽)

21 $a<0$일 때, $a-1<-1$이므로
(주어진 식)$=-a-a+1$
$=-2a+1$
22 (주어진 식)$=-(a+2)+(a-2)$
$=-a-2+a-2$
$=-4$
23 $0<a<1$일 때,
$0<1-a<1$, $-1<a-1<0$이므로
(주어진 식)$=(1-a)-(a-1)$
$=1-a-a+1$
$=-2a+2$
24 $-5<a<5$일 때,
$a+5>0$, $a-5<0$이므로
(주어진 식)$=(a+5)-(a-5)$
$=a+5-a+5=10$

05. 제곱수를 이용하여 근호 없애기 (본문 17쪽)

02 $\sqrt{2\times 3^2\times 2}=\sqrt{(2\times 3)^2}$
$=2\times 3=6$이므로
$x=2$
03 $\sqrt{2^2\times 7\times 7}=\sqrt{(2\times 7)^2}$
$=2\times 7=14$이므로
$x=7$
04 $\sqrt{2^3\times 5\times 2\times 5}=\sqrt{(2^2\times 5)^2}$
$=2^2\times 5=20$이므로
$x=2\times 5=10$
06 $\sqrt{12x}=\sqrt{2^2\times 3\times x}$에서
$\sqrt{2^2\times 3\times 3}=\sqrt{(2\times 3)^2}$
$=2\times 3=6$이므로
$x=3$
07 $\sqrt{20x}=\sqrt{2^2\times 5\times x}$에서
$\sqrt{2^2\times 5\times 5}=\sqrt{(2\times 5)^2}$
$=2\times 5=10$이므로
$x=5$
08 $\sqrt{48x}=\sqrt{2^4\times 3\times x}$에서
$\sqrt{2^4\times 3\times 3}=\sqrt{(2^2\times 3)^2}$
$=2^2\times 3=12$이므로
$x=3$
09 $\sqrt{124x}=\sqrt{2^2\times 31\times x}$에서
$\sqrt{2^2\times 31\times 31}=\sqrt{(2\times 31)^2}$
$=2\times 31=62$이므로
$x=31$
11 $\sqrt{\frac{2\times 5^2}{2}}$이므로 $x=2$
12 $\sqrt{\frac{3\times 5^2\times 11}{3\times 11}}=\sqrt{5^2}=5$이므로
$x=3\times 11=33$
13 $\sqrt{\frac{2^3\times 7}{2\times 7}}=\sqrt{2^2}=2$이므로
$x=2\times 7=14$
14 $\sqrt{\frac{2\times 3^3\times 5}{2\times 3\times 5}}=\sqrt{3^2}=3$이므로
$x=2\times 3\times 5=30$
15 $\sqrt{\frac{20}{x}}=\sqrt{\frac{2^2\times 5}{x}}=\sqrt{\frac{2^2\times 5}{5}}$
$=\sqrt{2^2}=2$이므로 $x=5$
16 $\sqrt{\frac{24}{x}}=\sqrt{\frac{2^3\times 3}{x}}$에서
$\sqrt{\frac{2^3\times 3}{2\times 3}}=\sqrt{2^2}=2$이므로
$x=2\times 3=6$
17 $\sqrt{\frac{48}{x}}=\sqrt{\frac{2^4\times 3}{3}}=\sqrt{2^4}=4$이므로
$x=3$
18 $\sqrt{\frac{60}{x}}=\sqrt{\frac{2^2\times 3\times 5}{x}}$에서
$\sqrt{\frac{2^2\times 3\times 5}{3\times 5}}=\sqrt{2^2}=2$이므로
$x=3\times 5=15$
19 $\sqrt{\frac{72}{x}}=\sqrt{\frac{2^3\times 3^2}{x}}$에서
$\sqrt{\frac{2^3\times 3^2}{2}}=\sqrt{(2\times 3)^2}=2\times 3=6$
이므로 $x=2$

06. 제곱근의 대소 관계 (본문 19쪽)

02 $10<12$이므로 $\sqrt{10}<\sqrt{12}$

03 $0.6<0.7$이므로 $\sqrt{0.6}<\sqrt{0.7}$

04 $8<13$이므로 $\sqrt{8}<\sqrt{13}$
$\therefore -\sqrt{8}>-\sqrt{13}$

05 $6>5$이므로 $\sqrt{6}>\sqrt{5}$
$\therefore -\sqrt{6}<-\sqrt{5}$

06 $\frac{1}{2}>\frac{1}{3}$이므로 $\sqrt{\frac{1}{2}}>\sqrt{\frac{1}{3}}$

07 $\frac{3}{2}>\frac{4}{3}$이므로 $\sqrt{\frac{3}{2}}>\sqrt{\frac{4}{3}}$

08 $\frac{3}{5}<\frac{3}{4}$이므로 $\sqrt{\frac{3}{5}}<\sqrt{\frac{3}{4}}$

09 $\frac{1}{2}<\frac{3}{5}$이므로 $\sqrt{\frac{1}{2}}<\sqrt{\frac{3}{5}}$
$\therefore -\sqrt{\frac{1}{2}}>-\sqrt{\frac{3}{5}}$

10 $\frac{3}{10}>\frac{1}{5}$이므로 $\sqrt{\frac{3}{10}}>\sqrt{\frac{1}{5}}$
$\therefore -\sqrt{\frac{3}{10}}<-\sqrt{\frac{1}{5}}$

12 $(\sqrt{24})^2=24,\ 5^2=25$이므로
$(\sqrt{24})^2<5^2$
$\therefore \sqrt{24}<5$

13 $(\sqrt{15})^2=15,\ 4^2=16$이므로
$(\sqrt{15})^2<4^2$
$\therefore \sqrt{15}<4$

14 $0.6^2=0.36,\ (\sqrt{0.7})^2=0.7$이므로
$0.6^2<(\sqrt{0.7})^2$
$\therefore 0.6<\sqrt{0.7}$

15 $\left(\sqrt{\frac{1}{3}}\right)^2=\frac{1}{3},\ \left(\frac{1}{2}\right)^2=\frac{1}{4}$이므로
$\left(\sqrt{\frac{1}{3}}\right)^2>\left(\frac{1}{2}\right)^2$
$\therefore \sqrt{\frac{1}{3}}>\frac{1}{2}$

16 $\left(\frac{3}{5}\right)^2=\frac{9}{25},\ \left(\sqrt{\frac{11}{26}}\right)^2=\frac{11}{26}$이므로
$\left(\frac{3}{5}\right)^2<\left(\sqrt{\frac{11}{26}}\right)^2$
$\therefore \frac{3}{5}<\sqrt{\frac{11}{26}}$

17 $4^2=16,\ (\sqrt{17})^2=17$이므로
$4<\sqrt{17}$
$\therefore -4>-\sqrt{17}$

18 $6^2=36,\ (\sqrt{35})^2=35$이므로
$6>\sqrt{35}$
$\therefore -6<-\sqrt{35}$

19 $\left(\frac{1}{2}\right)^2=\frac{1}{4},\ \left(\sqrt{\frac{1}{6}}\right)^2=\frac{1}{6}$이므로
$\frac{1}{2}>\sqrt{\frac{1}{6}}$
$\therefore -\frac{1}{2}<-\sqrt{\frac{1}{6}}$

21 양변을 제곱하면 $x<4$
따라서 자연수 x의 개수는 3개이다.

22 $\sqrt{x}\le\sqrt{5}$, 양변을 제곱하면 $x\le5$
따라서 자연수 x의 개수는 5개이다.

23 $\sqrt{x}<\sqrt{12}$, 양변을 제곱하면 $x<12$
따라서 자연수 x의 개수는 11개이다.

25 각 변을 제곱하면 $4<x\le9$
따라서 자연수 x의 개수는 5개이다.

26 각 변을 제곱하면 $9\le x\le10$
따라서 자연수 x의 개수는 2개이다.

27 각 변을 제곱하면 $26<x<30$
따라서 자연수 x의 개수는 3개이다.

28 $-5<-\sqrt{n}<-3$에서 $3<\sqrt{n}<5$
부등식의 각 변을 제곱하면
$9<n<25$
따라서 자연수 n의 개수는 15개이다.

07. 무리수 (본문 22쪽)

01 $\sqrt{8}=2\sqrt{2}$이므로 무리수

02 $\sqrt{12}=2\sqrt{3}$이므로 무리수

03 $\sqrt{16}=4$이므로 유리수

04 $\sqrt{64}=8$이므로 유리수

07 $1-\sqrt{25}=1-5=-4$이므로 유리수

09 $\sqrt{0.81}=0.9$이므로 유리수

11 $\sqrt{\frac{1}{100}}=\frac{1}{10}$이므로 유리수

13 ㉠ $\sqrt{18}=3\sqrt{2}$
㉡ $\sqrt{400}=20$
㉢ $-\sqrt{49}=-7$
㉣ $\sqrt{1.44}=1.2$
㉤ $\sqrt{0.09}=0.3$

08. 실수 (본문 23쪽)

04 유리수 : $-2.3,\ 6.\dot{1},\ \sqrt{49}(=7),$
$\sqrt{\frac{9}{16}}\left(=\frac{3}{4}\right),\ \sqrt{36}(=6)$
무리수 : $\pi,\ 3\sqrt{3}$

09. 무리수를 수직선 위에 나타내기 (본문 24쪽)

04 $\overline{AC}=\overline{AP}=\sqrt{2}$이고,
점 P가 기준점 $A(4)$의 오른쪽에 있으므로 $P(4+\sqrt{2})$

05 $\overline{AC}=\overline{AP}=\sqrt{2}$이고,
점 P가 기준점 $A(-1)$의 오른쪽에 있으므로 $P(-1+\sqrt{2})$

06 $\overline{AC}=\overline{AP}=\sqrt{2}$이고,
점 P가 기준점 $A(-2)$의 왼쪽에 있으므로 $P(-2-\sqrt{2})$

09 $\overline{CP}=\sqrt{2}$이고, $C(1)$이므로
$P(1+\sqrt{2})$

10 $\overline{CP}=\sqrt{2}$이고, $C(-2)$이므로
$P(-2+\sqrt{2})$

11 $\overline{CP}=\sqrt{2}$이고, $C(4)$이므로
$P(4-\sqrt{2})$

12 $\overline{CP}=\sqrt{2}$이고, $C(3)$이므로
$P(3-\sqrt{2})$

13 $\overline{CP}=\sqrt{2}$이고, $C(-2)$이므로
$P(-2-\sqrt{2})$

14 $\overline{CP}=\sqrt{2}$이고, $C(-3)$이므로
$P(-3+\sqrt{2})$

15 (1) □ABCD
$=3\times3-4\times\left(\frac{1}{2}\times1\times2\right)$
$=9-4=5$
(2) $\overline{AB}=\overline{AD}=\sqrt{5},\ \sqrt{5}+\sqrt{5}=2\sqrt{5}$
(3) $A(0)$이고,
$\overline{AB}=\overline{AP}=\sqrt{5}$이므로 $P(\sqrt{5})$
(4) $A(0)$이고,
$\overline{AQ}=\overline{AD}=\sqrt{5}$이므로 $Q(-\sqrt{5})$

16 (1) □ABCD
$=3\times3-4\times\left(\frac{1}{2}\times1\times2\right)$
$=9-4=5$
(2) $\overline{AB}=\overline{AD}=\sqrt{5},\ \sqrt{5}+\sqrt{5}=2\sqrt{5}$
(3) $A(2)$이고,
$\overline{AB}=\overline{AP}=\sqrt{5}$이므로 $P(2+\sqrt{5})$
(4) $A(2)$이고,
$\overline{AQ}=\overline{AD}=\sqrt{5}$이므로 $Q(2-\sqrt{5})$

17 $\overline{AB}=\overline{AP}=\sqrt{5}$,
$A(1)$이므로 $P(1+\sqrt{5})$

18 $\overline{AB}=\overline{AP}=\sqrt{5}$,
$A(-2)$이므로 $P(-2-\sqrt{5})$

19 $\overline{AB}=\overline{AP}=\sqrt{5}$,
$A(-3)$이므로 $P(-3+\sqrt{5})$

20 $\overline{AB}=\overline{AP}=\sqrt{5}$,
$A(5)$이므로 $P(5-\sqrt{5})$

21

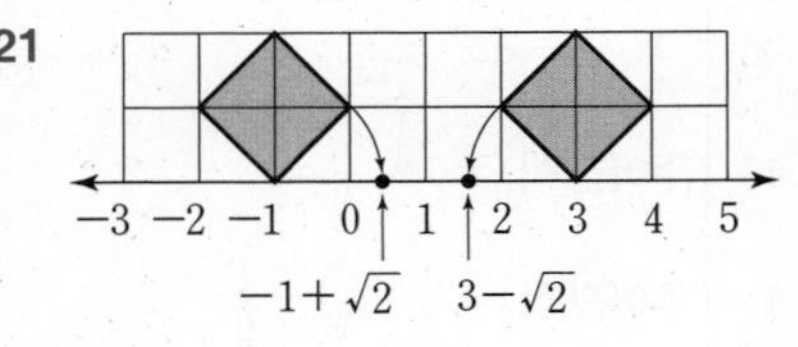

10. 실수와 수직선 (본문 27쪽)

05 $\frac{1}{3}$과 $\frac{1}{2}$사이에는 무수히 많은 무리수가 있다.

10 실수로 수직선은 완전히 메울 수 있다.

11 실수에 대응하는 점으로 수직선을 완전히 메울 수 있다.

11. 실수의 대소 관계 (본문 28쪽)

01 $2<5$이므로 $\sqrt{3}+2<\sqrt{3}+5$

02 $-3>-4$이므로 $\sqrt{6}-3>\sqrt{6}-4$

03 $-1<0$이므로 $-1+\sqrt{2}<\sqrt{2}$

04 $9<10$이므로 $9-\sqrt{7}<10-\sqrt{7}$

05 $\sqrt{2}<\sqrt{3}$이므로 $\sqrt{2}+1<\sqrt{3}+1$

06 $\sqrt{13}>\sqrt{12}$이므로 $\sqrt{13}-3>\sqrt{12}-3$

07 $\sqrt{3}<\sqrt{7}$이므로 $-3+\sqrt{3}<-3+\sqrt{7}$

08 $-\sqrt{7}>-\sqrt{10}$이므로
$7-\sqrt{7}>7-\sqrt{10}$

09 $\sqrt{6}>\sqrt{5}$이므로 $\sqrt{21}+\sqrt{6}>\sqrt{21}+\sqrt{5}$

10 $\sqrt{15}>\sqrt{12}$이므로
$\sqrt{15}-\sqrt{2}>\sqrt{12}-\sqrt{2}$

11 $-\sqrt{13}<-\sqrt{12}$이므로
$-\sqrt{13}+\sqrt{8}<-\sqrt{12}+\sqrt{8}$

12 $(\sqrt{6}-1)-2=\sqrt{6}-3$
$=\sqrt{6}-\sqrt{9}<0$

13 $(\sqrt{11}-3)-1=\sqrt{11}-4$
$=\sqrt{11}-\sqrt{16}<0$

14 $(7-\sqrt{7})-4=3-\sqrt{7}$
$=\sqrt{9}-\sqrt{7}>0$

15 $(\sqrt{5}-1)-3=\sqrt{5}-4$
$=\sqrt{5}-\sqrt{16}<0$

16 $(\sqrt{10}-2)-1=\sqrt{10}-3$
$=\sqrt{10}-\sqrt{9}>0$

17 $(\sqrt{3}-1)-1=\sqrt{3}-2$
$=\sqrt{3}-\sqrt{4}<0$

18 $(4-\sqrt{2})-2=2-\sqrt{2}$
$=\sqrt{4}-\sqrt{2}>0$

19 $3-(\sqrt{8}-1)=4-\sqrt{8}$
$=\sqrt{16}-\sqrt{8}>0$

20 $2-(\sqrt{19}-3)=5-\sqrt{19}$
$=\sqrt{25}-\sqrt{19}>0$

21 $8-(5+\sqrt{11})=3-\sqrt{11}$
$=\sqrt{9}-\sqrt{11}<0$

22 $2-(3-\sqrt{3})=-1+\sqrt{3}$
$=\sqrt{3}-\sqrt{1}>0$

23 $4-(\sqrt{7}+1)=3-\sqrt{7}$
$=\sqrt{9}-\sqrt{7}>0$

24 $4-(\sqrt{8}+1)=3-\sqrt{8}$
$=\sqrt{9}-\sqrt{8}>0$

12. 무리수의 정수 부분과 소수 부분 (본문 30쪽)

01 $1<\sqrt{2}<2$

02 $2<\sqrt{5}<3$

03 $2<\sqrt{8}<3$

04 $3<\sqrt{10}<4$

05 $4<\sqrt{20}<5$

06 $1<\sqrt{3}<2$이므로
$4<\sqrt{3}+3<5$

07 $2<\sqrt{7}<3$이므로
$4<\sqrt{7}+2<5$

08 $3<\sqrt{11}<4$이므로
$1<\sqrt{11}-2<2$

09 $5<\sqrt{32}<6$이므로
$0<\sqrt{32}-5<1$

10 $1<\sqrt{2}<2$이므로 $4<3+\sqrt{2}<5$,
$3+\sqrt{2}$의 정수 부분은 4이므로 $a=4$,
$3+\sqrt{2}$의 소수 부분은 $3+\sqrt{2}-4$이므로
$b=\sqrt{2}-1$
$\therefore 3a+b=12+\sqrt{2}-1=11+\sqrt{2}$

13. 제곱근의 곱셈 (본문 31쪽)

02 (주어진 식)$=\sqrt{3\times5}=\sqrt{15}$

03 (주어진 식)$=\sqrt{5\times7}=\sqrt{35}$

04 (주어진 식)$=\sqrt{2\times5}=\sqrt{10}$

05 (주어진 식)$=\sqrt{3\times7}=\sqrt{21}$

06 (주어진 식)$=\sqrt{5\times6}=\sqrt{30}$

07 (주어진 식)$=\sqrt{\frac{4}{3}\times\frac{9}{2}}=\sqrt{6}$

08 (주어진 식)$=\sqrt{\frac{2}{5}\times\frac{15}{2}}=\sqrt{3}$

09 (주어진 식)$=\sqrt{2\times5\times\frac{3}{5}}=\sqrt{6}$

10 (주어진 식)$=\sqrt{5\times2\times\frac{7}{2}}=\sqrt{35}$

11 (주어진 식)$=\sqrt{2\times3\times7}=\sqrt{42}$

12 (주어진 식)$=\sqrt{2\times5\times\frac{9}{5}}=\sqrt{18}$

20 (주어진 식)$=3\times\sqrt{\frac{14}{5}\times\frac{15}{7}}=3\sqrt{6}$

21 (주어진 식)$=4\times\sqrt{\frac{9}{5}\times\frac{25}{3}}=4\sqrt{15}$

26 (주어진 식)$=10\times3\times\sqrt{\frac{8}{3}\times\frac{9}{8}}$
$=30\sqrt{3}$

27 (1) $4\sqrt{3}\times(-\sqrt{2})$
$=4\times(-1)\times(\sqrt{3}\times\sqrt{2})$
$=-4\sqrt{6}$

(2) $-4\times3\sqrt{2}\times2\sqrt{7}$
$=(-4\times3\times2)\times(\sqrt{2\times7})$
$=-24\sqrt{14}$

(3) $2\sqrt{\frac{8}{3}}\sqrt{\frac{3}{4}}$
$=2\times\left(\sqrt{\frac{8}{3}\times\frac{3}{4}}\right)$
$=2\sqrt{2}$

14. 근호가 있는 식의 변형 — 제곱근의 곱셈 (본문 33쪽)

09 $\sqrt{63}=\sqrt{3^2\times7}=3\sqrt{7}$

10 $\sqrt{80}=\sqrt{4^2\times5}=4\sqrt{5}$

11 $\sqrt{98}=\sqrt{7^2\times2}=7\sqrt{2}$

12 $\sqrt{99}=\sqrt{3^2\times11}=3\sqrt{11}$

13 $\sqrt{128}=\sqrt{8^2\times2}=8\sqrt{2}$

15 $2\sqrt{5}=\sqrt{2^2\times5}=\sqrt{20}$

16 $3\sqrt{2}=\sqrt{3^2\times2}=\sqrt{18}$

17 $5\sqrt{5}=\sqrt{5^2\times5}=\sqrt{125}$

18 $6\sqrt{2}=\sqrt{6^2\times2}=\sqrt{72}$

19 $4\sqrt{7}=\sqrt{4^2\times7}=\sqrt{112}$

20 $2\sqrt{\frac{1}{3}}=\sqrt{2^2\times\frac{1}{3}}=\sqrt{\frac{4}{3}}$

21 $4\sqrt{\frac{3}{5}}=\sqrt{4^2\times\frac{3}{5}}=\sqrt{\frac{48}{5}}$

23 $2\sqrt{5}\times3=\sqrt{6^2\times5}=\sqrt{180}$

24 $3\sqrt{5}\times\sqrt{3}=\sqrt{3^2\times5\times3}=\sqrt{135}$

25 $3\sqrt{7}\times\sqrt{2}=\sqrt{3^2\times7\times2}=\sqrt{126}$

26 $2\sqrt{2}\times\sqrt{5}=\sqrt{2^2\times2\times5}=\sqrt{40}$

27 $2\sqrt{2}\times3\sqrt{5}=\sqrt{6^2\times10}=\sqrt{360}$

28 $5\sqrt{2}\times2\sqrt{3}=\sqrt{10^2\times6}=\sqrt{600}$

29 ① $\sqrt{50}$, ③ $\sqrt{108}$, ④ $\sqrt{24}$

15. 제곱근의 나눗셈 (본문 35쪽)

02 $\frac{\sqrt{6}}{\sqrt{2}}=\sqrt{\frac{6}{2}}=\sqrt{3}$

03 $\frac{\sqrt{15}}{\sqrt{5}}=\sqrt{\frac{15}{5}}=\sqrt{3}$

04 $\frac{\sqrt{20}}{\sqrt{4}}=\sqrt{\frac{20}{4}}=\sqrt{5}$

05 $\frac{\sqrt{20}}{\sqrt{10}}=\sqrt{\frac{20}{10}}=\sqrt{2}$

06 $\frac{\sqrt{50}}{\sqrt{5}}=\sqrt{\frac{50}{5}}=\sqrt{10}$

07 $\frac{\sqrt{35}}{\sqrt{7}}=\sqrt{\frac{35}{7}}=\sqrt{5}$

08 $\frac{\sqrt{56}}{\sqrt{8}}=\sqrt{\frac{56}{8}}=\sqrt{7}$

09 $\frac{\sqrt{2}}{\sqrt{8}}=\sqrt{\frac{2}{8}}=\sqrt{\frac{1}{4}}$

10 $\frac{\sqrt{11}}{\sqrt{77}}=\sqrt{\frac{11}{77}}=\sqrt{\frac{1}{7}}$

11 $\sqrt{63}\div\sqrt{9}=\sqrt{63}\times\frac{1}{\sqrt{9}}=\sqrt{\frac{63}{9}}=\sqrt{7}$

12 $\sqrt{35}\div\sqrt{5}=\sqrt{35}\times\frac{1}{\sqrt{5}}=\sqrt{\frac{35}{5}}=\sqrt{7}$

13 $\sqrt{143}\div\sqrt{11}$

$=\sqrt{143}\times\frac{1}{\sqrt{11}}=\sqrt{\frac{143}{11}}$

$=\sqrt{13}$

14 $3\sqrt{6}\div\sqrt{2}$

$=3\sqrt{6}\times\frac{1}{\sqrt{2}}=3\times\sqrt{\frac{6}{2}}$

$=3\sqrt{3}$

15 $6\sqrt{6}\div\sqrt{2}$

$=6\sqrt{6}\times\frac{1}{3\sqrt{2}}=\frac{6}{3}\times\sqrt{\frac{6}{2}}$

$=2\sqrt{3}$

16 $4\sqrt{15}\div\sqrt{3}$

$=4\sqrt{15}\times\frac{1}{2\sqrt{3}}=\frac{4}{2}\times\sqrt{\frac{15}{3}}$

$=2\sqrt{5}$

17 $12\sqrt{45}\div\sqrt{3}$

$=12\sqrt{45}\times\frac{1}{4\sqrt{3}}=\frac{12}{4}\times\sqrt{\frac{45}{3}}$

$=3\sqrt{15}$

19 $\frac{\sqrt{2}}{\sqrt{5}}\div\frac{\sqrt{4}}{\sqrt{20}}$

$=\frac{\sqrt{2}}{\sqrt{5}}\times\frac{\sqrt{20}}{\sqrt{4}}=\sqrt{\frac{2}{5}\times\frac{20}{4}}$

$=\sqrt{2}$

20 $\frac{\sqrt{6}}{\sqrt{7}}\div\frac{\sqrt{3}}{\sqrt{14}}$

$=\frac{\sqrt{6}}{\sqrt{7}}\times\frac{\sqrt{14}}{\sqrt{3}}=\sqrt{\frac{6}{7}\times\frac{14}{3}}$

$=\sqrt{4}$

21 $\frac{\sqrt{7}}{\sqrt{10}}\div\frac{\sqrt{28}}{\sqrt{5}}$

$=\frac{\sqrt{7}}{\sqrt{10}}\times\frac{\sqrt{5}}{\sqrt{28}}=\sqrt{\frac{7}{10}\times\frac{5}{28}}$

$=\sqrt{\frac{1}{8}}$

22 $\frac{\sqrt{5}}{\sqrt{8}}\div\frac{\sqrt{5}}{\sqrt{16}}$

$=\frac{\sqrt{5}}{\sqrt{8}}\times\frac{\sqrt{16}}{\sqrt{5}}=\sqrt{\frac{5}{8}\times\frac{16}{5}}$

$=\sqrt{2}$

23 $\frac{\sqrt{10}}{\sqrt{3}}\div\frac{\sqrt{5}}{\sqrt{30}}$

$=\frac{\sqrt{10}}{\sqrt{3}}\times\frac{\sqrt{30}}{\sqrt{5}}=\sqrt{\frac{10}{3}\times\frac{30}{5}}$

$=\sqrt{20}$

16. 근호가 있는 식의 변형 — 제곱근의 나눗셈 (본문 37쪽)

02 $\sqrt{\frac{7}{9}}=\sqrt{\frac{7}{3^2}}=\frac{\sqrt{7}}{3}$

03 $\sqrt{\frac{5}{16}}=\sqrt{\frac{5}{4^2}}=\frac{\sqrt{5}}{4}$

04 $\sqrt{\frac{3}{25}}=\sqrt{\frac{3}{5^2}}=\frac{\sqrt{3}}{5}$

05 $\sqrt{0.07}=\sqrt{\frac{7}{100}}=\sqrt{\frac{7}{10^2}}=\frac{\sqrt{7}}{10}$

06 $\sqrt{0.11}=\sqrt{\frac{11}{100}}=\sqrt{\frac{11}{10^2}}=\frac{\sqrt{11}}{10}$

07 $\frac{\sqrt{5}}{2}=\sqrt{\frac{5}{2^2}}=\sqrt{\frac{5}{4}}$

08 $\frac{\sqrt{2}}{3}=\sqrt{\frac{2}{3^2}}=\sqrt{\frac{2}{9}}$

09 $\frac{\sqrt{3}}{5}=\sqrt{\frac{3}{5^2}}=\sqrt{\frac{3}{25}}$

10 $\frac{\sqrt{11}}{6}=\sqrt{\frac{11}{6^2}}=\sqrt{\frac{11}{36}}$

11 $\frac{\sqrt{7}}{8}=\sqrt{\frac{7}{8^2}}=\sqrt{\frac{7}{64}}$

12 $\frac{\sqrt{3}}{10}=\sqrt{\frac{3}{10^2}}=\sqrt{\frac{3}{100}}$

17. 분모의 유리화 (본문 38쪽)

02 $\frac{1}{\sqrt{3}}=\frac{\sqrt{3}}{\sqrt{3}\times\sqrt{3}}=\frac{\sqrt{3}}{3}$

03 $\frac{1}{\sqrt{5}}=\frac{\sqrt{5}}{\sqrt{5}\times\sqrt{5}}=\frac{\sqrt{5}}{5}$

04 $\frac{1}{\sqrt{7}}=\frac{\sqrt{7}}{\sqrt{7}\times\sqrt{7}}=\frac{\sqrt{7}}{7}$

05 $\frac{1}{\sqrt{11}}=\frac{\sqrt{11}}{\sqrt{11}\times\sqrt{11}}=\frac{\sqrt{11}}{11}$

06 $\frac{1}{\sqrt{13}}=\frac{\sqrt{13}}{\sqrt{13}\times\sqrt{13}}=\frac{\sqrt{13}}{13}$

08 $\frac{2}{\sqrt{3}}=\frac{2\times\sqrt{3}}{\sqrt{3}\times\sqrt{3}}=\frac{2\sqrt{3}}{3}$

09 $\frac{4}{\sqrt{5}}=\frac{4\times\sqrt{5}}{\sqrt{5}\times\sqrt{5}}=\frac{4\sqrt{5}}{5}$

10 $\frac{6}{\sqrt{7}}=\frac{6\times\sqrt{7}}{\sqrt{7}\times\sqrt{7}}=\frac{6\sqrt{7}}{7}$

11 $\frac{12}{\sqrt{6}}=\frac{12\times\sqrt{6}}{\sqrt{6}\times\sqrt{6}}=\frac{12\sqrt{6}}{6}=2\sqrt{6}$

12 $\frac{26}{\sqrt{13}}=\frac{26\times\sqrt{13}}{\sqrt{13}\times\sqrt{13}}=\frac{26\sqrt{13}}{13}=2\sqrt{13}$

14 $\frac{\sqrt{2}}{\sqrt{5}}=\frac{\sqrt{2}\times\sqrt{5}}{\sqrt{5}\times\sqrt{5}}=\frac{\sqrt{10}}{5}$

15 $\frac{\sqrt{5}}{\sqrt{6}}=\frac{\sqrt{5}\times\sqrt{6}}{\sqrt{6}\times\sqrt{6}}=\frac{\sqrt{30}}{6}$

16 $\frac{\sqrt{3}}{\sqrt{7}}=\frac{\sqrt{3}\times\sqrt{7}}{\sqrt{7}\times\sqrt{7}}=\frac{\sqrt{21}}{7}$

17 $\frac{\sqrt{3}}{\sqrt{10}}=\frac{\sqrt{3}\times\sqrt{10}}{\sqrt{10}\times\sqrt{10}}=\frac{\sqrt{30}}{10}$

18 $\frac{\sqrt{2}}{\sqrt{15}}=\frac{\sqrt{2}\times\sqrt{15}}{\sqrt{15}\times\sqrt{15}}=\frac{\sqrt{30}}{15}$

19 $\frac{\sqrt{3}}{\sqrt{17}}=\frac{\sqrt{3}\times\sqrt{17}}{\sqrt{17}\times\sqrt{17}}=\frac{\sqrt{51}}{17}$

21 $\frac{\sqrt{5}}{2\sqrt{3}}=\frac{\sqrt{5}\times\sqrt{3}}{2\sqrt{3}\times\sqrt{3}}=\frac{\sqrt{15}}{6}$

22 $\frac{\sqrt{6}}{2\sqrt{7}}=\frac{\sqrt{6}\times\sqrt{7}}{2\sqrt{7}\times\sqrt{7}}=\frac{\sqrt{42}}{14}$

23 $\frac{\sqrt{5}\times\sqrt{3}}{3\sqrt{3}\times\sqrt{3}}=\frac{\sqrt{15}}{9}$

24 $\frac{\sqrt{5}\times\sqrt{11}}{5\sqrt{11}\times\sqrt{11}}=\frac{\sqrt{55}}{55}$

25 $\frac{\sqrt{3}}{\sqrt{8}}=\frac{\sqrt{3}}{2\sqrt{2}}=\frac{\sqrt{3}\times\sqrt{2}}{2\sqrt{2}\times\sqrt{2}}=\frac{\sqrt{6}}{4}$

26 $\frac{\sqrt{7}}{\sqrt{20}}=\frac{\sqrt{7}}{2\sqrt{5}}=\frac{\sqrt{7}\times\sqrt{5}}{2\sqrt{5}\times\sqrt{5}}=\frac{\sqrt{35}}{10}$

19. 제곱근의 표에 없는 수의 어림한 값 (본문 41쪽)

05 $\sqrt{3\times10000}=100\sqrt{3}\fallingdotseq100\times1.732$

$=173.2$

06 $\sqrt{30\times100}=10\sqrt{30}\fallingdotseq10\times5.477$

$=54.77$

07 $\sqrt{3\times100}=10\sqrt{3}\fallingdotseq10\times1.732=17.32$

08 $\sqrt{\frac{30}{100}}=\frac{\sqrt{30}}{10}\fallingdotseq\frac{1}{10}\times5.477$
$=0.5477$

09 $\sqrt{\frac{3}{100}}=\frac{\sqrt{3}}{10}\fallingdotseq\frac{1}{10}\times1.732$
$=0.1732$

20. 제곱근의 곱셈과 나눗셈의 혼합 계산 (본문 42쪽)

02 $\sqrt{15}\times\sqrt{14}\div\sqrt{21}$
$=\sqrt{15}\times\sqrt{14}\times\frac{1}{\sqrt{21}}$
$=\sqrt{15\times14\times\frac{1}{21}}$
$=\sqrt{10}$

03 $\sqrt{10}\div\sqrt{2}\times\sqrt{3}$
$=\sqrt{10}\times\frac{1}{\sqrt{2}}\times\sqrt{3}$
$=\sqrt{10\times\frac{1}{2}\times3}$
$=\sqrt{15}$

04 $\sqrt{14}\times\sqrt{22}\div\sqrt{77}$
$=\sqrt{14}\times\sqrt{22}\times\frac{1}{\sqrt{77}}$
$=\sqrt{14\times22\times\frac{1}{77}}$
$=\sqrt{4}=2$

05 $\sqrt{6}\times2\sqrt{2}\div\sqrt{6}$
$=\sqrt{6}\times2\sqrt{2}\times\frac{1}{\sqrt{6}}$
$=2\times\sqrt{6\times2\times\frac{1}{6}}$
$=2\sqrt{2}$

06 $2\sqrt{2}\times\sqrt{3}\div2\sqrt{3}$
$=2\sqrt{2}\times\sqrt{3}\times\frac{1}{2\sqrt{3}}$
$=\left(2\times\frac{1}{2}\right)\times\sqrt{2\times3\times\frac{1}{3}}$
$=\sqrt{2}$

07 $2\sqrt{7}\div\frac{\sqrt{14}}{3}\times\sqrt{6}$
$=2\sqrt{7}\times\frac{3}{\sqrt{14}}\times\sqrt{6}$
$=(2\times3)\times\sqrt{7\times\frac{1}{14}\times6}=6\sqrt{3}$

08 $\frac{4}{\sqrt{3}}\times\frac{\sqrt{15}}{2}\div\sqrt{5}$
$=\frac{4}{\sqrt{3}}\times\frac{\sqrt{15}}{2}\times\frac{1}{\sqrt{5}}$
$=\left(4\times\frac{1}{2}\right)\times\sqrt{\frac{1}{3}\times15\times\frac{1}{5}}=2$

10 $\sqrt{7}\times\sqrt{21}\div\sqrt{27}$
$=\sqrt{7}\times\sqrt{21}\times\frac{1}{3\sqrt{3}}$
$=\frac{1}{3}\times\sqrt{7\times21\times\frac{1}{3}}=\frac{7}{3}$

11 $\sqrt{49}\div\sqrt{7}\times(-\sqrt{28})$
$=7\times\frac{1}{\sqrt{7}}\times(-2\sqrt{7})$
$=\{7\times(-2)\}\times\sqrt{\frac{1}{7}\times7}=-14$

12 $3\sqrt{2}\div\sqrt{6}\times\sqrt{12}$
$=3\sqrt{2}\times\frac{1}{\sqrt{6}}\times2\sqrt{3}$
$=(3\times2)\times\sqrt{2\times\frac{1}{6}\times3}=6$

13 $\frac{\sqrt{15}}{\sqrt{2}}\div\sqrt{5}\times\frac{\sqrt{10}}{\sqrt{21}}$
$=\frac{\sqrt{15}}{\sqrt{2}}\times\frac{1}{\sqrt{5}}\times\frac{\sqrt{10}}{\sqrt{21}}$
$=\sqrt{\frac{15}{2}\times\frac{1}{5}\times\frac{10}{21}}=\sqrt{\frac{5}{7}}=\frac{\sqrt{35}}{7}$

14 $3\sqrt{2}\div\frac{2\sqrt{2}}{\sqrt{5}}\div\left(-\frac{\sqrt{10}}{2}\right)$
$=3\sqrt{2}\times\frac{\sqrt{5}}{2\sqrt{2}}\times\left(-\frac{2}{\sqrt{10}}\right)$
$=\left\{3\times\frac{1}{2}\times(-2)\right\}\times\sqrt{2\times\frac{5}{2}\times\frac{1}{10}}$
$=-\frac{3}{\sqrt{2}}=-\frac{3\sqrt{2}}{2}$

15 $\frac{4\sqrt{3}}{\sqrt{2}}\div\frac{\sqrt{6}}{2\sqrt{5}}\times\frac{1}{\sqrt{15}}$
$=\frac{4\sqrt{3}}{\sqrt{2}}\times\frac{2\sqrt{5}}{\sqrt{6}}\times\frac{1}{\sqrt{15}}$
$=(4\times2)\times\sqrt{\frac{3}{2}\times\frac{5}{6}\times\frac{1}{15}}$
$=\frac{8}{\sqrt{12}}=\frac{4}{\sqrt{3}}=\frac{4\sqrt{3}}{3}$

16 (주어진 식)
$=(-3\sqrt{7})\times\frac{1}{\sqrt{14}}\times2\sqrt{3}$
$=\{(-3)\times2\}\times\sqrt{7\times\frac{1}{14}\times3}$
$=(-6)\times\sqrt{\frac{3}{2}}=-3\sqrt{6}$

21. 제곱근의 덧셈과 뺄셈 (1) (본문 44쪽)

02 $\sqrt{2}+5\sqrt{2}=(1+5)\sqrt{2}=6\sqrt{2}$

03 $3\sqrt{6}+6\sqrt{6}=(3+6)\sqrt{6}=9\sqrt{6}$

04 $5\sqrt{2}+6\sqrt{2}=(5+6)\sqrt{2}=11\sqrt{2}$

05 $2\sqrt{7}+8\sqrt{7}=(2+8)\sqrt{7}=10\sqrt{7}$

06 $3\sqrt{2}+4\sqrt{2}=(3+4)\sqrt{2}=7\sqrt{2}$

07 $4\sqrt{17}+2\sqrt{17}=(4+2)\sqrt{17}=6\sqrt{17}$

08 $3\sqrt{13}+7\sqrt{13}=(3+7)\sqrt{13}=10\sqrt{13}$

09 $7\sqrt{10}+9\sqrt{10}=(7+9)\sqrt{10}=16\sqrt{10}$

10 $\sqrt{19}+9\sqrt{19}=(1+9)\sqrt{19}=10\sqrt{19}$

12 $9\sqrt{5}-4\sqrt{5}=(9-4)\sqrt{5}=5\sqrt{5}$

13 $10\sqrt{6}-2\sqrt{6}=(10-2)\sqrt{6}=8\sqrt{6}$

14 $5\sqrt{2}-\sqrt{2}=(5-1)\sqrt{2}=4\sqrt{2}$

15 $4\sqrt{10}-8\sqrt{10}=(4-8)\sqrt{10}=-4\sqrt{10}$

16 $-10\sqrt{11}-2\sqrt{11}=(-10-2)\sqrt{11}$
$=-12\sqrt{11}$

17 $-9\sqrt{3}-8\sqrt{3}=(-9-8)\sqrt{3}=-17\sqrt{3}$

19 $-4\sqrt{3}+8\sqrt{3}-2\sqrt{3}$
$=(-4+8-2)\sqrt{3}=2\sqrt{3}$

20 $3\sqrt{7}-5\sqrt{7}+\sqrt{7}=(3-5+1)\sqrt{7}$
$=-\sqrt{7}$

21 $5\sqrt{3}-4\sqrt{3}+2\sqrt{3}=(5-4+2)\sqrt{3}$
$=3\sqrt{3}$

22 $-2\sqrt{15}+8\sqrt{15}-\sqrt{15}$
$=(-2+8-1)\sqrt{15}=5\sqrt{15}$

23 ④ $\frac{5\sqrt{2}}{12}-\frac{2\sqrt{2}}{3}+\frac{3\sqrt{2}}{4}$
$=\frac{5\sqrt{2}}{12}-\frac{8\sqrt{2}}{12}+\frac{9\sqrt{2}}{12}$
$=\frac{(5-8+9)\sqrt{2}}{12}=\frac{\sqrt{2}}{2}$

22. 제곱근의 덧셈과 뺄셈 (2) (본문 46쪽)

02 $\sqrt{27}+5\sqrt{3}=3\sqrt{3}+5\sqrt{3}=8\sqrt{3}$

03 $\sqrt{48}+6\sqrt{3}=4\sqrt{3}+6\sqrt{3}=10\sqrt{3}$

04 $\sqrt{75}-4\sqrt{3}=5\sqrt{3}-4\sqrt{3}=\sqrt{3}$

05 $\sqrt{8}-2\sqrt{2}=2\sqrt{2}-2\sqrt{2}=0$

06 $\sqrt{12}+\sqrt{48}=2\sqrt{3}+4\sqrt{3}=6\sqrt{3}$

07 $\sqrt{48}+\sqrt{75}=4\sqrt{3}+5\sqrt{3}=9\sqrt{3}$

08 $\sqrt{45}-\sqrt{20}=3\sqrt{5}-2\sqrt{5}=\sqrt{5}$

09 $\sqrt{80}-\sqrt{125}=4\sqrt{5}-5\sqrt{5}=-\sqrt{5}$

10 $\sqrt{160}-\sqrt{40}=4\sqrt{10}-2\sqrt{10}=2\sqrt{10}$

12 $\sqrt{5}+4\sqrt{5}-2\sqrt{5}=3\sqrt{5}$

13 $\sqrt{18}-\sqrt{32}+2\sqrt{2}$
$=3\sqrt{2}-4\sqrt{2}+2\sqrt{2}=\sqrt{2}$

14 $-2\sqrt{6}-\sqrt{24}+\sqrt{150}$
$=-2\sqrt{6}-2\sqrt{6}+5\sqrt{6}=\sqrt{6}$

15 $-\sqrt{50}+\sqrt{128}-\sqrt{98}$
$=-5\sqrt{2}+8\sqrt{2}-7\sqrt{2}=-4\sqrt{2}$

16 $2\sqrt{3}-\frac{1}{\sqrt{3}}$
$=2\sqrt{3}-\frac{\sqrt{3}}{3}=\left(2-\frac{1}{3}\right)\sqrt{3}=\frac{5\sqrt{3}}{3}$

17 $3\sqrt{7}-\frac{14}{\sqrt{7}}$
$=3\sqrt{7}-\frac{14\sqrt{7}}{7}=3\sqrt{7}-2\sqrt{7}=\sqrt{7}$

18 $\sqrt{12}-\frac{2}{\sqrt{3}}$
$=2\sqrt{3}-\frac{2\sqrt{3}}{3}=\left(2-\frac{2}{3}\right)\sqrt{3}=\frac{4\sqrt{3}}{3}$

19 $2\sqrt{5}-\sqrt{45}+\frac{25}{\sqrt{5}}$
$=2\sqrt{5}-3\sqrt{5}+5\sqrt{5}$
$=(2-3+5)\sqrt{5}=4\sqrt{5}$

20 (1) $\sqrt{3}\times\sqrt{6}-\sqrt{6}\div\sqrt{12}$
$=\sqrt{18}-\frac{1}{\sqrt{2}}=3\sqrt{2}-\frac{\sqrt{2}}{2}$
$=\frac{6\sqrt{2}-\sqrt{2}}{2}=\frac{5\sqrt{2}}{2}$
(2) $\sqrt{2}\times\sqrt{6}-5\div\sqrt{3}$
$=\sqrt{12}-\frac{5}{\sqrt{3}}=2\sqrt{3}-\frac{5\sqrt{3}}{3}$
$=\frac{6\sqrt{3}-5\sqrt{3}}{3}=\frac{\sqrt{3}}{3}$

24. 근호를 포함한 복잡한 식의 계산
(본문 49쪽)

01 (주어진 식)
$=\frac{3-\sqrt{6}}{\sqrt{3}}+\sqrt{3}(3\sqrt{3}-1)$
$=\frac{3\sqrt{3}-3\sqrt{2}}{3}+9-\sqrt{3}$
$=\sqrt{3}-\sqrt{2}+9-\sqrt{3}$
$=9-\sqrt{2}$

02 (주어진 식)
$=\frac{\sqrt{5}}{\sqrt{3}}-2\sqrt{15}+\frac{2\sqrt{15}}{3}$
$=\frac{\sqrt{15}}{3}-2\sqrt{15}+\frac{2\sqrt{15}}{3}$
$=\left(\frac{1}{3}-2+\frac{2}{3}\right)\sqrt{15}=-\sqrt{15}$

03 (주어진 식)
$=(\sqrt{5}+\sqrt{3})+2\sqrt{5}+2\sqrt{3}$
$=3\sqrt{3}+3\sqrt{5}$

04 (주어진 식)
$=\frac{5}{\sqrt{2}}+\frac{3\sqrt{6}}{\sqrt{3}}$
$=\frac{5\sqrt{2}}{2}+3\sqrt{2}$
$=\left(\frac{5}{2}+3\right)\sqrt{2}=\frac{11\sqrt{2}}{2}$

05 (주어진 식)
$=\frac{1}{\sqrt{2}}+\frac{2\sqrt{3}}{\sqrt{2}}-\frac{\sqrt{2}}{2}$
$=\frac{\sqrt{2}}{2}+\sqrt{6}-\frac{\sqrt{2}}{2}=\sqrt{6}$

06 (주어진 식)
$=\frac{2}{\sqrt{3}}+\frac{\sqrt{27}}{\sqrt{3}}+\frac{5}{\sqrt{2}}-\frac{\sqrt{8}}{\sqrt{2}}$
$=\frac{2\sqrt{3}}{3}+\sqrt{9}+\frac{5\sqrt{2}}{2}-\sqrt{4}$
$=\frac{2\sqrt{3}}{3}+3+\frac{5\sqrt{2}}{2}-2$
$=\frac{2\sqrt{3}}{3}+\frac{5\sqrt{2}}{2}+1$

07 (주어진 식)
$=\sqrt{2}\left(3\sqrt{2}-\frac{3\sqrt{2}}{2}\right)+3\sqrt{2}$
$=6-3+3\sqrt{2}$
$=3+3\sqrt{2}$

08 (주어진 식)
$=5+7\sqrt{6}-3\sqrt{3}-2\sqrt{6}+a\sqrt{3}-5\sqrt{6}$
$=5+(7-2-5)\sqrt{6}+(-3+a)\sqrt{3}$
유리수가 되려면 무리수가 0이어야 하므로
$-3+a=0$, $a=3$

Ⅱ. 다항식의 곱셈과 인수분해

01. 다항식의 곱셈 (본문 54쪽)

02 $x\times y+x\times 2+(-1)\times y$
$+(-1)\times 2$
$=xy+2x-y-2$

03 $2a\times a+2a\times 4-3\times a-3\times 4$
$=2a^2+8a-3a-12$
$=2a^2+5a-12$

04 $2x\times x+2x\times(-4)+3\times x$
$+3\times(-4)$
$=2x^2-8x+3x-12$
$=2x^2-5x-12$

05 $a\times(-3a)+a\times(-2b)$
$+7b\times(-3a)+7b\times(-2b)$
$=-3a^2-2ab-21ab-14b^2$
$=-3a^2-23ab-14b^2$

06 $-3x^2+5xy+12xy-20y^2$
$=-3x^2+17xy-20y^2$
따라서 xy의 계수는 17이다.

07 $2x^2-3xy+4xy-6y^2$
$=2x^2+xy-6y^2$
따라서 xy의 계수는 1이다.

08 $-x^2+xy-2xy+2y^2$
$=-x^2-xy+2y^2$
따라서 xy의 계수는 -1이다.

09 $12x^2-3xy-8xy+2y^2$
$=12x^2-11xy+2y^2$
따라서 xy의 계수는 -11이다.

02. 곱셈 공식 (1) 합의 제곱, 차의 제곱 (본문 55쪽)

13 $(-3a-5b)^2=\{-(3a+5b)\}^2$
$=(3a+5b)^2$
$=9a^2+30ab+25b^2$

|다른 풀이|
$(-3a-5b)^2$
$=(-3a)^2+2\times(-3a)\times(-5b)$
$+(-5b)^2$
$=9a^2+30ab+25b^2$

27 (주어진식) $=\{-(a-2b)\}^2$
$=(a-2b)^2$
$=a^2-4ab+4b^2$

|다른 풀이|
$(-a+2b)^2$
$=(-a)^2+2\times(-a)\times 2b$
$+(2b)^2$
$=a^2-4ab+4b^2$

31 $(-2x+5)^2=\{-(2x-5)\}^2$
$=(2x-5)^2$

03. 곱셈 공식(2) 합과 차의 곱 (본문 57쪽)

01 $a^2-2^2=a^2-4$
02 $x^2-3^2=x^2-9$
03 $a^2-(2b)^2=a^2-4b^2$
04 $x^2-(4y)^2=x^2-16y^2$
05 $(5a)^2-(3b)^2=25a^2-9b^2$
06 $(2x)^2-(5y)^2=4x^2-25y^2$
07 $(-a)^2-(5b)^2=a^2-25b^2$
08 $(-2a)^2-3^2=4a^2-9$
09 $(-3x)^2-5^2=9x^2-25$
10 $(-a)^2-(2b)^2=a^2-4b^2$
11 $(-4x)^2-y^2=16x^2-y^2$
12 $(2a-1)(2a+1)$
$=(2a)^2-1^2=4a^2-1$
13 $(-3x-2)(-3x+2)$
$=(-3x)^2-2^2=9x^2-4$
14 $\left(\frac{1}{2}a\right)^2-\left(\frac{1}{3}b\right)^2=\frac{1}{4}a^2-\frac{1}{9}b^2$

04. 곱셈 공식 (3) x의 계수가 1인 두 일차식의 곱 (본문 58쪽)

09 주어진 식
$=a^2+(3+4)a+3\times 4$
$=a^2+7a+12$

10 주어진 식

$=x^2+\{(-4)+3\}x+(-4)\times3$
$=x^2-x-12$

11 주어진 식
$=a^2+(2+5)a+2\times5$
$=a^2+7a+10$

12 주어진 식
$=x^2+\{(-1)+7\}x+(-1)\times7$
$=x^2+6x-7$

13 주어진 식
$=a^2+\{6+(-3)\}ab+6b\times(-3b)$
$=a^2+3ab-18b^2$

14 주어진 식
$=x^2+\{(-4)+(-5)\}xy$
$+(-4y)\times(-5y)$
$=x^2-9xy+20y^2$

16 (좌변)$=x^2+6x-7$
(우변)$=x^2+ax+b$
좌변과 우변의 계수를 각각 비교하면
$a=6$, $b=-7$

17 (좌변)$=x^2-8xy+12y^2$
(우변)$=x^2+axy+by^2$
좌변과 우변의 계수를 각각 비교하면
$a=-8$, $b=12$

18 (좌변)$=x^2+2xy-15y^2$
(우변)$=x^2+axy+by^2$
좌변과 우변의 계수를 각각 비교하면
$a=2$, $b=-15$

20 $(x+1)(x-6)=x^2-5x-6$이므로
$a=-5$, $b=-6$
$\therefore a\times b=30$

21 $(x-2)(x+3)=x^2+x-6$이므로
$a=1$, $b=-6$
$\therefore a\times b=-6$

22 $(x+3)(x-6)=x^2-3x-18$이므로
$a=-3$, $b=-18$
$\therefore a\times b=54$

23 $(x-4)(x-5)=x^2-9x+20$이므로
$a=-9$, $b=20$
$\therefore a\times b=-180$

05. 곱셈 공식 (4) x의 계수가 1이 아닌 인 두 일차식의 곱 (본문 60쪽)

09 주어진 식
$=(3\times5)a^2+\{3\times2+(-1)\times5\}a$
$+(-1)\times2$
$=15a^2+a-2$

10 주어진 식
$=(3\times2)x^2+\{3\times(-3)+4\times2\}x$
$+4\times(-3)$
$=6x^2-x-12$

11 주어진 식
$=(2\times3)a^2+(2\times4+5\times3)$
$a+5\times4$
$=6a^2+23a+20$

12 주어진 식
$=(4\times1)x^2+\{4\times5+(-3)\times1\}x$
$+(-3)\times5$
$=4x^2+17x-15$

13 주어진 식
$=(6\times7)a^2+\{6\times3+(-5)\times7\}ab$
$+\{(-5)\times3\}b^2$
$=42a^2-17ab-15b^2$

14 주어진 식
$=(5\times1)x^2$
$+\{5\times(-5)+(-2)\times1\}xy$
$+\{(-2)\times(-5)\}y^2$
$=5x^2-27xy+10y^2$

16 (좌변)$=6x^2+10x-4$
(우변)$=ax^2+bx+c$
좌변과 우변의 계수를 각각 비교하면
$a=6$, $b=10$, $c=-4$

17 (좌변)$=2x^2-13xy+6y^2$
(우변)$=ax^2+bx+cy^2$
좌변과 우변의 계수를 각각 비교하면
$a=2$, $b=-13$, $c=6$

18 (좌변)$=10x^2-13xy-3y^2$
(우변)$=ax^2+bx+cy^2$
좌변과 우변의 계수를 각각 비교하면
$a=10$, $b=-13$, $c=-3$

20 $(3x+1)(2x-5)=6x^2-13x-5$
이므로
$a=-13$, $b=-5$
$\therefore a\times b=65$

21 $(2x-3)(5x+1)=10x^2-13x-3$
이므로
$a=-13$, $b=-3$
$\therefore a\times b=39$

22 $(6x+1)(2x-3)=12x^2-16x-3$
이므로
$a=-16$, $b=-3$
$\therefore a\times b=48$

23 $(5x-4)(x-2)=5x^2-14x+8$
이므로
$a=-14$, $b=8$
$\therefore a\times b=-112$

06. 곱셈 공식을 이용한 수의 계산 (본문 62쪽)

02 $103^2=(100+3)^2=10000+600+9$
$=10609$

04 $98^2=(100-2)^2$
$=100^2-2\times100\times2+2^2=9604$

06 $48\times52=(50-2)(50+2)$
$=2500-4=2496$

07 $98\times102=(100-2)(100+2)$
$=10000-4=9996$

08 $1003\times97=(1000+3)(1000-3)$
$=1000000-9=999991$

10 $102\times104=(100+2)(100+4)$
$=100^2+(2+4)\times100+2\times4$
$=10608$

11 $301\times303=(300+1)(300+3)$
$=300^2+(1+3)\times300+1\times3$
$=91203$

12 $99\times97=(100-1)(100-3)$
$=100^2+(-1-3)\times100$
$+(-1)\times(-3)$
$=9603$

13 $498\times496=(500-2)(500-4)$
$=500^2+(-2-4)\times500$
$+(-2)\times(-4)$
$=247008$

14 $502^2=(500+2)^2$ $\therefore$ ㉠

15 $1001\times1004=(1000+1)(1000+4)$
$\therefore$ ㉣

16 $997^2=(1000-3)^2$ $\therefore$ ㉡

17 $295\times305=(300-5)(300+5)$
$\therefore$ ㉢

18 $102^2=(100+2)^2$ $\therefore$ ㉠

19 $a+b=(\sqrt{2}+1)+(\sqrt{2}-1)=2\sqrt{2}$

20 $ab=(\sqrt{2}+1)\times(\sqrt{2}-1)=2-1=1$

21 $\frac{1}{a}+\frac{1}{b}=\frac{a+b}{ab}=\frac{2\sqrt{2}}{1}=2\sqrt{2}$

22 $a^2+b^2=(a+b)^2-2ab$
$=(2\sqrt{2})^2-2\times1=8-2=6$

23 $\frac{b}{a}+\frac{a}{b}=\frac{a^2+b^2}{ab}=\frac{6}{1}=6$

24 $a^2+ab+b^2=6+1=7$

25 $a+b$
$=(\sqrt{3}-\sqrt{2})+(\sqrt{3}+\sqrt{2})=2\sqrt{3}$

26 $ab=(\sqrt{3}-\sqrt{2})\times(\sqrt{3}+\sqrt{2})$
$=3-2=1$

27 $\frac{1}{a}+\frac{1}{b}=\frac{a+b}{ab}=\frac{2\sqrt{3}}{1}=2\sqrt{3}$

28 a^2+b^2
$=(a+b)^2-2ab$
$=(2\sqrt{3})^2-2\times1=12-2=10$

29 $\frac{b}{a}+\frac{a}{b}=\frac{a^2+b^2}{ab}=\frac{10}{1}=10$

30 $a^2-ab+b^2=10-1=9$

07. 곱셈 공식을 이용한 제곱근의 계산 (본문 64쪽)

05 $(1+\sqrt{2})^2=1^2+2\times1\times\sqrt{2}+(\sqrt{2})^2$
$=1+2\sqrt{2}+2=3+2\sqrt{2}$

06 $(-1-\sqrt{3})^2$
$=(-1)^2+2\times(-1)\times(-\sqrt{3})+(-\sqrt{3})^2$
$=1+2\sqrt{3}+3=4+2\sqrt{3}$

07 $(2+2\sqrt{2})^2$
$=2^2+2\times2\times2\sqrt{2}+(2\sqrt{2})^2$
$=4+8\sqrt{2}+8=12+8\sqrt{2}$

08 $(3-2\sqrt{3})^2$
$=3^2-2\times3\times\sqrt{3}+(2\sqrt{3})^2$
$=9-12\sqrt{3}+12=21-12\sqrt{3}$

09 $(7+4\sqrt{5})^2$
$=7^2+2\times7\times4\sqrt{5}+(4\sqrt{5})^2$
$=49+56\sqrt{5}+80=129+56\sqrt{5}$

10 $(10-3\sqrt{3})^2$
$=10^2-2\times10\times3\sqrt{3}+(3\sqrt{3})^2$
$=100-60\sqrt{3}+27=127-60\sqrt{3}$

17 $(-1-\sqrt{7})(-1+\sqrt{7})$
$=(-1)^2-(\sqrt{7})^2=1-7=-6$

18 $(-4+2\sqrt{5})(4-2\sqrt{5})$
$=-(4-2\sqrt{5})(4-2\sqrt{5})$
$=-(4-2\sqrt{5})^2$
$=-(16-2\times4\times2\sqrt{5}+20)$
$=-36+16\sqrt{5}$

19 $\sqrt{(4+2\sqrt{3})^2}-\sqrt{(4+\sqrt{3})(4-\sqrt{3})}$에서
$(4+2\sqrt{3})>0$이므로
$\sqrt{(4+2\sqrt{3})^2}=(4+2\sqrt{3})$이고,
$\sqrt{(4+\sqrt{3})(4-\sqrt{3})}$
$=\sqrt{16-3}=\sqrt{13}$
그러므로 $4+2\sqrt{3}-\sqrt{13}$

08. 곱셈 공식을 이용한 분모의 유리화 (본문 66쪽)

02 $\frac{\sqrt{3}+\sqrt{2}}{\sqrt{5}}=\frac{(\sqrt{3}+\sqrt{2})\times\sqrt{5}}{\sqrt{5}\times\sqrt{5}}$
$=\frac{\sqrt{15}+\sqrt{10}}{5}$

03 $\frac{\sqrt{3}+\sqrt{7}}{\sqrt{2}}=\frac{(\sqrt{3}+\sqrt{7})\times\sqrt{2}}{\sqrt{2}\times\sqrt{2}}$
$=\frac{\sqrt{6}+\sqrt{14}}{2}$

04 $\frac{\sqrt{3}+\sqrt{6}}{\sqrt{2}}=\frac{(\sqrt{3}+\sqrt{6})\times\sqrt{2}}{\sqrt{2}\times\sqrt{2}}$
$=\frac{\sqrt{6}+2\sqrt{3}}{2}$

05 $\frac{\sqrt{3}+\sqrt{2}}{\sqrt{7}}=\frac{(\sqrt{3}+\sqrt{2})\times\sqrt{7}}{\sqrt{7}\times\sqrt{7}}$
$=\frac{\sqrt{21}+\sqrt{14}}{7}$

06 $\frac{1-\sqrt{3}}{\sqrt{2}}=\frac{(1-\sqrt{3})\times\sqrt{2}}{\sqrt{2}\times\sqrt{2}}$
$=\frac{\sqrt{2}-\sqrt{6}}{2}$

07 $\frac{2-\sqrt{3}}{\sqrt{3}}=\frac{(2-\sqrt{3})\times\sqrt{3}}{\sqrt{3}\times\sqrt{3}}$
$=\frac{2\sqrt{3}-3}{3}$

08 $\frac{\sqrt{6}-\sqrt{2}}{\sqrt{3}}=\frac{(\sqrt{6}-\sqrt{2})\times\sqrt{3}}{\sqrt{3}\times\sqrt{3}}$
$=\frac{3\sqrt{2}-\sqrt{6}}{3}$

09 $\frac{6-\sqrt{12}}{\sqrt{3}}=\frac{(6-2\sqrt{3})\times\sqrt{3}}{\sqrt{3}\times\sqrt{3}}$
$=\frac{6\sqrt{3}-6}{3}=2\sqrt{3}-2$

10 $\frac{\sqrt{10}-5}{\sqrt{5}}=\frac{(\sqrt{10}-5)\times\sqrt{5}}{\sqrt{5}\times\sqrt{5}}$
$=\frac{5\sqrt{2}-5\sqrt{5}}{5}=\sqrt{2}-\sqrt{5}$

12 $\frac{1}{3+\sqrt{2}}=\frac{3-\sqrt{2}}{(3+\sqrt{2})\times(3-\sqrt{2})}$
$=\frac{3-\sqrt{2}}{9-2}=\frac{3-\sqrt{2}}{7}$

13 $\frac{1}{\sqrt{3}+\sqrt{2}}=\frac{\sqrt{3}-\sqrt{2}}{(\sqrt{3}+\sqrt{2})\times(\sqrt{3}-\sqrt{2})}$
$=\sqrt{3}-\sqrt{2}$

14 $\frac{2}{\sqrt{5}+\sqrt{3}}=\frac{2\times(\sqrt{5}-\sqrt{3})}{(\sqrt{5}+\sqrt{3})\times(\sqrt{5}-\sqrt{3})}$
$=\frac{2\times(\sqrt{5}-\sqrt{3})}{2}$
$=\sqrt{5}-\sqrt{3}$

15 $\frac{2}{3+\sqrt{7}}=\frac{2\times(3-\sqrt{7})}{(3+\sqrt{7})\times(3-\sqrt{7})}$
$=\frac{6-2\sqrt{7}}{9-7}=3-\sqrt{7}$

16 $\frac{1}{\sqrt{2}-1}=\frac{\sqrt{2}+1}{(\sqrt{2}-1)\times(\sqrt{2}+1)}$
$=\frac{\sqrt{2}+1}{2-1}=\sqrt{2}+1$

17 $\frac{1}{3-\sqrt{5}}=\frac{3+\sqrt{5}}{(3-\sqrt{5})\times(3+\sqrt{5})}$
$=\frac{3+\sqrt{5}}{9-5}=\frac{3+\sqrt{5}}{4}$

18 $\frac{3}{\sqrt{5}-\sqrt{3}}=\frac{3(\sqrt{5}+\sqrt{3})}{(\sqrt{5}-\sqrt{3})\times(\sqrt{5}+\sqrt{3})}$
$=\frac{3(\sqrt{5}+\sqrt{3})}{2}$

19 $\frac{2}{\sqrt{7}-\sqrt{5}}=\frac{2(\sqrt{7}+\sqrt{5})}{(\sqrt{7}-\sqrt{5})\times(\sqrt{7}+\sqrt{5})}$
$=\frac{2(\sqrt{7}+\sqrt{5})}{7-5}$
$=\sqrt{7}+\sqrt{5}$

20 $\frac{1}{3-2\sqrt{2}}=\frac{3+2\sqrt{2}}{(3-2\sqrt{2})\times(3+2\sqrt{2})}$
$=\frac{3+2\sqrt{2}}{9-8}=3+2\sqrt{2}$

21 (주어진 식)$=\frac{\sqrt{2}-1}{2-1}+\frac{\sqrt{2}+1}{2-1}$
$=2\sqrt{2}$

22 (주어진 식)
$=\frac{\sqrt{3}(2\sqrt{3}+3)}{12-9}+\frac{\sqrt{3}(2\sqrt{3}-3)}{12-9}$
$=\frac{6+3\sqrt{3}}{3}+\frac{6-3\sqrt{3}}{3}$
$=2+\sqrt{3}+2-\sqrt{3}$
$=4$

09. 곱셈 공식의 변형 (본문 69쪽)

02 $(a-b)^2=(a+b)^2-4ab$이므로
$6^2-4\times5=16$

03 $(a-b)^2+2ab=a^2+b^2$
$3^2+2\times6=21$

04 $(a+b)^2=(a-b)^2+4ab$
$=9+4\times6=33$

05 $(x+y)^2-2xy=x^2+y^2$
$64-2\times7=50$

06 $(x-y)^2=(x+y)^2-4xy$
$=64-4\times7=36$

07 $(x-y)^2+2xy=x^2+y^2$
$4+2\times7=18$

08 $(x+y)^2=(x-y)^2+4xy$
$=4+4\times7=32$

09 $(x-y)^2=(x+y)^2-4xy$
$=(3\sqrt{2})^2-16=18-16=2$

10. 인수분해의 뜻 (본문 69쪽)

11 $a(x-4)(x+1)$의 인수를 모두 구하면 1, a, $x-4$, $x+1$, $a(x-4)$, $a(x+1)$, $(x-4)(x+1)$, $a(x-4)(x+1)$이다.

11. 공통 인수를 이용한 인수분해 (본문 70쪽)

11 $4ab^2-2a^2b=2ab(2b-a)$이므로
$a-2b^2$은 $2ab(2b-a)$의 인수가 아니다.

12. 인수분해 공식 (1) $a^2 \pm 2ab + b^2$

(본문 71쪽)

45 ㉡ $x^2-6x+9=(x-3)^2$
㉢ $x^2+14x+49=(x+7)^2$
㉤ $4x^2+20x+25=(2x+5)^2$

46 $b=\left(\frac{4}{2}\right)^2=4$

47 $b=\left(\frac{1}{2}\right)^2=\frac{1}{4}$

48 $b=\left(\frac{\frac{1}{2}}{2}\right)^2=\left(\frac{1}{4}\right)^2=\frac{1}{16}$

49 $b=\left(-\frac{14}{2}\right)^2=49$

50 $b=\left(-\frac{20}{2}\right)^2=100$

51 $b=\left(-\frac{5}{2}\right)^2=\frac{25}{4}$

52 $a=\pm2\sqrt{9}=\pm6$, $a>0$이므로 6

53 $a=\pm2\sqrt{81}=\pm18$, $a>0$이므로 18

54 $a=\pm2\sqrt{\frac{1}{16}}=\pm\frac{1}{2}$, $a>0$이므로 $\frac{1}{2}$

55 $a=\pm2\sqrt{1}=\pm2$, $a>0$이므로 2

56 $a=\pm2\sqrt{25}=\pm10$, $a>0$이므로 10

57 $a=\pm2\sqrt{\frac{9}{4}}=\pm3$, $a>0$이므로 3

59 $a>0$, $a-2<0$이므로
$\sqrt{a^2}+\sqrt{a^2-4a+4}$
$=\sqrt{a^2}+\sqrt{(a-2)^2}$
$=a-(a-2)$
$=2$

60 $a-3<0$, $a>0$이므로
$\sqrt{a^2-6a+9}-\sqrt{a^2}$
$=\sqrt{(a-3)^2}-\sqrt{a^2}$
$=-(a-3)-a$
$=-2a+3$

61 $a-2<0$, $a+2>0$이므로
$\sqrt{a^2-4a+4}+\sqrt{a^2+4a+4}$
$=\sqrt{(a-2)^2}+\sqrt{(a+2)^2}$
$=-(a-2)+(a+2)$
$=4$

62 $a+2>0$, $a>0$이므로
$\sqrt{a^2+4a+4}-\sqrt{a^2}$
$=\sqrt{(a+2)^2}-\sqrt{a^2}$
$=(a+2)-a$
$=2$

63 $a+3>0$, $a-2<0$이므로
$\sqrt{a^2+6a+9}+\sqrt{a^2-4a+4}$
$=\sqrt{(a+3)^2}+\sqrt{(a-2)^2}$
$=(a+3)-(a-2)$
$=5$

65 $b-a>0$이므로
$\sqrt{b^2-2ab+a^2}$
$=\sqrt{(b-a)^2}$
$=b-a$

66 $a+2b>0$이므로
$\sqrt{a^2+4ab+4b^2}$
$=\sqrt{(a+2b)^2}$
$=a+2b$

67 $a-b<0$이므로
$2a-5b<0$
$\sqrt{4a^2-20ab+25b^2}$
$=\sqrt{(2a-5b)^2}$
$=-(2a-5b)$
$=-2a+5b$

68 $a-b<0$, $b-a>0$이므로
$\sqrt{a^2-2ab+b^2}+\sqrt{b^2-2ab+a^2}$
$=\sqrt{(a-b)^2}+\sqrt{(b-a)^2}$
$=-(a-b)+(b-a)$
$=-2a+2b$

69 $a+2b>0$, $a-3b<0$이므로
$\sqrt{a^2+4ab+4b^2}-\sqrt{a^2-6ab+9b^2}$
$=\sqrt{(a+2b)^2}-\sqrt{(a-3b)^2}$
$=(a+2b)-\{-(a-3b)\}$
$=2a-b$

13. 인수분해 공식 (2) a^2-b^2

(본문 77쪽)

30 x^8-1
$=(x^4+1)(x^4-1)$
$=(x^4+1)(x^2+1)(x^2-1)$
$=(x^4+1)(x^2+1)(x+1)(x-1)$

16. 인수분해 공식의 종합 (본문 87쪽)

02 $x^2+2x+1=(x+1)^2$
$x^2+5x+4=(x+1)(x+4)$이므로
두 다항식의 공통 인수는 $x+1$이다.

03 $4x^2-9=(2x+3)(2x-3)$
$2x^2-21x+27=(x-9)(2x-3)$이므로
두 다항식의 공통 인수는 $2x-3$이다.

04 $x^2+9x+8=(x+1)(x+8)$
$2x^2+9x-56=(2x-7)(x+8)$이므로
두 다항식의 공통 인수는 $x+8$이다.

06 $x^2+ax-10=(x-2)(x+b)$
로 놓으면
$a=-2+b$, $-10=-2\times b$에서
$b=5$, $a=3$

07 $6x^2-5x+a=(x-2)(6x+b)$
로 놓으면
$-5=-12+b$, $a=-2\times b$에서
$b=7$, $a=-14$

08 $ax^2-3x-2=(x-2)(ax+b)$
로 놓으면
$-3=-2a+b$, $-2=-2\times b$에서
$b=1$, $a=2$

17. 공통 인수로 묶는 인수분해

(본문 88쪽)

02 $3ax^2-12ax+12a$
$=3a(x^2-4x+4)$
$=3a(x-2)^2$

03 $-ax^2+9a$
$=-a(x^2-9)$
$=-a(x+3)(x-3)$

04 x^3-xy^2
$=x(x^2-y^2)$
$=x(x+y)(x-y)$

05 $8x^2y^2-2y^4$
$=2y^2(4x^2-y^2)$
$=2y^2(2x+y)(2x-y)$

07 $7ax^2+28ax+21a$
$=7a(x^2+4x+3)$
$=7a(x+1)(x+3)$

08 $a^2b+7ab+10b$
$=b(a^2+7a+10)$
$=b(a+2)(a+5)$

09 x^3+4x^2-5x
$=x(x^2+4x-5)$
$=x(x+5)(x-1)$

10 $6ax^2-10ax-4a$
$=2a(3x^2-5x-2)$
$=2a(3x+1)(x-2)$

12 $x(y-1)+(y-1)$
$=(y-1)(x+1)$

13 $a(x+5)-3(x+5)$
$=(x+5)(a-3)$

14 $(x-1)a+(1-x)$
$=(x-1)a-(x-1)$
$=(x-1)(a-1)$

15 $(a+b)^2+(a+b)$
$=(a+b)(a+b+1)$

16 $(x-1)^2-(x-1)$
$=(x-1)(x-1-1)$
$=(x-1)(x-2)$

18 $x^2(x+1)+(x+1)$
$=(x+1)(x^2+1)$

19 $a^2(b+2)-2a(b+2)+(b+2)$
$=(b+2)(a^2-2a+1)$
$=(b+2)(a-1)^2$

20 $a^2(b-1)+(1-b)$
$=a^2(b-1)-(b-1)$
$=(b-1)(a^2-1)$
$=(b-1)(a+1)(a-1)$

21 $x^2(x-2)+4(2-x)$
$=x^2(x-2)-4(x-2)$
$=(x-2)(x^2-4)$
$=(x-2)(x+2)(x-2)$
$=(x-2)^2(x+2)$

22 $a^3(b+2)-9a(b+2)$
$=a(b+2)(a^2-9)$
$=a(b+2)(a+3)(a-3)$

18. 치환을 이용한 인수분해 (본문 90쪽)

02 $a-5=A$로 놓으면
(주어진 식)
$=A^2-4A+4$
$=(A-2)^2$
$=(a-5-2)^2$
$=(a-7)^2$

03 $x+6=A$로 놓으면
(주어진 식)
$=A^2-3A-18$
$=(A-6)(A+3)$
$=(x+6-6)(x+6-3)$
$=x(x+3)$

05 $3x-y=A$로 놓으면
(주어진 식)
$=A^2-6A+5$
$=(A-1)(A-5)$
$=(3x-y-1)(3x-y-5)$

06 $a-1=A$로 놓으면
(주어진 식)
$=2A^2+A-1$
$=(2A-1)(A+1)$
$=(2a-2-1)(a-1+1)$
$=a(2a-3)$

07 $x^2=A$로 놓으면
(주어진 식)
$=A^2+3A+2$
$=(A+1)(A+2)$
$=(x^2+1)(x^2+2)$

08 $x^2=A$로 놓으면
(주어진 식)
$=A^2+2A-3$
$=(A-1)(A+3)$
$=(x^2-1)(x^2+3)$
$=(x+1)(x-1)(x^2+3)$

09 $a+b=A$로 놓으면
(주어진 식)
$=A(A+4)-5$
$=A^2+4A-5$
$=(A+5)(A-1)$
$=(a+b+5)(a+b-1)$

10 $x+y=A$로 놓으면
(주어진 식)
$=A(A+1)-12$
$=A^2+A-12$
$=(A+4)(A-3)$
$=(x+y+4)(x+y-3)$

11 $a+b=A$로 놓으면
(주어진 식)
$=A(A-3)-10$
$=A^2-3A-10$
$=(A+2)(A-5)$
$=(a+b+2)(a+b-5)$

12 $a+1=A$, $b+1=B$로 놓으면
(주어진 식)
$=A^2-B^2$
$=(A+B)(A-B)$
$=(a+1+b+1)(a+1-b-1)$
$=(a+b+2)(a-b)$

13 $2x+1=A$, $x-2=B$로 놓으면
(주어진 식)
$=A^2-B^2$
$=(A+B)(A-B)$
$=(2x+1+x-2)(2x+1-x+2)$
$=(3x-1)(x+3)$

14 $a-5=A$, $a+2=B$로 놓으면
(주어진 식)
$=A^2-B^2$
$=(A+B)(A-B)$
$=(a-5+a+2)(a-5-a-2)$

$=-7(2a-3)$

15 $2x-3=A$, $x+4=B$로 놓으면
(주어진 식)
$=A^2-B^2$
$=(A+B)(A-B)$
$=(2x-3+x+4)(2x-3-x-4)$
$=(3x+1)(x-7)$
$\therefore a=1, b=-7$이므로
$a+b=-6$

19. 복잡한 식의 인수분해 (본문 92쪽)

02 $ab-a-b+1$
$=a(b-1)-(b-1)$
$=(b-1)(a-1)$

03 $x^2+3x+3y-y^2$
$=(x^2-y^2)+(3x+3y)$
$=(x+y)(x-y)+3(x+y)$
$=(x+y)(x-y+3)$

04 x^3+x^2-x-1
$=x^2(x+1)-(x+1)$
$=(x+1)(x^2-1)$
$=(x+1)(x+1)(x-1)$
$=(x+1)^2(x-1)$

06 $a^2-4a+4-b^2$
$=(a-2)^2-b^2$
$=(a+b-2)(a-b-2)$

07 $x^2-6xy+9y^2-1$
$=(x-3y)^2-1^2$
$=(x-3y+1)(x-3y-1)$

08 $1-a^2-b^2+2ab$
$=1-(a-b)^2$
$=(1+a-b)(1-a+b)$

20. 인수분해 공식을 이용한 수의 계산 (본문 93쪽)

02 $23\times40+27\times40$
$=(23+27)\times40$
$=50\times40$
$=2000$

03 $84\times0.91+84\times0.09$
$=84\times(0.91+0.09)$
$=84\times1$
$=84$

04 $31\times0.24+69\times0.24$
$=(31+69)\times0.24$
$=100\times0.24$
$=24$

05 $1.98\times48+1.98\times52$
$=1.98\times(48+52)$
$=1.98\times100$
$=198$

07 $49\times21-29\times21$
$=(49-29)\times21$
$=20\times21$
$=420$

08 $170\times3.59-170\times3.49$
$=170\times(3.59-3.49)$
$=170\times0.1$
$=17$

09 $84\times4.5-74\times4.5$
$=(84-74)\times4.5$
$=10\times4.5$

$=45$

10 $2.7\times135-2.7\times35$
$=2.7\times(135-35)$
$=2.7\times100$
$=270$

12 $39^2+2\times39+1$
$=(39+1)^2$
$=40^2$
$=1600$

13 $95^2+2\times95\times5+5^2$
$=(95+5)^2$
$=100^2$
$=10000$

14 $18^2+4\times18+4$
$=18^2+2\times18\times2+2^2$
$=(18+2)^2$
$=20^2$
$=400$

15 $47^2+6\times47+9$
$=47^2+2\times47\times3+3^2$
$=(47+3)^2$
$=50^2$
$=2500$

16 $66^2+8\times66+16$
$=66^2+2\times66\times4+4^2$
$=(66+4)^2$
$=70^2$
$=4900$

18 $81^2-2\times81+1$
$=(81-1)^2$
$=80^2$
$=6400$

19 $36^2-2\times36\times6+6^2$
$=(36-6)^2$
$=30^2$
$=900$

20 $103^2-6\times103+9$
$=103^2-2\times103\times3+3^2$
$=(103-3)^2$
$=100^2$
$=10000$

21 $12^2-4\times12+4$
$=12^2-2\times12\times2+2^2$
$=(12-2)^2$
$=10^2$
$=100$

22 $25^2-10\times25+25$
$=25^2-2\times25\times5+5^2$
$=(25-5)^2$
$=20^2$
$=400$

24 98^2-2^2
$=(98+2)(98-2)$
$=100\times96$
$=9600$

25 48^2-47^2
$=(48+47)(48-47)$
$=95\times1$
$=95$

26 102^2-98^2
$=(102+98)(102-98)$
$=200\times4$
$=800$

27 $6.8^2-3.2^2$
$=(6.8+3.2)(6.8-3.2)$
$=10\times3.6$
$=36$

28 $5.5^2-4.5^2$
$=(5.5+4.5)(5.5-4.5)$
$=10\times1$
$=10$

30 $100\times0.99^2-100\times0.01^2$
$=100\times(0.99^2-0.01^2)$
$=100\times(0.99+0.01)(0.99-0.01)$
$=100\times1\times0.98$
$=98$

31 $26^2\times3.14-24^2\times3.14$
$=(26^2-24^2)\times3.14$
$=(26+24)(26-24)\times3.14$
$=50\times2\times3.14$
$=314$

32 $\dfrac{996\times997+996\times3}{998^2-2^2}$
$=\dfrac{996\times(997+3)}{(998+2)(998-2)}$
$=\dfrac{996\times1000}{1000\times996}$
$=1$

33 $\dfrac{99^2+2\times99+1}{51^2-49^2}$
$=\dfrac{(99+1)^2}{(51+49)(51-49)}$
$=\dfrac{100^2}{100\times2}$
$=50$

34 $(10^2-9^2)+(8^2-7^2)+\cdots+(2^2-1)$
$=(10+9)(10-9)+(8+7)(8-7)+\cdots+(2+1)(2-1)$
$=(10+9)+(8+7)+\cdots+(2+1)$
$=55$

21. 인수분해 공식을 이용한 식의 값

(본문 96쪽)

02 x^2+6x+9
$=(x+3)^2$
$=(77+3)^2$
$=80^2$
$=6400$

03 x^2+4x+4
$=(x+2)^2$
$=(2\sqrt{3}-2+2)^2$
$=(2\sqrt{3})^2$
$=12$

05 x^2-6x+9
$=(x-3)^2$
$=(3+\sqrt{2}-3)^2$
$=(\sqrt{2})^2$
$=2$

06 x^2-4x+4
$=(x-2)^2$
$=(32-2)^2$
$=30^2$
$=900$

08 $x^2+2xy+y^2$
$=(x+y)^2$
$=\{(2+\sqrt{3})+(2-\sqrt{3})\}^2$
$=4^2$
$=16$

09 x^2-y^2
$=(x+y)(x-y)$
$=\{(2+\sqrt{3})+(2-\sqrt{3})\}\{(2+\sqrt{3})-(2-\sqrt{3})\}$
$=4\times2\sqrt{3}=8\sqrt{3}$

10 x^2y+xy^2
$=xy(x+y)$
$=(2+\sqrt{3})(2-\sqrt{3})\{(2+\sqrt{3})+(2-\sqrt{3})\}$
$=1\times4=4$

11 x^2-y^2
$=(x+y)(x-y)$
$=(85+15)(85-15)$
$=100\times70=7000$

13 $\dfrac{1}{\sqrt{10}-3}=\sqrt{10}+3$이므로
x^2-6x+9
$=(x-3)^2$
$=(\sqrt{10}+3-3)^2$
$=10$

14 $\dfrac{1}{\sqrt{2}+1}=\sqrt{2}-1$이므로
x^2+2x+1

$=(x+1)^2$
$=(\sqrt{2}-1+1)^2=2$

15 $\frac{1}{\sqrt{5}+2}=\sqrt{5}-2$이므로
x^2+4x+4
$=(x+2)^2$
$=(\sqrt{5}-2+2)^2=5$

16 $\frac{1}{2+\sqrt{2}}=\frac{2-\sqrt{2}}{2}$이므로
x^2-2x+1
$=(x-1)^2$
$=\left(\frac{2-\sqrt{2}}{2}-1\right)^2$
$=\frac{1}{2}$

17 $x=\frac{1}{\sqrt{2}-1}=\sqrt{2}+1$,
$y=\frac{1}{\sqrt{2}+1}=\sqrt{2}-1$ 이므로
$x^2+2xy+y^2$
$=(x+y)^2$
$=(2\sqrt{2})^2=8$

18 $x^2-2xy+y^2$
$=(x-y)^2$
$=2^2=4$

19 x^2-y^2
$=(x+y)(x-y)$
$=2\sqrt{2}\times2=4\sqrt{2}$

20 x^2y-xy^2
$=xy(x-y)$
$=(\sqrt{2}+1)\times(\sqrt{2}-1)\times2$
$=2$

21 x^3y-xy^3
$=xy(x^2-y^2)$
$=xy(x+y)(x-y)$
$=(\sqrt{2}+1)\times(\sqrt{2}-1)\times2\sqrt{2}\times2$
$=4\sqrt{2}$

23 $x^2-y^2=(x+y)(x-y)$
$=3\times(-4)$
$=-12$

24 $2x^2-2y^2=2(x^2-y^2)$
$=2(x+y)(x-y)$
$=2\times15\times2$
$=60$

25 $x^2-y^2=(x+y)(x-y)$
$=2\sqrt{5}\times\sqrt{5}$
$=10$

26 $x^2-y^2=(x+y)(x-y)$
$=2\sqrt{3}\times\sqrt{2}$
$=2\sqrt{6}$

27 $x^2y+xy^2=xy(x+y)$
$=6\times8$
$=48$

28 $x^2y+xy^2=xy(x+y)$
$=(-2)\times3$
$=-6$

29 $x^3y^2+x^2y^3=x^2y^2(x+y)$
$=2^2\times5$
$=20$

30 $x^3y+2x^2y^2+xy^3$
$=xy(x^2+2xy+y^2)=xy(x+y)^2$
$=(-5)\times1^2$
$=-5$

31 $x^2y+xy^2=xy(x+y)$
$=\sqrt{3}\times2\sqrt{3}$
$=6$

22. 이차식의 계수 구하기
(본문 99쪽)

02 $x^2+kx-20=(x+5)(x+a)$
$=x^2+(5+a)x+5a$
$5a=-20,\ a=-4$
$5+a=1=k$

03 $x^2+kx-15=(x+5)(x+a)$
$=x^2+(5+a)x+5a$
$5a=-15, a=-3$
$5+a=2=k$

05 $(x+2)(2x+9)=2x^2+13x+18$
⇒ 상수항은 18,
$(2x-7)(x-4)=2x^2-15x+28$
⇒ x의 계수는 -15
그러므로
처음 이차식$=2x^2-15x+18$,
인수분해하면 $(2x-3)(x-6)$

23. 인수분해 공식의 활용
(본문 100쪽)

04 $6x^2+17x+7=(2x+1)(3x+7)$
그러므로 이 직사각형의 가로의 길이는
$3x+7$
$2x+1+3x+7=5x+8$
따라서 직사각형의 둘레의 길이 :
$2(5x+8)=10x+16$

Ⅲ. 이차방정식

01. 이차방정식의 뜻 (본문 104쪽)

07 $-x^2+4=0$이므로 이차방정식이다.

08 $-x+1=0$이므로 이차방정식이 아니다.

09 $-x^2+2x+2=0$이므로 이차방정식이다.

10 ㉠ $-2x+1=0$ (일차방정식)
㉡ $x^2-2x-1=0$ (이차방정식)
㉢ $x^2+1=0$ (이차방정식)
㉣ 이차식

02. 이차방정식의 해 (본문 105쪽)

05 $x=3$을 대입하면
$6\times2=12$이므로
$x=3$은 이차방정식의 해가 아니다.

06 $x=3$을 대입하면
$9-12+3=0$이므로
$x=3$은 이차방정식의 해이다.

07 $x=3$을 대입하면
$27-9=18$이므로
$x=3$은 이차방정식의 해가 아니다.

08 $x=3$을 대입하면
$3\times1=3$이므로
$x=3$은 이차방정식의 해이다.

09 $x=3$을 대입하면
$4\times2=8$이므로
$x=3$은 이차방정식의 해가 아니다.

11 $4-2+a=0$
$\therefore a=-2$

12 $4+2+a=0$
$\therefore a=-6$

13 $4-4+a=0$
$\therefore a=0$

14 $8-2+a=0$
$\therefore a=-6$

15 $4+2a+6=0$
$\therefore a=-5$

16 $4+2a+2=0$
$\therefore a=-3$

17 $4+2a-8=0$
$\therefore a=2$

18 $4+2a-4=0$
$\therefore a=0$

19 $16+2a-2=0$
$\therefore a=-7$

20 이차방정식 $3x^2+a^2x-2a=0$에
$x=-1$을 대입하면
$3-a^2-2a=0$
$a^2+2a-3=0$
$(a+3)(a-1)=0$

$\therefore a=-3$ 또는 $a=1$

22 $a^2-a-6=0$이므로
$a^2-a=6$

23 $a^2-a=6$이므로
$6+1=7$

24 $2a^2-2a=2(a^2-a)=2\times6=12$

25 $3a^2-3a=3\times6=18$이므로
$3a^2-3a-6=18-6=12$

27 $2a^2+6a+3=0$이므로
$2a^2+6a=-3$

28 $2a^2+6a=-3$이므로
$-3-3=-6$

29 $a^2+3a=\frac{1}{2}\left(2a^2+6a\right)=-\frac{3}{2}$

30 $-a^2-3a=\frac{3}{2}$이므로
$-a^2-3a+3=\frac{9}{2}$

03. 인수분해를 이용한 이차방정식의 풀이 (본문 108쪽)

02 $x+4=0$ 또는 $x+2=0$
$\therefore x=-4$ 또는 $x=-2$

03 $x+9=0$ 또는 $x+1=0$
$\therefore x=-9$ 또는 $x=-1$

04 $x+3=0$ 또는 $x-2=0$
$\therefore x=-3$ 또는 $x=2$

05 $x=0$ 또는 $x-10=0$
$\therefore x=0$ 또는 $x=10$

06 $x+5=0$ 또는 $x-5=0$
$\therefore x=-5$ 또는 $x=5$

07 $x-3=0$ 또는 $x-4=0$
$\therefore x=3$ 또는 $x=4$

08 $x-1=0$ 또는 $x-6=0$
$\therefore x=1$ 또는 $x=6$

10 $x(x-12)=0$
$\therefore x=0$ 또는 $x=12$

11 $x(x-1)=0$
$\therefore x=0$ 또는 $x=1$

12 $x(x+3)=0$
$\therefore x=0$ 또는 $x=-3$

13 $x(x+7)=0$
$\therefore x=0$ 또는 $x=-7$

14 $2x(x+8)=0$
$\therefore x=0$ 또는 $x=-8$

15 $(x+9)(x-9)=0$
$\therefore x=-9$ 또는 $x=9$

16 $(x+5)(x-5)=0$
$\therefore x=-5$ 또는 $x=5$

17 $(x+10)(x-10)=0$
$\therefore x=-10$ 또는 $x=10$

18 $(x+8)(x-8)=0$
$\therefore x=-8$ 또는 $x=8$

19 $(3x+1)(3x-1)=0$
$\therefore x=-\frac{1}{3}$ 또는 $x=\frac{1}{3}$

20 $(2x+9)(2x-9)=0$
$\therefore x=-\frac{9}{2}$ 또는 $x=\frac{9}{2}$

22 $(x+1)(x+5)=0$
$\therefore x=-1$ 또는 $x=-5$

23 $(x+2)(x+7)=0$
$\therefore x=-2$ 또는 $x=-7$

24 $(x+6)(x+10)=0$
$\therefore x=-6$ 또는 $x=-10$

25 $(x-1)(x-4)=0$
$\therefore x=1$ 또는 $x=4$

26 $(x+3)(x+5)=0$
$\therefore x=-3$ 또는 $x=-5$

27 $(x+6)(x+8)=0$
$\therefore x=-6$ 또는 $x=-8$

28 $(x+3)(x+9)=0$
$\therefore x=-3$ 또는 $x=-9$

29 $(x-3)(x-5)=0$
$\therefore x=3$ 또는 $x=5$

30 $(x+1)(x+2)=0$
$\therefore x=-1$ 또는 $x=-2$

31 $(x+4)(x+6)=0$
$\therefore x=-4$ 또는 $x=-6$

32 $(x+2)(x+3)=0$
$\therefore x=-2$ 또는 $x=-3$

33 $(x-2)(x-3)=0$
$\therefore x=2$ 또는 $x=3$

34 $(x+1)(x+3)=0$
$\therefore x=-1$ 또는 $x=-3$

35 $(x+2)(x+12)=0$
$\therefore x=-2$ 또는 $x=-12$

36 $(x-6)(x-10)=0$
$\therefore x=6$ 또는 $x=10$

37 $(x+1)(x+7)=0$
$\therefore x=-1$ 또는 $x=-7$

38 $(x-1)(x-8)=0$
$\therefore x=1$ 또는 $x=8$

39 $(x-2)(2x-3)=0$
$\therefore x=2$ 또는 $x=\frac{3}{2}$

40 $(x-4)(2x-5)=0$
$\therefore x=4$ 또는 $x=\frac{5}{2}$

41 $(x+1)(2x+3)=0$
$\therefore x=-1$ 또는 $x=-\frac{3}{2}$

42 $(2x-1)(x-2)=0$
$\therefore x=\frac{1}{2}$ 또는 $x=2$

43 $(4x+1)(x+5)=0$
$\therefore x=-\frac{1}{4}$ 또는 $x=-5$

44 $(3x-2)(x-4)=0$
$\therefore x=\frac{2}{3}$ 또는 $x=4$

46 $(x+8)^2=0$
$\therefore x=-8$

47 $(x+2)^2=0$
$\therefore x=-2$

48 $(x-5)^2=0$
$\therefore x=5$

49 $(x+10)^2=0$
$\therefore x=-10$

50 $(x+5)^2=0$
$\therefore x=-5$

51 $(x-4)^2=0$
$\therefore x=4$

52 $(x-1)^2=0$
$\therefore x=1$

53 $(x-8)^2=0$
$\therefore x=8$

54 $(x+6)^2=0$
$\therefore x=-6$

55 $(5x+1)^2=0$
$\therefore x=-\frac{1}{5}$

56 $(2x-1)^2=0$
$\therefore x=\frac{1}{2}$

57 $x^2-7x=0$
$x(x-7)=0$
$\therefore x=0$ 또는 $x=7$

58 $x^2+2x=0$
$x(x+2)=0$
$\therefore x=0$ 또는 $x=-2$

59 $x^2-11x-12=0$
$(x+1)(x-12)=0$
$\therefore x=-1$ 또는 $x=12$

60 $x^2+10x+21=0$
$(x+3)(x+7)=0$
$\therefore x=-3$ 또는 $x=-7$

61 $x^2-2x-15=0$

$(x+3)(x-5)=0$
$\therefore x=-3$ 또는 $x=5$

62 $x^2+3x-10=0$
$(x+5)(x-2)=0$
$\therefore x=-5$ 또는 $x=2$

63 $x^2-7x+10=0$
$(x-2)(x-5)=0$
$\therefore x=2$ 또는 $x=5$

64 $x^2-x-6=0$
$(x+2)(x-3)=0$
$\therefore x=-2$ 또는 $x=3$

65 $x^2+2x-24=0$
$(x+6)(x-4)=0$
$\therefore x=-6$ 또는 $x=4$

66 $x^2+x-2=-2$
$x^2+x=0$
$x(x+1)=0$
$\therefore x=0$ 또는 $x=-1$

67 $2x^2-11x+12=0$
$(2x-3)(x-4)=0$
$\therefore x=\frac{3}{2}$ 또는 $x=4$

68 $4x^2-12x+9=0$
$(2x-3)^2=0$
$\therefore x=\frac{3}{2}$

70 $4+2+a=0$
$\therefore a=-6$
$x^2+x-6=0$
$(x+3)(x-2)=0$
$\therefore x=-3$ 또는 $x=2$

71 $4-4+a=0$
$\therefore a=0$
$x^2-2x=0$
$x(x-2)=0$
$\therefore x=0$ 또는 $x=2$

72 $4+6+a=0$
$\therefore a=-10$
$x^2+3x-10=0$
$(x+5)(x-2)=0$
$\therefore x=-5$ 또는 $x=2$

73 $4+2a+6=0$
$\therefore a=-5$
$x^2-5x+6=0$
$(x-2)(x-3)=0$
$\therefore x=2$ 또는 $x=3$

74 $4+2a+2=0$
$\therefore a=-3$
$x^2-3x+2=0$
$(x-1)(x-2)=0$
$\therefore x=1$ 또는 $x=2$

75 $4+2a-8=0$
$\therefore a=2$
$x^2+2x-8=0$
$(x+4)(x-2)=0$
$\therefore x=-4$ 또는 $x=2$

76 $4+2a-4=0$
$\therefore a=0$
$x^2-4=0$
$(x+2)(x-2)=0$
$\therefore x=-2$ 또는 $x=2$

04. 이차방정식의 중근 (본문 115쪽)

09 $a+1=\left(\frac{-12}{2}\right)^2=36$
$\therefore a=35$

10 $2a-1=\left(\frac{2}{2}\right)^2=1$
$\therefore a=1$

11 $x^2+6x+5-a=0$
$5-a=\left(\frac{6}{2}\right)^2=9$
$\therefore a=-4$

12 $x^2-8x-a=0$
$-a=\left(\frac{-8}{2}\right)^2=16$
$\therefore a=-16$

14 $a=\pm2\sqrt{144}=\pm24$

15 $a=\pm2\sqrt{4}=\pm4$

16 $4a+1=\left(\frac{-6}{2}\right)^2$
$4a+1=9$
$\therefore a=2$

05. 제곱근을 이용한 이차방정식의 풀이 (본문 117쪽)

14 $x+3=\pm9$
$x=-3\pm9$
$\therefore x=-12$ 또는 $x=6$

15 $x+2=\pm1$
$x=-2\pm1$
$\therefore x=-3$ 또는 $x=-1$

16 $x-5=\pm2$
$x=5\pm2$
$\therefore x=3$ 또는 $x=7$

17 $x-7=\pm4$
$x=7\pm4$
$\therefore x=3$ 또는 $x=11$

18 $x-1=\pm5$
$x=1\pm5$
$\therefore x=-4$ 또는 $x=6$

19 $x+1=\pm\sqrt{10}$
$\therefore x=-1\pm\sqrt{10}$

20 $x+5=\pm\sqrt{2}$
$\therefore x=-5\pm\sqrt{2}$

21 $x-4=\pm\sqrt{3}$
$\therefore x=4\pm\sqrt{3}$

22 $x-2=\pm2\sqrt{3}$
$\therefore x=2\pm2\sqrt{3}$

23 $x+10=\pm2\sqrt{2}$
$\therefore x=-10\pm2\sqrt{2}$

24 $x-3=\pm3\sqrt{2}$
$\therefore x=3\pm3\sqrt{2}$

06. 완전제곱식을 이용한 이차방정식의 풀이 (본문 119쪽)

02 $x^2-6x+9=-5+9$
$(x-3)^2=4$

03 $x^2+2x+1=3+1$
$(x+1)^2=4$

04 $x^2-8x+16=4+16$
$(x-4)^2=20$

05 $x^2+18x+81=-10+81$
$(x+9)^2=71$

06 $x^2-16x+64=16+64$
$(x-8)^2=80$

07 $x^2+10x+25=2+25$
$(x+5)^2=27$

08 $x^2-8x+16=-7+16$
$(x-4)^2=9$

10 $x^2-4x+4=2+4$
$(x-2)^2=6$
$x-2=\pm\sqrt{6}$
$\therefore x=2\pm\sqrt{6}$

11 $x^2+4x+4=8+4$
$(x+2)^2=12$
$x+2=\pm2\sqrt{3}$
$\therefore x=-2\pm2\sqrt{3}$

12 $x^2+6x+9=-7+9$
$(x+3)^2=2$
$x+3=\pm\sqrt{2}$
$\therefore x=-3\pm\sqrt{2}$

13 $x^2-4x+4=6+4$
$(x-2)^2=10$
$x-2=\pm\sqrt{10}$
$\therefore x=2\pm\sqrt{10}$

14 $x^2+2x+1=2+1$
$(x+1)^2=3$

$x+1=\pm\sqrt{3}$
$\therefore x=-1\pm\sqrt{3}$

15 $x^2+4x+4=3+4$
$(x+2)^2=7$
$x+2=\pm\sqrt{7}$
$\therefore x=-2\pm\sqrt{7}$

16 $x^2-2x+1=\frac{7}{2}+1$
$(x-1)^2=\frac{9}{2}$
$x-1=\pm\frac{3\sqrt{2}}{2}$
$\therefore x=1\pm\frac{3\sqrt{2}}{2}$

07. 이차방정식의 근의 공식 (본문 121쪽)

02 (2) $x=\frac{-7\pm\sqrt{49+8}}{2}$
$=\frac{-7\pm\sqrt{57}}{2}$

03 (2) $x=\frac{-3\pm\sqrt{9-4}}{2}$
$=\frac{-3\pm\sqrt{5}}{2}$

04 (2) $x=\frac{-5\pm\sqrt{25-12}}{6}$
$=\frac{-5\pm\sqrt{13}}{6}$

05 (2) $x=\frac{-1\pm\sqrt{1+32}}{4}$
$=\frac{-1\pm\sqrt{33}}{4}$

06 (2) $x=\frac{7\pm\sqrt{49-20}}{10}$
$=\frac{7\pm\sqrt{29}}{10}$

08 (2) $x=1\pm\sqrt{1+4}$
$=1\pm\sqrt{5}$

09 (2) $x=-3\pm\sqrt{9-1}$
$=-3\pm2\sqrt{2}$

10 (2) $x=\frac{6\pm\sqrt{36+72}}{9}$
$=\frac{6\pm6\sqrt{3}}{9}$
$=\frac{2\pm2\sqrt{3}}{3}$

11 (2) $x=\frac{2\pm\sqrt{4-2}}{2}$
$=\frac{2\pm\sqrt{2}}{2}$

12 (2) $x=\frac{-1\pm\sqrt{1+12}}{3}$
$=\frac{-1\pm\sqrt{13}}{3}$

14 $x=\frac{-3\pm\sqrt{9+8}}{2}$
$=\frac{-3\pm\sqrt{17}}{2}$

15 $x=\frac{5\pm\sqrt{25+4}}{2}$
$=\frac{5\pm\sqrt{29}}{2}$

16 $x=\frac{3\pm\sqrt{9-4}}{2}$
$=\frac{3\pm\sqrt{5}}{2}$

17 $x=\frac{5\pm\sqrt{25-8}}{2}$
$=\frac{5\pm\sqrt{17}}{2}$

18 $x=\frac{-1\pm\sqrt{1+20}}{2}$
$=\frac{-1\pm\sqrt{21}}{2}$

19 $x=\frac{-3\pm\sqrt{9+8}}{4}$
$=\frac{-3\pm\sqrt{17}}{4}$

20 $x=\frac{-7\pm\sqrt{49-36}}{6}$
$=\frac{-7\pm\sqrt{13}}{6}$

22 $x=2\pm\sqrt{4-2}$
$=2\pm\sqrt{2}$

23 $x=-3\pm\sqrt{9-7}$
$=-3\pm\sqrt{2}$

24 $x=1\pm\sqrt{1+2}$
$=1\pm\sqrt{3}$

25 $x=2\pm\sqrt{4-1}$
$=2\pm\sqrt{3}$

26 $x=\frac{-2\pm\sqrt{4-2}}{2}$
$=\frac{-2\pm\sqrt{2}}{2}$

27 $x^2+4x-6=0$
$\therefore x=-2\pm\sqrt{4+6}$
$=-2\pm\sqrt{10}$

28 $x^2-4x-2=0$
$\therefore x=2\pm\sqrt{4+2}$
$=2\pm\sqrt{6}$

08. 이차방정식의 근의 개수 (본문 125쪽)

01 (2) $36-16=20$

02 (2) $36-36=0$

03 (2) $4-8=-4$

04 $2^2-4\times3\times k>0$
$4-12k>0$
$-12k>-4$
$\therefore k<\frac{1}{3}$

05 $4-12k=0$
$-12k=-4$
$\therefore k=\frac{1}{3}$

06 $4-12k<0$
$-12k<-4$
$\therefore k>\frac{1}{3}$

07 $49+8=57$

08 $4+12=16$

09 $64-64=0$

10 $4-8=-4$

11 $49-16=33$

12 $64-52=12$

13 $25-8=17$

14 $16-20=-4$

15 $9-12=-3$

16 $1-40=-39$

17 $36-48=-12$

18 $1+40=41$

09. 이차방정식이 중근을 가질 조건 (본문 127쪽)

02 $3^2-4\times2\times m=9-8m=0$
$m=\frac{9}{8}$

03 $(-1)^2-1\times m=1-m=0$
$m=1$

04 $(-4)^2\times(m-1)=16-m+1=0$
$m=17$

05 $m^2-4\times4\times1=m^2-16=0$
$m=\pm4$

06 $(-m)^2-4\times1\times16=m^2-64=0$
$m=\pm8$

07 $(-m)^2-(2m-1)$
$=m^2-2m+1=(m-1)^2=0$
$m=1$

08 $m^2-4\times4\times36=m^2-576=0$
$m^2=576, m=\pm24$

09 $\{2(m+1)\}^2-(-3m+7)$
$=4m^2+8m+4+3m-7$
$=4m^2+11m-3$
$=(4m-1)(m+3)=0$
$m=\frac{1}{4}, -3$

10. 이차방정식 구하기(본문 128쪽)

02 $(x-1)(x-4)=0$
$\Rightarrow x^2-5x+4=0$

03 $(x+5)(x+2)=0$
$\Rightarrow x^2+7x+10=0$

04 $\left(x-\frac{1}{2}\right)\left(x-\frac{2}{3}\right)=0$
$\Rightarrow x^2-\frac{7}{6}x+\frac{1}{3}=0$

05 $(x+3)\left(x+\frac{1}{6}\right)=0$
$\Rightarrow x^2+\frac{19}{6}x+\frac{1}{2}=0$

06 $\left(x-\frac{1}{2}\right)(x+4)=0$
$\Rightarrow x^2+\frac{7}{2}x-2=0$

08 $-(x+7)x=0$
$\Rightarrow -x^2-7x=0$

09 $5(x-1)(x+1)=0$
$\Rightarrow 5(x^2-1)=0$
$\Rightarrow 5x^2-5=0$

10 $3(x+3)\left(x-\frac{1}{3}\right)=0$
$\Rightarrow 3\left(x^2+\frac{8}{3}x-1\right)=0$
$\Rightarrow 3x^2+8x-3=0$

11 $6\left(x-\frac{1}{2}\right)\left(x-\frac{1}{3}\right)=0$
$\Rightarrow 6\left(x^2-\frac{5}{6}x+\frac{1}{6}\right)=0$
$\Rightarrow 6x^2-5x+1=0$

13 $(x-2)^2=0$
$\Rightarrow x^2-4x+4=0$

14 $-(x-3)^2=0$
$\Rightarrow -(x^2-6x+9)=0$
$\Rightarrow -x^2+6x-9=0$

15 $4\left(x-\frac{3}{2}\right)^2=0$
$\Rightarrow 4\left(x^2-3x+\frac{9}{4}\right)=0$
$\Rightarrow 4x^2-12x+9=0$

16 $3(x+5)^2=0$
$\Rightarrow 3(x^2+10x+25)=0$
$\Rightarrow 3x^2+30x+75=0$

11. 복잡한 이차방정식의 풀이

(본문 130쪽)

02 $x^2-14x+40=0$
$(x-4)(x-10)=0$
$\therefore x=4$ 또는 $x=10$

03 $x^2+8x+12=0$
$(x+6)(x+2)=0$
$\therefore x=-6$ 또는 $x=-2$

04 $x^2-3x-10=0$
$(x+2)(x-5)=0$
$\therefore x=-2$ 또는 $x=5$

05 $x^2-4x-4=0$
$\therefore x=2\pm\sqrt{4+4}=2\pm2\sqrt{2}$

06 $2x^2+10x+3x+20=0$
$2x^2+13x+20=0$
$(x+4)(2x+5)=0$
$\therefore x=-4$ 또는 $x=-\frac{5}{2}$

07 $2x^2+4-x^2+4x=0$
$x^2+4x+4=0$
$(x+2)^2=0$
$\therefore x=-2$ (중근)

08 $x^2+2x+4x+4=0$
$x^2+6x+4=0$
$\therefore x=-3\pm\sqrt{9-4}$
$=-3\pm\sqrt{5}$

10 $x^2-12x+30=0$
$\therefore x=6\pm\sqrt{36-30}$
$=6\pm\sqrt{6}$

11 $x^2+6x+9=0$
$(x+3)^2=0$
$\therefore x=-3$ (중근)

12 $x^2+6x+2=0$
$\therefore x=-3\pm\sqrt{9-2}$
$=-3\pm\sqrt{7}$

13 $3x^2+10x+2=0$
$\therefore x=\frac{-5\pm\sqrt{25-6}}{3}$
$=\frac{-5\pm\sqrt{19}}{3}$

14 $x^2-2x+1=0$
$(x-1)^2=0$
$\therefore x=1$ (중근)

15 $x^2-4x+2=0$
$\therefore x=2\pm\sqrt{4-2}$
$=2\pm\sqrt{2}$

16 $2x^2-15x+27=0$
$(x-3)(2x-9)=0$
$\therefore x=3$ 또는 $x=\frac{9}{2}$

18 $3x^2-300=0$
$x^2-100=0$
$(x+10)(x-10)=0$
$\therefore x=-10$ 또는 $x=10$

19 $x^2+3x-10=0$
$(x+5)(x-2)=0$
$\therefore x=-5$ 또는 $x=2$

20 $2x^2-20x+50=0$
$x^2-10x+25=0$
$(x-5)^2=0$
$\therefore x=5$ (중근)

21 $7x^2-7x-14=0$
$x^2-x-2=0$
$(x+1)(x-2)=0$
$\therefore x=-1$ 또는 $x=2$

22 $x^2-20x+100=0$
$(x-10)^2=0$
$\therefore x=10$ (중근)

23 $5x^2+50x+60=0$
$x^2+10x+12=0$
$\therefore x=-5\pm\sqrt{25-12}=-5\pm\sqrt{13}$

24 $10x^2-35x+30=0$
$2x^2-7x+6=0$
$(x-2)(2x-3)=0$
$\therefore x=2$ 또는 $x=\frac{3}{2}$

26 $x-5=A$로 치환하면
$A^2=4A$
$A^2-4A=0$
$A(A-4)=0$
$A=0$ 또는 $A=4$
$x-5=0$ 또는 $x-5=4$
$\therefore x=5$ 또는 $x=9$

27 $x-3=A$로 치환하면
$A^2-2A-3=0$
$(A+1)(A-3)=0$
$A=-1$ 또는 $A=3$
$x-3=-1$ 또는 $x-3=3$
$\therefore x=2$ 또는 $x=6$

28 $x-1=A$로 치환하면
$A^2+12A+36=0$
$(A+6)^2=0$
$A=-6$ (중근)
$x-1=-6$
$\therefore x=-5$ (중근)

29 $x-3=A$로 치환하면
$3A^2+5A+2=0$
$(A+1)(3A+2)=0$
$A=-1$ 또는 $A=-\frac{2}{3}$
$x-3=-1$ 또는 $x-3=-\frac{2}{3}$

$\therefore x=2$ 또는 $x=\frac{7}{3}$

30 $2x-1=A$로 치환하면
$A^2-10A+9=0$
$(A-1)(A-9)=0$
$A=1$ 또는 $A=9$
$2x-1=1$ 또는 $2x-1=9$
$\therefore x=1$ 또는 $x=5$

31 $x+3=A$로 치환하면
$A^2+6=5A$
$A^2-5A+6=0$
$(A-2)(A-3)=0$
$A=2$ 또는 $A=3$
$x+3=2$ 또는 $x+3=3$
$\therefore x=-1$ 또는 $x=0$

32 $x+2=A$로 치환하면
$\frac{1}{4}A^2+1=A$
$\frac{1}{4}A^2-A+1=0$
양변에 4를 곱하면
$A^2-4A+4=0$
$(A-2)^2=0$
$A=2$ (중근)
$x+2=2$
$\therefore x=0$ (중근)

Ⅳ. 이차함수와 그래프

01. 이차함수의 뜻 (본문 140쪽)

05 $y=(3x+1)^2-9x^2=6x+1$에서
$6x+1$은 x에 대한 일차식이므로
일차함수이다.

12 (1) $f(0)=0^2+2\times0-6=-6$
(2) $f(1)=1^2+2\times1-6=-3$
(3) $f(-1)=(-1)^2+2\times(-1)-6$
$=-7$
(4) $f\left(\frac{1}{2}\right)=\left(\frac{1}{2}\right)^2+2\times\frac{1}{2}-6$
$=\frac{1}{4}+1-6$
$=-\frac{19}{4}$

13 (1) $f(0)=0^2-3\times0+1=1$
(2) $f(1)=1^2-3\times1+1=-1$
(3) $f(-2)=(-2)^2-3\times(-2)+1$
$=11$
(4) $f\left(\frac{1}{3}\right)=\left(\frac{1}{3}\right)^2-3\times\left(\frac{1}{3}\right)+1$
$=\frac{1}{9}-1+1$
$=\frac{1}{9}$

14 (1) $f(-1)=-(-1)^2+5$
$=-1+5=4$
(2) $f(1)=-1^2+5=4$
(3) $f(2)=-2^2+5=1$
(4) $f\left(-\frac{1}{2}\right)=-\left(-\frac{1}{2}\right)^2+5$
$=-\frac{1}{4}+5=\frac{19}{4}$

15 (1) $f(-1)=(-1+1)^2=0$
(2) $f(0)=1^2=1$
(3) $f(4)=(4+1)^2=25$
(4) $f(-2)=(-2+1)^2$
$=(-1)^2$
$=1$

16 $f(2)=-8+6-5=-7$
$f(-1)=-2-3-5=-10$
$f(2)-f(-1)=-7-(-10)=3$

04. 이차함수 $y=ax^2$의 그래프
(본문 144쪽)

19 (1) x^2의 계수가 양수인 것은 ㉠, ㉢, ㉣이다.
(2) x^2의 계수의 절댓값이 가장 큰 것은 ㉣이다.
(3) x^2의 계수의 절댓값이 가장 작은 것은 ㉥이다.

20 (1) x^2의 계수가 음수인 것은 ㉡, ㉣, ㉤, ㉦이다.
(2) x^2의 계수의 절댓값이 1보다 큰 것은 ㉠, ㉡, ㉢, ㉣, ㉦이다.
(3) x^2의 계수의 절댓값이 $\frac{1}{2}$보다 작은 것은 ㉥이다.

21 x^2의 계수의 절댓값이 가장 큰 것의 그래프의 폭이 가장 좁다.

23 $y=ax^2$에 $x=6, y=-2$를 대입하면
$-2=36a$이므로 $a=-\frac{1}{18}$

24 $y=ax^2$에 $x=-3, y=27$을 대입하면
$27=9a$이므로 $a=3$

25 $y=ax^2$에 $x=-6, y=-6$을 대입하면
$-6=36a$이므로 $a=-\frac{1}{6}$

26 ⑤ $-2\times\left(\frac{1}{9}\right)^2=-\frac{2}{81}\neq-\frac{2}{3}$

05. 이차함수 $y=ax^2+q$의 그래프
(본문 149쪽)

30 $y=-\frac{1}{2}x^2$의 그래프를 y축의 방향으로 k만큼 평행이동하면
$y=-\frac{1}{2}x^2+k$이다.
이 그래프가 점 $P(4, 2)$를 지나므로
$x=4, y=2$를 대입하면
$2=-\frac{1}{2}\times4^2+k$
$k=10$

31 $y=\frac{1}{5}x^2$의 그래프를 y축의 방향으로 k만큼 평행이동하면
$y=\frac{1}{5}x^2+k$이다.
이 그래프가 점 $P(5, 2)$를 지나므로
$x=5, y=2$를 대입하면
$2=\frac{1}{5}\times5^2+k$
$k=-3$

32 $y=-\frac{1}{5}x^2$의 그래프를 y축의 방향으로 k만큼 평행이동하면
$y=-\frac{1}{5}x^2+k$
이 그래프가 점 $P(10, -2)$를 지나므로
$x=10, y=-2$를 대입하면
$-2=-\frac{1}{5}\times10^2+k$
$k=18$

33 (1) $y=3x^2$의 그래프를 평행이동한 그래프이다.
(3) 꼭짓점의 좌표는 $(0, -3)$이다.

34 (1) $y=-2x^2$의 그래프를 평행이동한 그래프이다.

06. 이차함수 $y=a(x-p)^2$의 그래프
(본문 153쪽)

37 (1) 꼭짓점의 좌표는 $(2, 0)$이다.
(2) 축의 방정식은 $x=2$이다.
(3) 점 $(1, 3)$을 지난다.
(4) $x>2$일 때, x의 값이 증가하면 y의 값도 증가한다.

38 (4) $y=-\frac{3}{4}x^2$의 그래프를 x축의 방향으로 -1만큼 평행이동한 것이다.
(5) x의 값이 증가할 때 y의 값도 증가하는 x의 값의 범위는 $x<-1$이다.

07. 이차함수 $y=a(x-p)^2+q$의 그래프 (본문 157쪽)

34 $y=-2(x+1)^2+3$의 그래프의 x값에 -3을, y값에 k를 넣는다.

$k=-2(-3+1)^2+3=-5$

35 (1) 축의 방정식은 $x=-2$이다.

(2) $\left|\frac{1}{3}\right|<\left|-\frac{1}{2}\right|$이므로 $y=-\frac{1}{2}x^2$의 그래프보다 폭이 넓다.

(3) 꼭짓점의 좌표는 $(-2, -1)$이다.

(4) $y=\frac{1}{3}x^2$의 그래프를 x축의 방향으로 -2만큼, y축의 방향으로 -1만큼 평행이동한 것이다.

36 (3) 그래프는 제 3, 4 사분면을 지난다.

(4) $x<-1$일 때, x의 값이 증가하면 y의 값은 증가한다.

08. 이차함수 $y=a(x-p)^2+q$의 그래프의 대칭이동 (본문 161쪽)

02 $y-(-2)=2(x-(-3)+5)^2-4$

$\Rightarrow y+2=2(x+3+5)^2-4$

$\Rightarrow y=2(x+8)^2-6$

꼭짓점의 좌표: $(-8, -6)$,
축의 방정식: $x=-8$

03 $y-7=2(x-7+5)^2-4$

$\Rightarrow y=2(x-2)^2+3$

꼭짓점의 좌표: $(2, 3)$,
축의 방정식: $x=2$

04 평행이동하면

$y-n=2(x-m-3)^2+1$

$\Rightarrow y=2\{x-(m+3)\}^2+1+n$

꼭짓점의 좌표: $((m+3), (1+n))$

평행이동한 꼭짓점의 좌표가 원점이 되므로

$m+3=0, 1+n=0$

$\therefore m=-3, n=-1, mn=3$

05 x축에 대하여 대칭이동하려면 y대신 $-y$를 대입한다.

$-y=5(x-1)^2+2$

$\Rightarrow y=-5(x-1)^2-2$

꼭짓점의 좌표: $(1, -2)$,
축의 방정식: $x=1$

06 y축에 대하여 대칭이동하려면 x대신 $-x$를 대입한다.

$y=5(-x-1)^2+2$

$\Rightarrow y=5(x+1)^2+2$

꼭짓점의 좌표: $(-1, 2)$,
축의 방정식: $x=-1$

07 y축에 대하여 대칭이동하려면 x대신 $-x$를 대입한다.

$y=-(-x+2)^2+6$

$\Rightarrow y=-(x-2)^2+6$

09. 이차함수 $y=ax^2+bx+c$의 그래프 (본문 162쪽)

02 $y=x^2-6x+6$
$=(x^2-6x+9)-9+6$
$=(x-3)^2-3$

03 $y=-x^2+4x-2$
$=-(x^2-4x+4)+4-2$
$=-(x-2)^2+2$

04 $y=2x^2-4x+4$
$=2(x^2-2x+1)-2+4$
$=2(x-1)^2+2$

05 $y=-2x^2+4x+1$
$=-2(x^2-2x+1)+2+1$
$=-2(x-1)^2+3$

06 $y=-x^2+8x+1$
$=-(x^2-8x+16)+16+1$
$=-(x-4)^2+17$

07 $y=3x^2-6x+5$
$=3(x^2-2x+1)-3+5$
$=3(x-1)^2+2$

08 $y=-x^2-6x+1$
$=-(x^2+6x+9)+9+1$
$=-(x+3)^2+10$

09 $y=\frac{1}{2}x^2-4x+1$
$=\frac{1}{2}(x^2-8x+16)-8+1$
$=\frac{1}{2}(x-4)^2-7$

10 $y=-2x^2+8x-5$
$=-2(x^2-4x+4)+8-5$
$=-2(x-2)^2+3$

10. 이차함수 $y=ax^2+bx+c$의 그래프의 성질 (본문 163쪽)

03 $y=x^2+6x+5$
$=(x^2+6x+9)-9+5$
$=(x+3)^2-4$

04 $y=-x^2+4x-3$
$=-(x^2-4x+4)+4-3$
$=-(x-2)^2+1$

05 $y=3x^2+6x+1$
$=3(x^2+2x+1)-3+1$
$=3(x+1)^2-2$

06 $y=-2x^2+8x-5$
$=-2(x^2-4x+4)+8-5$
$=-2(x-2)^2+3$

07 $y=-x^2+2x-3$
$=-(x^2-2x+1)+1-3$
$=-(x-1)^2-2$

(1) 위로 볼록하다.

(2) 제 3, 4 사분면을 지난다.

(4) 직선 $x=1$을 대칭축으로 한다.

(5) $y=-x^2$의 그래프를 x축의 방향으로 1만큼, y축의 방향으로 -2만큼 평행이동한 것이다.

08 $y=2x^2-8x+3$
$=2(x^2-4x+4)-8+3$
$=2(x-2)^2-5$

(1) 아래로 볼록하다.

(5) $x>2$일 때, x의 값이 증가하면 y의 값은 증가한다.

09 $y=x^2+6x+8$
$=(x^2+6x+9)-9+8$
$=(x+3)^2-1$

(2) 제 4사분면을 지나지 않는다.

10 $y=x^2+6x+5$
$=(x^2+6x+9)-9+5$
$=(x+3)^2-4$

(2) 축의 방정식은 $x=-3$이다.

(3) y축과 만나는 점은 $(0, 5)$이다.

(5) $x^2+6x+5=0$

$(x+1)(x+5)=0$

$x=-1, -5$

$\therefore$ x축과의 교점은 $(-1, 0)$, $(-5, 0)$이다.

11. 이차함수 $y=ax^2+bx+c$의 그래프에서 a, b, c의 부호 (본문 167쪽)

06 그래프가 위로 볼록하므로 $a<0$이다. 그래프의 축이 y축의 오른쪽에 있으므로 a, b는 서로 다른 부호이다. 즉, $b>0$이다. y축과의 교점이 x축보다 아래쪽에 있으므로 $c<0$이다.

07 그래프가 아래로 볼록하므로 $a>0$이다. 그래프의 축이 y축의 왼쪽에 있으므로 a, b는 서로 같은 부호이다. 즉, $b>0$이다. y축과의 교점이 x축보다 위쪽에 있으므로 $c>0$이다.

12. 이차함수의 식 구하기 (1) (본문 169쪽)

02 꼭짓점의 좌표가 $P(1, 5)$이므로 이차함수는

$y=a(x-1)^2+5$의 꼴로 나타낼 수 있다.

점 $Q(0, 2)$를 지나므로

$x=0, y=2$를 대입하면

$2=a+5, a=-3$

따라서 구하는 이차함수의 식은

$y=-3(x-1)^2+5$

03 꼭짓점의 좌표가 $\mathrm{P}(2, -3)$이므로 이차함수를

$y=a(x-2)^2-3$의 꼴로 나타낼 수 있다.

점 $\mathrm{Q}(0, 5)$를 지나므로

$x=0, y=5$를 대입하면

$5=4a-3, a=2$

따라서 구하는 이차함수의 식은

$y=2(x-2)^2-3$

04 꼭짓점의 좌표가 $\mathrm{P}(-2, 5)$이므로 이차함수를

$y=a(x+2)^2+5$의 꼴로 나타낼 수 있다.

점 $\mathrm{Q}(0, -3)$을 지나므로

$x=0, y=-3$을 대입하면

$-3=4a+5, a=-2$

따라서 구하는 이차함수의 식은

$y=-2(x+2)^2+5$

05 꼭짓점의 좌표가 $\mathrm{P}(2, -1)$이므로 이차함수를

$y=a(x-2)^2-1$의 꼴로 나타낼 수 있다.

점 $\mathrm{Q}(3, 1)$을 지나므로

$x=3, y=1$를 대입하면

$1=a-1, a=2$

따라서 구하는 이차함수의 식은

$y=2(x-2)^2-1$

08 포물선의 꼭짓점의 좌표가 $(1, -4)$이므로 구하는 이차함수를

$y=a(x-1)^2-4$의 꼴로 나타낼 수 있다.

또, 그래프가 점 $(0, -2)$를 지나므로 $x=0, y=-2$를 대입하면 $a=2$

따라서 구하는 이차함수의 식은

$y=2(x-1)^2-4=2x^2-4x-2$

09 포물선의 꼭짓점의 좌표가 $(2, 3)$이므로 구하는 이차함수를 $y=a(x-2)^2+3$의 꼴로 나타낼 수 있다.

또, 그래프가 점 $(0, 6)$을 지나므로

$x=0, y=6$을 대입하면 $a=\frac{3}{4}$ 따라서 구하는 이차함수의 식은

$y=\frac{3}{4}(x-2)^2+3=\frac{3}{4}x^2-3x+6$

10 포물선의 꼭짓점의 좌표가 $(2, 3)$이므로 구하는 이차함수를 $y=a(x-2)^2+3$의 꼴로 나타낼 수 있다.

또, 그래프가 점 $(0, 1)$을 지나므로

$x=0, y=1$을 대입하면 $a=-\frac{1}{2}$

따라서 구하는 이차함수의 식은

$y=-\frac{1}{2}(x-2)^2+3$

$=-\frac{1}{2}x^2+2x+1$

13. 이차함수의 식 구하기 (2)

(본문 171쪽)

02 축의 방정식이 $x=2$이므로 $p=2$

$y=a(x-2)^2+q$에 $x=-3, y=3$을 대입

$3=25a+q$ ……㉠

$y=a(x-2)^2+q$에 $x=5, y=-13$을 대입

$-13=9a+q$ ……㉡

㉠과 ㉡을 연립하여 풀면

$a=1, q=-22$

$\therefore apq=1\times2\times(-22)=-44$

03 $y=a(x+4)^2+q$에 $x=-1, y=3$을 대입하면

$3=9a+q$ ……㉠

$y=a(x+4)^2+q$에 $x=-5, y=11$을 대입하면

$11=a+q$ ……㉡

㉠과 ㉡을 연립하여 풀면

$a=-1, q=12$

$y=-(x+4)^2+12$가 $(4, m)$을 지나므로

$m=-64+12=-52$

04 축의 방정식이 $x=-1$이므로

$y=a(x+1)^2+q$, $x=1$, $y=-2$를 대입

$-2=4a+q$ ……㉠

$y=a(x+1)^2+q$에 $x=4$, $y=-9$를 대입

$-9=25a+q$ ……㉡

㉠과 ㉡을 연립하여 풀면 $a=-\frac{1}{3}$, $q=-\frac{2}{3}$

$y=-\frac{1}{3}(x+1)^2-\frac{2}{3}$를 전개하면

$y=-\frac{1}{3}x^2-\frac{2}{3}x-1$

$b=-\frac{2}{3}, c=-1$

$\therefore 3a-6b+c$

$=3\times\left(-\frac{1}{3}\right)-6\times\left(-\frac{2}{3}\right)-1=2$

05 축의 방정식이 $x=-1$이므로

$y=a(x+1)^2+q$, $x=-3$, $y=4$를 대입

$4=4a+q$ ……㉠

$y=a(x+1)^2+q$에 $x=2$, $y=-6$을 대입

$-6=9a+q$ ……㉡

㉠과 ㉡을 연립하여 풀면 $a=-2$, $q=12$

$y=-2(x+1)^2+12$

$\Rightarrow y=-2x^2-4x+10$

$b=-4, c=10$

$\therefore 3a-6b+c=-6+24+10=28$

06 이차함수 그래프의 축의 방정식이 $x=1$이므로

$y=a(x-1)^2+q$

이 그래프가 $(0, 6)$을 지나므로

$6=a+q$ ……㉠

이 그래프가 $(4, 10)$을 지나므로

$10=9a+q$ ……㉡

㉠과 ㉡을 연립하여 풀면

$a=\frac{1}{2}, q=\frac{11}{2}$

그러므로 구하는 이차함수의 식은

$y=\frac{1}{2}(x-1)^2+\frac{11}{2}$

07 $y=ax^2+q$이므로

$6=a+q$ ……㉠

$-2=9a+q$ ……㉡

㉠과 ㉡을 연립하여 풀면,

$a=-1, q=7$

$y=-x^2+7$

14. 이차함수의 식 구하기 (3)

(본문 172쪽)

02 이차함수의 식을 $y=ax^2+bx+c$로 놓고

$x=-3, y=0$을 대입하면

$0=9a-3b+c$ ……㉠

$x=0, y=6$을 대입하면 $6=c$ ……㉡

$x=2, y=-10$을 대입하면

$-10=4a+2b+c$ ……㉢

㉠, ㉡, ㉢을 연립하여 풀면

$a=-2, b=-4, c=6$

따라서 이차함수의 식은

$y=-2x^2-4x+6$

03 이차함수의 식을 $y=ax^2+bx+c$로 놓고

$x=0, y=-1$을 대입하면

$-1=c$ ……㉠

$x=1, y=-2$를 대입하면

$-2=a+b+c$ ……㉡

$x=-1, y=3$을 대입하면

$3=a-b+c$ ……㉢

㉠, ㉡, ㉢을 연립하여 풀면

$a=\frac{3}{2}, b=-\frac{5}{2}, c=-1$

따라서 이차함수의 식은

$y=\frac{3}{2}x^2-\frac{5}{2}x-1$

05 이차함수의 식을 $y=a(x+2)(x-3)$ 으로 놓고

$x=0, y=-3$을 대입하면

$-3=a\cdot 2\cdot(-3), a=\frac{1}{2}$

따라서 이차함수의 식은

$y=\frac{1}{2}(x+2)(x-3)$, 즉

$y=\frac{1}{2}x^2-\frac{1}{2}x-3$

06 $(-1, 4), (0, 6), (3, 0)$을 지나므로

$c=6$이고, $a-b=-2$,

$9a+3b=-6$을 연립하여 풀면

$a=-1, b=1$이다.

$\therefore y=-x^2+x+6$

15. 이차함수의 활용 (본문 173쪽)

02 (1) 지면에 떨어지면 높이는 0m이므로

$y=0$

(2) $0=-5x^2+20x$이므로

$x(x-4)=0, x>0$이므로 $x=4$

(3) 그러므로 축구공이 지면에 떨어지는 것은 4초 후이다.

03 세로의 길이 : $x+4x$이므로 $5x$ cm

그러므로 직사각형의 넓이

$\Rightarrow y=x\times 5x=5x^2$

04 (1) 둘레의 길이가 98 m이므로 이 직사각형의 세로의 길이는

$\frac{98-2x}{2}=49-x(\text{m})$

그러므로 직사각형의 넓이는

$y=x(49-x)$

$=-x^2+49x$

(2) $-x^2+49x=48$

$x^2-49x+48=0$

$(x-1)(x-48)=0$

$x=1$ 또는 48

그러므로 세로의 길이는

$49-1=48$ 또는 $49-48=1$

연산으로 마스터하는
중학 수학 3 (상)

유형No.	유형	총 문항수	틀린 문항수	채점결과
060	인수분해 공식 (3) $x^2+(a+b)x+ab$	70		○△×
061	인수분해 공식 (4) $acx^2+(ad+bc)x+bd$	20		○△×
062	인수분해 공식의 종합	8		○△×
063	공통 인수로 묶어 인수분해하기	22		○△×
064	치환을 이용한 인수분해	15		○△×
065	복잡한 식의 인수분해	8		○△×
066	공통 인수를 이용한 수의 계산	10		○△×
067	완전제곱식을 이용한 수의 계산	12		○△×
068	제곱의 차를 이용한 수의 계산	6		○△×
069	인수분해 공식을 이용한 여러 가지 수의 계산	6		○△×
070	인수분해 공식을 이용한 식의 값	31		○△×
071	이차식의 계수 구하기	3		○△×
072	잘못 보고 푼 것을 제대로 풀기	2		○△×
073	인수분해 공식의 도형에의 활용	7		○△×
074	이차방정식의 뜻	10		○△×
075	이차방정식의 해	9		○△×
076	한 근이 주어진 이차방정식	21		○△×
077	인수분해를 이용한 이차방정식의 풀이	76		○△×
078	이차방정식이 중근을 가질 조건 (1)	16		○△×
079	제곱근을 이용한 이차방정식의 풀이	24		○△×
080	완전제곱식으로의 변형	8		○△×
081	완전제곱식을 이용한 이차방정식의 풀이	8		○△×
082	이차방정식의 근의 공식	12		○△×
083	근의 공식을 이용한 이차방정식의 풀이	16		○△×
084	이차방정식의 근의 개수	18		○△×
085	이차방정식이 중근을 가질 조건 (2)	9		○△×
086	이차방정식 구하기	16		○△×
087	괄호가 있는 이차방정식의 풀이	8		○△×
088	계수가 분수인 이차방정식의 풀이	8		○△×
089	계수가 소수인 이차방정식의 풀이	8		○△×
090	치환을 이용한 이차방정식의 풀이	8		○△×
091	연속하는 자연수에 관한 문제	12		○△×
092	쏘아올린 공에 관한 문제	4		○△×

유형No.	유형	총 문항수	틀린 문항수	채점결과
093	도형에 관한 문제	8		○△×
094	이차함수 찾기	6		○△×
095	관계식을 구하고, 이차함수 찾기	5		○△×
096	이차함수의 함숫값	5		○△×
097	이차함수 $y=x^2$의 그래프의 성질	7		○△×
098	이차함수 $y=-x^2$의 그래프의 성질	7		○△×
099	이차함수 $y=ax^2(a>0)$의 그래프 그리기	4		○△×
100	이차함수 $y=ax^2(a<0)$의 그래프 그리기	4		○△×
101	이차함수 $y=ax^2$의 그래프가 지나는 사분면	7		○△×
102	이차함수 $y=ax^2$의 그래프의 성질	11		○△×
103	y축의 방향으로 평행이동한 그래프의 식	8		○△×
104	이차함수 $y=ax^2+q$의 그래프 그리기	6		○△×
105	이차함수 $y=ax^2+q$의 축의 방정식	7		○△×
106	이차함수 $y=ax^2+q$의 꼭짓점의 좌표	7		○△×
107	이차함수 $y=ax^2+q$의 그래프의 성질	6		○△×
108	x축의 방향으로 평행이동한 그래프의 식	14		○△×
109	이차함수 $y=a(x-p)^2$의 그래프 그리기	6		○△×
110	이차함수 $y=a(x-p)^2$의 축의 방정식	8		○△×
111	이차함수 $y=a(x-p)^2$의 꼭짓점의 좌표	10		○△×
112	x축, y축의 방향으로 평행이동한 그래프의 식	7		○△×
113	이차함수 $y=a(x-p)^2+q$의 그래프 그리기	6		○△×
114	이차함수 $y=a(x-p)^2+q$의 축의 방정식	8		○△×
115	이차함수 $y=a(x-p)^2+q$의 꼭짓점의 좌표	8		○△×
116	이차함수 $y=a(x-p)^2+q$의 그래프의 성질	7		○△×
117	이차함수 $y=a(x-p)^2+q$의 그래프의 1 : 1로 평행이동	4		○△×
118	이차함수 $y=a(x-p)^2+q$의 그래프의 대칭이동	3		○△×
119	$y=a(x-p)^2+q$의 꼴로 고치기	10		○△×
120	이차함수 $y=ax^2+bx+c$의 그래프의 성질 (1)	6		○△×
121	이차함수 $y=ax^2+bx+c$의 그래프의 성질 (2)	4		○△×
122	그래프가 주어질 때 a, b, c의 부호 정하기	7		○△×
123	꼭짓점과 다른 한 점이 주어진 이차함수의 식	5		○△×
124	그래프가 주어진 이차함수의 식	5		○△×
125	축의 방정식 $x=p$와 그래프 위의 두 점을 알 때	7		○△×
126	세 점이 주어지는 이차함수의 식	6		○△×
127	이차함수의 활용	4		○△×